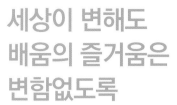

세상이 변해도
배움의 즐거움은
변함없도록

시대는 빠르게 변해도
배움의 즐거움은
변함없어야 하기에

어제의 비상은
남다른 교재부터
결이 다른 콘텐츠
전에 없던 교육 플랫폼까지

변함없는 혁신으로
교육 문화 환경의 새로운 전형을
실현해왔습니다.

비상은 오늘, 다시 한번
새로운 교육 문화 환경을 실현하기 위한
또 하나의 혁신을 시작합니다.

오늘의 내가 어제의 나를 초월하고
오늘의 교육이 어제의 교육을 초월하여
배움의 즐거움을 지속하는 혁신,

바로, 메타인지 기반 완전 학습을.

상상을 실현하는 교육 문화 기업 비상

메타인지 기반 완전 학습

초월을 뜻하는 meta와 생각을 뜻하는 인지가 결합한 메타인지는
자신이 알고 모르는 것을 스스로 구분하고 학습계획을 세우도록 하는
궁극의 학습 능력입니다. 비상의 메타인지 기반 완전 학습 시스템은
잠들어 있는 메타인지를 깨워 공부를 100% 내 것으로 만들도록 합니다.

중등

수능
독해

1
기본

중1 필수 어휘편

이 책의 어휘 구성

"중등 수능독해 어휘편"은 중등 교과서의 어휘, 문제의 난이도, 기출문제 등을 학생들의 수준에 맞게 단계별로 제시하였습니다.

"중등 수능독해 어휘편"을 처음 접하는 학생은 1권을, 어휘력 수준을 한 단계 올리고 싶은 학생은 2권을, 어휘력을 심화 수준까지 완성하고 싶은 학생은 3권을 선택하여 학습합니다.

중등 국어 교과서의 필수 어휘 수록

중학교 국어 교과서를 모두 분석하여 학생들이 꼭 알아야 할 개념어와 주제어를 정리하였습니다. 국어 교과서에서 선별한 필수 어휘들은 수능 국어 영역 문학의 바탕이 됩니다.

■ 개념어   교과서에 수록된 개념어를 구조적으로 제시하였습니다. 개념어란 추상적인 생각을 나타내는 말로, 개념어를 정확하게 알고 있어야 지식을 제대로 습득할 수 있고 문제 해결 능력을 기를 수 있습니다.

■ 주제어   국어 교과서에 수록된 필수 어휘들을 뽑아, 수능 문학 영역에서 자주 출제되는 주제들로 묶어 제시하였습니다. 의미의 연상을 통한 주제별 어휘 제시는 어휘 학습을 더욱 효율적으로 할 수 있도록 합니다.

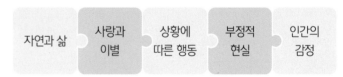

자연과 삶 | 사랑과 이별 | 상황에 따른 행동 | 부정적 현실 | 인간의 감정

▲ 문학 영역에서 자주 출제되는 주제

중1 필수 어휘 (예비 중1 ~ 중1)	• 중학교 1학년 주요 과목 교과서에서 핵심 개념어와 연관된 개념어를 선별하여 구성 • 중학교 1학년 주요 과목 교과서에서 선별한 핵심 어휘를 주제별로 재구성하여 제시
중2 필수 어휘 (중1 ~ 중2)	• 중학교 2학년 주요 과목 교과서에서 핵심 개념어와 연관된 개념어를 선별하여 구성 • 중학교 2학년 주요 과목 교과서에서 선별한 핵심 어휘를 주제별로 재구성하여 제시
중3 필수 어휘 (중3 ~ 예비 고1)	• 중학교 3학년 주요 과목 교과서에서 핵심 개념어와 연관된 개념어를 선별하여 구성 • 중학교 3학년 주요 과목 교과서에서 선별한 핵심 어휘를 주제별로 재구성하여 제시

중등 주요 과목 교과서의 필수 어휘 수록

사회, 역사, 도덕, 과학 등 중학교 주요 과목 교과서에서 학생들이 꼭 알아야 할 필수 어휘들을 선별하여, 수능 국어 영역 독서에 자주 출제되는 주제에 따라 재구성하여 제시하였습니다.

인문	사회	과학	기술	예술
역사, 철학, 윤리, 심리, 사상	정치, 경제, 법률, 언론	지구 과학, 물리, 화학, 의학, 생물	전기, 전자, 의료, 에너지, 기계, 소재	음악, 미술, 영화, 영상, 공연, 건축

▲ 독서 영역에서 자주 출제되는 주제

책의 용어 알기

유	뜻이 비슷한 말인 '유의어'
반	뜻이 서로 정반대되는 관계에 있는 말인 '반의어'
속	예로부터 민간에 전하여 오는 쉬운 격언이나 잠언을 일컫는 '속담'
한	교훈이나 유래를 담고 있는 한자로 이루어진 말인 '한자 성어'
관	두 개 이상의 단어로 이루어져 특수한 의미를 나타내는 어구인 '관용 표현'
참	어휘의 의미를 이해하는 데 도움이 될 수 있는 어휘를 제시한 '참고 어휘'

이 책의 구성과 사용법

1 전 과목 필수 어휘의 구조화

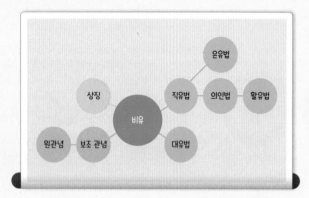

전 과목 필수 어휘를 구조화하여 학습!

■ 주제별로 서로 연관이 있는 필수 어휘들을 구조화하여 익힘으로써 효율적인 어휘 학습이 가능합니다.

■ 핵심 개념어와 연관된 개념어를, 필수 주제어와 연상되는 어휘를 도식화하여 어휘 간의 관계를 시각적으로 파악할 수 있습니다.

2 단계별 문제로 어휘 학습

글을 제대로 읽기 위해서는 글을 구성하고 있는 어휘에 대한 지식이 필수적이야.

어휘력이 부족하면 글을 제대로 이해할 수 없어. 다양한 어휘 학습을 통해 어휘력을 쌓아 봐.

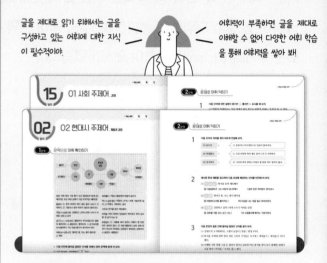

1단계 문맥으로 어휘 확인하기

'문맥으로 어휘 확인하기'에서는 어휘의 의미를 익히고, 문맥에서 해당 어휘가 어떻게 사용되는지 확인해 봅니다.

2단계 문제로 어휘 익히기

'문제로 어휘 익히기'에서는 1단계에서 익힌 어휘를 여러 가지 형태의 문제를 통해 재미있게 학습할 수 있습니다.

3 주제별로 익히는 특강

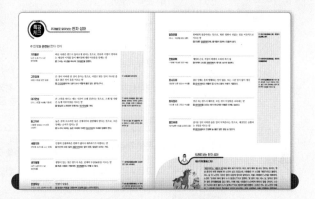

주제별로 한자 성어, 속담, 관용 표현 습득!

어휘력을 확장시키는 데 꼭 필요한 한자 성어, 속담, 관용 표현을 주제별로 묶어 제시하였습니다. 각 표현을 이해하는 데 도움이 되는 예문, 유래, 어울리는 상황, 그림 등의 자료를 함께 제시하였습니다.

어휘력이 쌓이면 글을 읽는 속도도 빨라져서 독해력도 향상된단다!

어휘력을 키워 독해력을 완성해 보자!

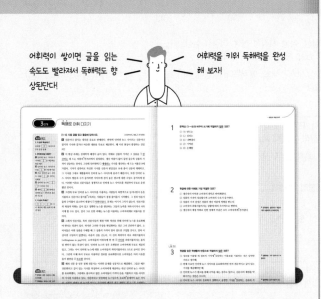

3단계 독해로 어휘 다지기

'독해로 어휘 다지기'에서는 1~2단계에서 익힌 어휘를 바탕으로 기출문제를 풀어 봄으로써 어휘력을 향상시키고 독해력을 완성할 수 있습니다.

◎ 1일 1일차씩, 20일 학습을 계획하여 꾸준히 학습해 봅시다.

◎ 학습을 마친 후, 자기의 이해도에 따라 학습 점검 칸을   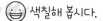 색칠해 봅시다.

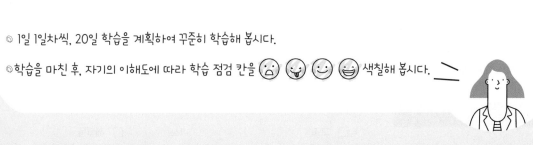

본문 어휘 찾아보기

☑ 알고 있는 어휘에 체크해 보세요! 모르는 어휘는 찾아보세요!

특강 어휘 찾아보기

☑ **알고 있는 어휘에 체크해 보세요! 모르는 어휘는 찾아보세요!**

01 01 문학 개념어

일차

1단계 문맥으로 어휘 확인하기

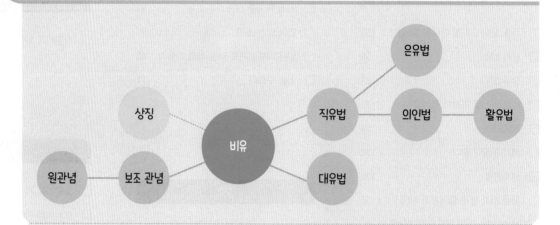

비유(견줄比 깨달을喩) 표현하려는 대상(원관념)을 직접 설명하지 않고 그것과 비슷한 다른 대상(보조 관념)에 빗대어 나타내는 방법

상징(상징象 부를徵) 인간의 감정, 사상 등과 같이 추상적인 내용을 구체적인 사물로 나타내어 머릿속에 쉽게 떠오르게 하는 표현 방법. 원관념은 겉으로 드러나지 않고 보조 관념만 겉으로 드러남

보조 관념(기울補 도울助 불觀 생각할念) 비유에서 원관념의 뜻이나 분위기가 잘 드러나도록 돕는 관념. 또는 비교하거나 비유하는 관념

원관념(으뜸元 불觀 생각할念) 비유법에서, 비유하여 표현하고자 하는 실제의 대상이나 의미

직유법(곧을直 깨달을喩 법도法) 비슷한 성질이나 모양을 지닌 두 사물을 '같이', '처럼', '만한', '듯' 등을 사용하여 원관념과 보조 관념을 직접 연결하는 비유법

은유법(숨을隱 깨달을喩 법도法) 'A(원관념)는 B(보조 관념)이다.'의 형식으로 '처럼'과 같은 연결어를 뺀 채 두 대상이 동일한 것처럼 간접적으로 연결하는 비유법

의인법(헤아릴擬 사람人 법도法) 사람이 아닌 것을 사람에 비겨, 즉 인격을 부여하여 사람처럼 표현하는 방법

활유법(살活 깨달을喩 법도法) 무생물을 생물인 것처럼, 감정이 없는 것을 감정이 있는 것처럼 표현하는 방법

대유법(대신할代 깨달을喩 법도法) 구체적인 한 사물로 그것이 속한 전체를 대신 표현하는 방법

● **다음 빈칸에 들어갈 알맞은 단어를 위에서 찾아 문맥에 맞게 써 보자.**

(1) ☐☐는 표현하려는 대상을 다른 대상에 빗대어 표현하는 방법이다.

(2) '펜이 칼보다 강하다.'는 펜으로 '글'을, 칼로 '무력'을 대신하여 표현하는 ☐☐☐이 사용되었다.

(3) '나를 에워싸는 산'은 무생물인 '산'을 생명이 있는 것처럼 표현한 것으로 ☐☐☐이 사용되었다.

(4) '절개' 같은 추상적인 개념을 '대나무'라는 구체적인 사물을 통해 나타내는 것을 ☐☐이라고 한다.

(5) '강물이 말없이 흐른다.'에는 사람이 아닌 '강물'을 사람이 행동하는 것처럼 표현하는 ☐☐☐이 사용되었다.

(6) ☐☐☐과 보조 관념을 직접 연결하는 '처럼' 같은 말이 없고, 두 대상이 동일한 것처럼 제시하는 표현 방법을 ☐☐☐이라고 한다.

(7) '사과 같은 내 얼굴'은 원관념인 '내 얼굴'을 ☐☐☐☐인 '사과'에 빗댄 ☐☐☐을 사용하여 자신의 얼굴이 예쁘다는 것을 표현하였다.

2단계 문제로 어휘 익히기

1 다음 개념에 해당하는 설명을 찾아 바르게 연결해 보자.

(1) 대유법 •   • ㉠ 구체적인 한 사물로 그것이 속한 전체를 대신 표현함

(2) 은유법 •   • ㉡ '같이', '처럼', '듯' 등을 사용하여 원관념과 보조 관념을 직접 연결하여 비유함

(3) 직유법 •   • ㉢ 원관념과 보조 관념을 암시적으로 연결시켜 비유한 방법으로, 'A는 B이다.'의 형태로 표현함

2 다음 문장에 들어갈 알맞은 단어를 〈보기〉에서 찾아 써 보자.

보기
비유   상징   원관념   직유법   보조 관념

(1) '평화'와 같이 눈에 보이지 않고 말로 표현하기 힘든 것을 '비둘기'와 같이 구체적인 사물로 나타내어 머릿속에 쉽게 떠오르도록 표현하는 방법을 (   )(이)라고 한다.

(2) 표현하고자 하는 대상을 다른 대상에 빗대어 나타내는 것을 (   )(이)라고 하는데, 이때 원래 표현하고자 하는 대상을 원관념이라고 하고, 빗대어 표현한 대상을 보조 관념이라고 한다. '내 마음은 호수요'라는 시구에서 '내 마음'이 (   )(이)고, '호수'는 (   )이/가 된다.

3 다음 문장의 괄호 안에 들어갈 알맞은 단어를 골라 보자.

(1) 태극기는 우리 민족정신의 (상징 / 역설)이다.

(2) '저녁 해를 삼킨 바다'라는 표현은 생명이 없는 '바다'를 생명이 있는 것처럼 표현하였으므로 (의인법 / 활유법)이 사용되었고, '나를 나무라는 바다'라는 표현은 사람이 아닌 '바다'에 사람의 속성을 부여하여 표현하였으므로 (의인법 / 활유법)이 사용되었다.

4 다음 밑줄 친 부분에 나타난 표현 방법으로 가장 적절한 것을 찾아보자.

<u>배추에게도 마음이 있나 보다.</u>
씨앗 뿌리고 농약 없이 키우려니 / 하도 자라지 않아
가을이 되어도 헛일일 것 같더니 / 여름내 밭둑을 지나며 잊지 않았던 말
나는 너희로 하여 기쁠 것 같아 / 잘 자라 기쁠 것 같아

– 나희덕, 「배추의 마음」

① 은유법   ② 직유법   ③ 의인법   ④ 활유법   ⑤ 대유법

02 현대시 주제어 _ 자연에서 온 시어

1단계 문맥으로 어휘 확인하기

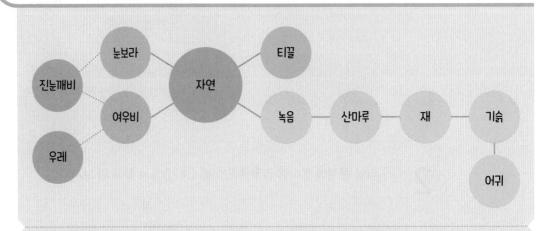

눈보라 바람에 불리어 휘몰아쳐 날리는 눈

여우비 볕이 나 있는 날 잠깐 오다가 그치는 비

진눈깨비 비가 섞여 내리는 눈 ⑬ 마른눈: 비가 섞이지 않고 내리는 눈

우레 번개가 친 다음에 하늘에서 크게 울리는 소리 ⑨ 천둥 ⑭ 우레와 같은 박수: 많은 사람이 치는 매우 큰 소리의 박수를 비유적으로 이르는 말

티끌 ① 공기 속에 섞여 날리거나 물체 위에 쌓이는 매우 잘고 가벼운 물질로, 티와 먼지를 통틀어 이르는 말 ② 몹시 작거나 적음을 이르는 말로 '만큼', '만 하다'와 함께 쓰임 ⬆ 티끌 모아 태산: 아무리 작은 것이라도 모이고 모이면 나중에 큰 덩어리가 됨을 비유적으로 이르는 말

녹음(초록빛綠 응달陰) 푸른 잎이 우거진 나무나 수풀. 또는 그 나무의 그늘 ⑨ 취음(翠陰)

산(뫼山)**마루** 산등성이(산의 등줄기)의 가장 높은 곳 ⑨ 갓머리, 산척, 산등성마루 ⑬ 산봉우리: 산에서 뾰족하게 높이 솟은 부분

재 ① 길이 나 있어서 넘어 다닐 수 있는, 높은 산의 고개 ⑨ 영 ② 높은 산의 마루를 이룬 곳 ⬆ 재는 넘을수록 험하고 내는 건널수록 깊다: 갈수록 어려운 지경에 처하게 되는 경우를 이르는 말

기슭 ① 산이나 처마 따위에서 비탈진 곳의 아랫부분 ② 바다나 강 따위의 물과 닿아 있는 땅

어귀 드나드는 목(통로 가운데 다른 곳으로는 빠져나갈 수 없는 중요하고 좁은 곳)의 첫머리

● **다음 빈칸에 들어갈 알맞은 단어를 위에서 찾아 문맥에 맞게 써 보자.**

(1) 하늘에서 ☐☐가 치더니 곧 세찬 비가 쏟아졌다.

(2) 우리는 길이 험한 ☐를 넘어서야 마을 ☐☐에 도착할 수 있었다.

(3) 더운 여름 한낮에 잠깐 내리는 ☐☐☐는 더위를 말끔히 식혀 준다.

(4) 고향집 처마의 ☐☐에는 해가 들지 못해서 겨울 내내 고드름이 달려 있었다.

(5) 등산객들은 ☐☐이 짙은 산허리를 지나, ☐☐☐까지 올라가고 있었다.

(6) 그는 그런 거짓말을 하고도 ☐☐만 한 양심의 가책도 느끼지 않는 듯하였다.

(7) 겨울 들판 위로 ☐☐☐가 몹시 몰아치더니, 어느새 ☐☐☐☐로 바뀌어 추적추적 내리고 있다.

2단계 문제로 어휘 익히기

1 다음 단어에 대한 설명이 맞으면 ○, 틀리면 × 표시를 해 보자.

(1) 산이나 처마 따위에서 비탈진 곳의 아랫부분을 '산마루'라고 한다. (○ , ×)

(2) 산 속에 길이 나 있어서 넘어 다닐 수 있는 높은 산의 고개를 '재'라고 한다. (○ , ×)

(3) '티끌'은 티와 먼지를 통틀어 이르는 말인데, '만큼', '만 하다'와 함께 쓰여 몹시 작거나 적음을 이르는 말로 쓰이기도 한다. (○ , ×)

2 다음 문장에 들어갈 알맞은 단어를 〈보기〉에서 찾아 써 보자.

> ┌── 보기 ──┐
>
> 우레   눈보라   산마루   여우비   진눈깨비

(1) (   )가 푸슬푸슬 내릴 것 같던 음산한 날씨가 이어졌다.

(2) (   )가 와서인지 개울가의 풀들이나 물빛이 더욱 뚜렷하였다.

(3) (   )가 세차게 날려 순이의 얼굴은 점점 더 얼어붙기 시작했다.

(4) 체조 선수가 훌륭한 묘기를 할 때마다 (   )와 같은 박수가 쏟아졌다.

3 다음 문장의 괄호 안에 들어갈 알맞은 단어를 골라 보자.

(1) (내 / 재)는 넘을수록 험하고 (내 / 재)는 건널수록 깊다.

(2) "한 가지 의미를 나타내는 형태 몇 가지가 널리 쓰이며 표준어 규정에 맞으면, 그 모두를 표준어로 삼는다."라는 규정에 따라 (우레 / 우뢰)와 '천둥'을 모두 표준어로 인정하였다.

4 다음 빈칸에 공통적으로 들어갈 가장 적절한 단어를 찾아보자.

> ┌─────────────────────────────────────┐
> ㉠ 한참만에야 우리는 마을 (   )에 도착하였다.
> ㉡ 동네 (   )(으)로 접어들자, 멀리서 개 짖는 소리가 들렸다.
> ㉢ 골목 (   )에는 아까 버린 국화꽃 다발이 그대로 나동그라져 있었다.
> └─────────────────────────────────────┘

① 재   ② 기슭   ③ 어귀   ④ 산척   ⑤ 산마루

2013학년도 11월 고1 전국연합

감상 체크

1. 이 시의 화자는?

□□ □□를 내려다 보며 자신의 삶을 돌이켜보 는 '나'

2. 화자의 정서와 태도는?

친구가 미워지는 날을 돌이 켜보며 자신의 태도를 반성 하고 □□함

3. '동해 바다'와 대조되는 의 미를 지닌 자연물은?

'□'은 포용력 있는 존재 인 동해 바다와 달리 너그 럽지 못하고 옹졸한 존재를 의미함

[1~3] 다음 글을 읽고 물음에 답하시오.

친구가 원수보다 더 미워지는 **날**이 많다
티끌만 한 잘못이 맷방석만 하게
동산만 하게 커 보이는 때가 많다
그래서 세상이 ㉠어지러울수록
남에게는 ㉡엄격해지고 내게는 너그러워지나보다
돌처럼 잘아지고 굳어지나보다

멀리 **동해 바다**를 ㉢내려다보며 생각한다
널따란 바다처럼 ㉣너그러워질 수는 없을까
깊고 짙푸른 바다처럼
감싸고 끌어안고 받아들일 수는 없을까
스스로는 억센 파도로 ㉤다스리면서
제 몸은 **맵고** 모진 매로 **채찍질**하면서

– 신경림, 「동해 바다 – 후포에서」

어휘 체크

◐ **맷방석**: 매통이나 맷돌을 쓸 때 밑에 까는, 짚으로 만든 방석

◐ **잘아지고**: 생각이나 성질이 대담하지 못하고 좀스러워지고

◐ **맵고**: 성미가 사납고 독하고

◐ **후포**: 경상북도 울진에 있는 작은 항구

1 문맥상 ㉠~㉤에 쓰인 의미와 다른 것은?

① ㉠: 그는 갑자기 머리가 <u>어지러운</u> 듯 비틀거렸다.

② ㉡: 선생님은 <u>엄격한</u> 표정으로 단호하게 말씀하셨다.

③ ㉢: 엄마는 잠든 아기의 얼굴을 가만히 <u>내려다보았다</u>.

④ ㉣: 할아버지는 죄책감으로 고개를 푹 숙이고 있는 나를 <u>너그럽게</u> 대해 주셨다.

⑤ ㉤: 자신의 감정을 <u>다스려</u> 이성적으로 사고할 수 있는 사람이 되어야겠다.

2 윗글의 표현상 특징으로 적절하지 <u>않은</u> 것은?

① 직유법을 통해 화자가 지향하는 대상을 드러내고 있다.

② 의미상 대조를 이루는 시어를 사용하여 주제를 부각하고 있다.

③ 점층적 표현을 통해 화자의 태도를 효과적으로 드러내고 있다.

④ 시행을 종결하는 어구의 반복을 통해 정서의 심화를 꾀하고 있다.

⑤ 음성 상징어를 사용하여 화자의 정서를 감각적으로 드러내고 있다.

◐ **점층적 표현**: 작고 약한 느낌이나 대상에서 점점 크고 강한 것으로 변화하며 표현하는 방법

기출 문제

3 윗글에 대한 설명으로 적절하지 <u>않은</u> 것은?

① '날'은 화자의 부끄러운 모습이 드러나는 때를 의미한다.

② '티끌'은 화자 자신의 숨기고 싶은 모습을 의미한다.

③ '돌'은 생각이 좁고 마음이 너그럽지 못한 화자 자신을 비유한다.

④ '동해 바다'는 화자가 본받고 싶은 대상이다.

⑤ '채찍질'은 자신에 대한 화자의 엄격한 삶의 태도를 상징한다.

01 문학 개념어

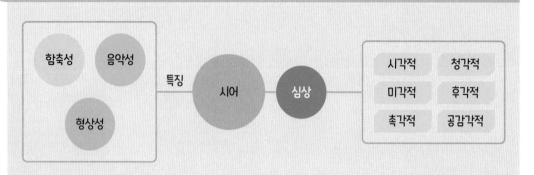

함축성(머금을含 쌓을蓄 성품性) 어떤 말이 사전적·지시적 의미 외에 다양한 뜻을 갖는 것을 말함 ❸ 일상어: 말을 할 때나 글을 쓸 때 사용하는 모든 말로, 사전적·지시적 의미를 가짐

음악성(소리音 풍류樂 성품性) 어떤 말이 노랫말처럼 리듬이 느껴지는 것을 말함 ❸ 리듬감

형상성(형상形 모양像 성품性) 추상적인 생각이나 정서를 구체적이고 감각적인 느낌을 갖는 언어로 형상화하는 것을 말함

심상(마음心 상징象) '이미지'와 같은 말로, 시어에 의해 마음속에 떠오르는 구체적이고 선명한 영상이나 감각적인 인상

시각적 심상	색채, 모양, 동작, 상태 등을 눈으로 보는 것 같은 느낌을 주는 심상
청각적 심상	소리, 음성 등을 귀로 듣는 것 같은 느낌을 주는 심상
미각적 심상	짠맛, 신맛, 단맛 등 혀로 맛을 보는 것 같은 느낌을 주는 심상
후각적 심상	여러 가지 냄새를 코로 맡는 것 같은 느낌을 주는 심상
촉각적 심상	차가움, 따뜻함, 거침 등 피부에 닿는 것 같은 느낌을 주는 심상
공감각적 심상	청각의 시각화, 시각의 청각화, 시각의 촉각화 등 하나의 감각이 다른 감각으로 옮겨져 나타나는 심상

● **다음 빈칸에 들어갈 알맞은 단어를 위에서 찾아 문맥에 맞게 써 보자.**

(1) '달콤 쌉싸름한 초콜릿'에는 ☐☐☐ 심상이 두드러진다.

(2) '온 집안에 퀴퀴한 돼지 비린내'에는 ☐☐☐ 심상이 두드러진다.

(3) '열이 오른 볼을 말없이 부비는 것이었다.'에는 ☐☐☐ 심상이 두드러진다.

(4) ☐☐은 대상을 직접 보지 않고도 마음속에 어떤 구체적인 인상이 떠오르는 것을 말한다.

(5) 시에서는 시어의 글자 수를 일정하게 하거나 동일한 시어를 반복함으로써 ☐☐☐을 획득한다.

(6) 시를 읽을 때 어떤 구체적인 장면이 생생하게 마음속에 떠오르는 것을 시어의 ☐☐☐이라고 한다.

(7) 시에서 '겨울'이 단지 사전적 의미의 한 계절만을 뜻하지 않고, '시련'이나 '암울한 상황' 등 다양한 뜻을 품고 있는 것을 시어의 ☐☐☐이라고 한다.

(8) '금빛 게으른 울음을 우는 곳'은 ☐☐☐ 심상인 '울음'을 ☐☐☐ 심상인 '금빛'으로 표현함으로써 청각을 시각화한 ☐☐☐☐ 심상이 쓰인 시구이다.

2단계 문제로 어휘 익히기

1 다음 단어에 대한 설명이 맞으면 ○, 틀리면 × 표시를 해 보자.

(1) '공감각적 심상'은 서로 다른 감각을 나열하여 정서에 자극을 주는 것이다. (○, ×)

(2) '함축성'은 시에 쓰인 어떤 말이 일상적 언어와 같은 의미를 가지는 특징을 말한다.
(○, ×)

(3) '심상'은 시각, 청각, 촉각, 후각, 미각과 관련된 시어를 통해 독자가 실제로 감각에 자극을 받았다고 느끼게 하는 것이다. (○, ×)

2 다음 문장에 들어갈 알맞은 단어를 〈보기〉에서 찾아 써 보자.

┌─ 보기 ─┐
음악성   추상성   함축성   형상성

(1) 시를 소리 내어 읽으면 노랫말처럼 리듬이 느껴지는 특성을 (   )이라고 한다.

(2) 추상적인 대상을 구체적이고 감각적인 느낌을 갖는 언어로써 그려 내는 특성을 (   )
이라고 한다.

(3) 시어가 사전적 의미 외에 시 속에 암시되거나 새롭게 구성된 다양한 의미를 갖는 특성
을 (   )이라고 한다.

3 다음 문장의 괄호 안에 들어갈 알맞은 단어를 골라 보자.

(1) 시구 '꽃처럼 붉은 울음을 밤새 울었다'에는 청각적 심상이 시각적 심상으로 옮아간
(공감각적 심상 / 복합적 심상)이 나타난다.

(2) 시구 '나비 허리에 새파란 초생달이 시리다'에는 '새파란 초생달'이라는 (촉각적 / 시각적)
심상이 '시리다'라는 (촉각적 / 시각적) 심상으로 전이된 공감각적 심상이 나타난다.

4 다음 밑줄 친 표현에 활용된 심상과의 연결이 잘못된 것을 찾아보자.

① 청각적 심상: <u>접동 접동 아우래비 접동</u>
② 시각적 심상: 좁은 들길에 들장미 열매 <u>붉어</u>
③ 후각적 심상: 어마씨 그리운 솜씨에 <u>향그러운</u> 꽃지짐
④ 미각적 심상: 물새알은 간간하고 짭조름한 <u>미역 냄새</u>
⑤ 촉각적 심상: 불현듯 아버지의 <u>서느런 옷자락</u>을 느끼는 것은

02 현대시 주제어 _계절과 감정

1단계 문맥으로 어휘 확인하기

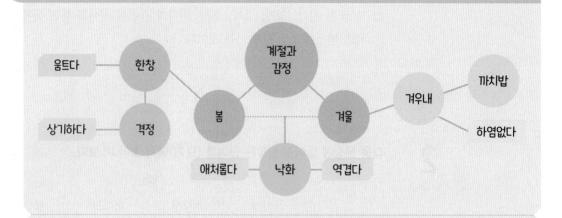

한창 어떤 일이 가장 활기 있고 왕성하게 일어나는 때(모양). 또는 어떤 상태가 가장 무르익은 때(모양)

움트다 ① 초목 따위의 싹이 새로 돋아 나오기 시작하다. ② 기운이나 생각 따위가 새로이 일어나다.

격정(과격할激 뜻情) 강렬하고 갑작스러워 누르기 어려운 감정 ⓨ 감격

상기(위上 기운氣)**하다** 흥분이나 부끄러움으로 얼굴이 붉어지다. ⓨ 흥분하다, 빨개지다 ㉰ 상기(생각想 일어날起)하다: 지난 일을 돌이켜 생각하여 내다.

낙화(떨어질落 꽃花) 떨어진 꽃. 또는 꽃이 떨어짐 ㉯ 개화

애처롭다 가엾고 불쌍하여 마음이 슬프다.

역(거스를逆)**겹다** 역정이 나거나 속에 거슬리게 싫다. ⓨ 역하다, 거북하다, 싫다

겨우내 한겨울 동안 계속해서

까치밥 까치 따위의 날짐승이 먹으라고 따지 않고 몇 개 남겨 두는 감

하염없다 ① 시름에 싸여 멍하니 이렇다 할 만한 아무 생각이 없다. ② 어떤 행동이나 심리 상태 따위가 자신의 의지와는 상관없이 계속되는 상태이다. ⓨ 끝없다, 세월없다

● **다음 빈칸에 들어갈 알맞은 단어를 위에서 찾아 문맥에 맞게 써 보자.**

(1) 요즘 앞산에는 진달래꽃이 ☐☐이다.

(2) 그의 위선적인 웃음소리는 듣기가 매우 ☐☐☐.

(3) 봄이 되자 나뭇가지에는 파릇파릇 싹이 ☐☐☐ 있다.

(4) 봄이 되면서 ☐☐☐ 꽁꽁 얼었던 땅이 녹기 시작했다.

(5) 빨간 꽃을 활짝 피우던 동백나무도 이제 힘을 다하고 ☐☐한다.

(6) 눈 덮인 감나무에는 꼭대기에 남은 ☐☐☐만이 빨갛게 매달려 있었다.

(7) 빨리 뛰어오느라 얼굴이 발갛게 ☐☐된 그는 쌔근쌔근 가쁜 숨을 쉬었다.

(8) 이 자서전에는 내 젊은 날의 고뇌와 ☐☐과 방황 등이 고스란히 담겨 있다.

(9) 그녀는 들판에 누워 ☐☐☐☐ 시선으로 흐르는 구름만 바라보고 있었다.

(10) 부모를 잃고 망연자실해 있는 아이의 ☐☐☐☐ 모습에 나도 모르게 눈물이 났다.

2단계 문제로 어휘 익히기

1 다음 단어의 의미를 찾아 바르게 연결해 보자.

(1) 움트다 •

(2) 하염없다 •

(3) 상기하다 •

• ㉠ 흥분이나 부끄러움으로 얼굴이 붉어지다.

• ㉡ 초목 따위의 싹이 새로 돋아 나오기 시작하다.

• ㉢ 시름에 싸여 멍하니 이렇다 할 만한 아무 생각이 없다.

2 제시된 뜻과 예문을 참고하여 다음 초성에 해당하는 단어를 빈칸에 써 보자.

(1) ㄱ ㅇ ㄴ : 한겨울 동안 계속해서

예 시골집에 온 그는 마당의 감나무에 (   ) 달려 있던 까치밥이 생각났다.

(2) ㄴ ㅎ : 떨어진 꽃. 또는 꽃이 떨어짐

예 바람에 눈처럼 흩어지는 (   )의 모습을 나는 넋을 잃고 바라보았다.

(3) ㄱ ㅈ : 강렬하고 갑작스러워 누르기 어려운 감정

예 경호를 처음 보는 순간 나는 (   )의 소용돌이에 빠지는 기분이었다.

3 다음 문장의 괄호 안에 들어갈 알맞은 단어를 골라 보자.

(1) 강원도의 고지대에서는 고랭지 농업이 (한참 / 한창)이다.

(2) 한겨울 추위에 바짝 말라 버린 고목의 가지들은 보기에 (애처롭기 / 예처롭기)까지 했다.

(3) 어젯밤 식탁 위에 그냥 둔 생선이 생각나 급하게 비닐 봉지를 열어 보니 불쾌한 냄새가 코를 찔러 (역겨움 / 지겨움)을 느꼈다.

4 다음 중 〈보기〉의 밑줄 친 단어와 같은 의미로 쓰인 것을 찾아보자.

┌─ 보기 ─┐

나는 또 얼굴이 화끈화끈 상기해서 송화 앞에서 어쩔 줄 모르고 있었다.

① 고양이는 개와 상기하는 사이이다.

② 상기한 바와 같이 시행해 주시기 바랍니다.

③ 석형이의 볼이 살짝 상기하면서 눈에 애틋한 원망이 서렸다.

④ 그는 병상에 누워 건강했던 시절을 상기하며 눈물을 흘렸다.

⑤ 기영은 동생이 전날부터 한 번도 눈을 붙이지 않았음을 상기했다.

3단계 독해로 어휘 다지기

[1~3] 다음 글을 읽고 물음에 답하시오. 2017학년도 9월 고1 전국연합

나 보기가 역겨워
가실 때에는
말없이 고이 보내 드리우리다

영변에 약산
진달래꽃
아름 따다 가실 ㉠길에 뿌리우리다

가시는 걸음걸음
놓인 그 꽃을
사뿐히 즈려밟고 가시옵소서

나 보기가 역겨워
가실 때에는
죽어도 아니 눈물 흘리우리다

– 김소월, 「진달래꽃」

감상 체크

1. 이 시의 시적 상황은?

사랑하는 사람과 □□하는 상황을 가정함

2. 화자의 모습이 투영된 대상은?

□□□□

3. 반어법을 사용하여 화자의 슬픔을 가장 극적으로 표현한 시행은?

□□□ 아니 눈물 흘리우리다

어휘 체크

- **영변에 약산**: 평안북도 영변군에 있는 명승지
- **아름**: 두 팔을 껴안은 둘레의 길이
- **즈려밟고**: (→지르밟고) 위에서 내리눌러 밟고

1 문맥상 의미가 ㉠과 가장 유사한 것은?

① 배움의 길은 끝이 없다.
② 그는 숲속에서 길을 잃고 한참을 헤매었다.
③ 그는 실직을 하고 먹고살 길이 막막해졌다.
④ 그녀는 평생을 오직 교사의 길을 걸어왔다.
⑤ 나는 학교에서 돌아오는 길에 서점을 들렀다.

2 윗글의 표현상 특징으로 적절하지 않은 것은?

① 종결 어미의 반복을 통해 음악성을 얻고 있다.
② 이별의 상황을 가정하여 시상을 전개하고 있다.
③ 역설적 표현을 통해 부정적 현실을 비판하고 있다.
④ 수미상관의 구조를 통해 시적 의미를 강조하고 있다.
⑤ 반어적 표현을 통해 화자의 정서를 효과적으로 드러내고 있다.

● **역설적 표현**: 겉보기에는 모순되는 것 같으나 그 속에 진실이나 진리가 함축되어 있는 표현

기출 문제

3 윗글이 『개벽』에 처음 발표되었을 때 〈보기〉와 같았다. 수정한 이유를 추측한 내용으로 적절하지 않은 것은?

━━━ 보기 ━━━

나보기가 역겨워 / 가실째에는 **말업시**
고히고히 보내들이우리다.

영변엔 약산 / 그 진달내꼿을
한아름 짜다 가실길에 쑤리우리다.

가시는길 **발거름마다** / 쑤려노흔 그꼿을
고히나 즈러밟고 가시옵소서.

나보기가 역겨워 / 가실째에는
죽어도 아니, 눈물흘니우리다.

① 1연의 '말업시'의 행갈이를 통해 4연과의 형태적 안정감을 부여하려 한 것이군.
② 2연의 '영변엔 약산'을 수정하여 낭독을 부드럽게 하려 한 것이군.
③ 2연의 '그', '한-'을 삭제하여 4음보를 형성하려 한 것이군.
④ 3연의 '발거름마다'의 일부 단어를 반복하여 리듬감을 살리려 한 것이군.
⑤ 4연의 반점을 제거하여 운율의 통일성을 형성하려 한 것이군.

● **운율**: 동일한 음절이나 낱말을 반복하거나, 일정한 수의 음절을 반복하거나, 유사한 문장 구조의 반복을 통해 느껴지는 리듬감

● 말과 관련된 한자 성어

감언이설
(달甘 말씀言 이로울利
말씀說)

귀가 솔깃하도록 남의 비위를 맞추거나 이로운 조건을 내세워 꾀는 말

예 그는 이익을 볼 수 있다는 감언이설에 속아 큰돈을 떼이고 말았다.

➕ **사탕발림**: 달콤한 말로 남의 비위를 맞추어 살살 달래는 일
➕ **입에 발린 소리**: 마음에도 없이 겉치레로 하는 말

갑론을박
(갑옷甲 논의할論 새乙
얼룩말駁)

여러 사람이 서로 자신의 주장을 내세우며 상대편의 주장에 반대하여 말함

예 그 문제는 여러 사람의 갑론을박으로 쉽게 결론이 날 것 같지 않았다.

➕ **논쟁**: 서로 다른 의견을 가진 사람들이 각각 자기의 주장을 말이나 글로 논하여 다툼

교언영색
(교묘할巧 말씀言 명령할令
빛色)

아첨하는 말과 알랑거리는 태도

예 임금이 간신의 교언영색에 넘어가 충신을 멀리하였다.

구밀복검
(입口 꿀蜜 배腹 칼劍)

입에는 꿀이 있고 배 속에는 칼이 있다는 뜻으로, 말로는 친한 듯하나 속으로는 해칠 생각이 있음을 이르는 말

예 동업하자는 사람의 말이 너무 번드르르해 미덥지가 못한데, 혹시 구밀복검일지도 모르니 한 번 더 재고해 보시지요.

어불성설
(말씀語 아닐不 이룰成 말씀說)

말이 조금도 사리에 맞지 아니함

예 일하는 것은 가정을 위해서인데 가정이 파괴될 정도로 열심히 일한다면 이는 어불성설이 아닌가.

➕ **만불성설(萬不成說)**: 말이 전혀 사리에 맞지 아니함

언어도단
(말씀言 말씀語 길道 끊을斷)

말할 길이 끊어졌다는 뜻으로, 어이가 없어서 말하려 해도 말할 수 없음을 이르는 말

예 언어도단도 분수가 있지, 참으로 한심한 일이라 아니 할 수 없다.

언중유골
(말씀言 가운데中 있을有
뼈骨)

말 속에 뼈가 있다는 뜻으로, 예사로운 말 속에 단단한 속뜻이 들어 있음을 이르는 말

예 친구의 말을 되새겨 보니 말투는 부드러웠으나 언중유골이었다.

➕ **말 속에 뜻이 있고 뼈가 있다**: 말 속에 겉에 드러나지 아니한 진정한 의미가 숨어 있다는 말

유언비어 (흐를流 말씀言 바퀴蜚 말씀語)	아무 근거 없이 널리 퍼진 소문 예 선거철에는 종종 상대 후보를 비방하는 유언비어가 떠돈다.	유 낭설: 터무니없는 헛소문. 뜬 소문: 이 사람 저 사람 입에 오 르내리며 근거 없이 떠도는 소 문
일구이언 (하나一 입口 두二 말씀言)	한 입으로 두 말을 한다는 뜻으로, 한 가지 일에 대하여 말을 이랬다 저랬다 함을 이르는 말 예 그는 일구이언을 밥 먹듯 하여 아무도 그를 믿지 않게 되었다.	유 식언: 한번 입 밖에 낸 말을 도로 입 속에 넣는다는 뜻으로, 약속한 말대로 지키지 아니함을 이르는 말 유 한 입으로 두말하기: 한 가지 일에 대하여 말을 이렇게 하였 다 저렇게 하였다 한다는 말
일언지하 (하나一 말씀言 갈之 아래下)	한 마디로 잘라 말함. 또는 두말할 나위 없음 예 그는 사정도 들어 보기 전에 일언지하에 내 부탁을 거절하였다.	
청산유수 (푸를靑 뫼山 흐를流 물水)	푸른 산에 흐르는 맑은 물이라는 뜻으로, 막힘없이 썩 잘하는 말을 비유적으로 이르는 말 예 그의 말솜씨는 청산유수 같아서 사흘 밤 사흘 낮을 꼬박 같이 지내면서도 조금도 지루한 줄 몰랐다.	유 달변: 능숙하여 막힘이 없는 말. 말을 능숙하고 막힘이 없이 잘하는 사람
호언장담 (호걸豪 말씀言 씩씩할壯 말씀談)	호기롭고 자신 있게 말함. 또는 그 말 예 아버지는 친구들 앞에서 호언장담의 허세를 부렸다.	유 큰소리치다: 남 앞에서 잘난 체하며 뱃심 좋게 장담하거나 사실 이상으로 과장하다.

유래로 보는 한자 성어

구밀복검(口蜜腹劍)

당나라 현종은 재위 초기에는 정치를 잘하여 칭송을 받았으나 점점 주색에 빠져들면서
정사를 멀리했다. 당시 이임보(李林甫)라는 간신이 있었는데, 그는 황제의 비위를 맞추면
서 충신들의 간언이나 백성들의 탄원이 황제의 귀에 들어가지 못하도록 하고 환관과 후
궁들의 환심을 사며 조정을 떡 주무르듯했다. 그는 질투심도 강하여 자기보다 더 나은 사
람을 보면, 자기의 자리를 위협하는 것은 아닌지 두려워하여 가차 없이 제거했다. 그것도
자신의 권위를 이용한 직접적 수법으로는 절대로 하지 않고, 황제 앞에서 충성스러운 얼
굴로 상대를 한껏 추켜 천거하여 자리에 앉혀 놓은 다음 음모를 꾸며 떨어뜨리는 수법을
썼다. 따라서 꿈에라도 황제께 직언할 생각을 갖고 있는 선비들은 몸을 잔뜩 사릴 수밖에
없었다. 이러한 이임보의 행태를 보고 그 당시 사람들은 "이임보는 입으로는 달콤한 말을
하지만 뱃속에는 칼을 가지고 있으니[口蜜腹劍] 매우 위험한 인물이다."라고 하였다.

[01~06] 다음 뜻에 해당하는 한자 성어를 찾아 가로, 세로, 대각선으로 표시해 보자.

고	장	감	탄	고	토	양	주	일
색	교	언	영	색	일	구	이	언
창	애	이	어	비	유	밀	청	지
연	청	설	지	도	골	복	산	하
목	출	산	각	주	단	검	유	담
구	어	가	유	비	무	환	수	상
어	불	성	설	수	고	대	광	실
형	성	지	공	유	언	비	어	인
박	설	상	가	상	언	어	도	연

01 아첨하는 말과 알랑거리는 태도

02 귀가 솔깃하도록 남의 비위를 맞추거나 이로운 조건을 내세워 꾀는 말

03 말할 길이 끊어졌다는 뜻으로, 어이가 없어서 말하려 해도 말할 수 없음을 이르는 말

04 말이 조금도 사리에 맞지 아니함

05 한 입으로 두 말을 한다는 뜻으로, 한 가지 일에 대하여 말을 이랬다저랬다 함을 이르는 말

06 푸른 산에 흐르는 맑은 물이라는 뜻으로, 막힘없이 썩 잘하는 말을 비유적으로 이르는 말

[07~11] 다음 한자 성어의 뜻을 찾아 바르게 연결해 보자.

07 갑론을박(甲論乙駁) •

08 구밀복검(口蜜腹劍) •

09 언중유골(言中有骨) •

10 유언비어(流言蜚語) •

11 일언지하(一言之下) •

• ㉠ 아무 근거 없이 널리 퍼진 소문

• ㉡ 한 마디로 잘라 말함. 또는 두말할 나위 없음

• ㉢ 여러 사람이 서로 자신의 주장을 내세우며 상대편의 주장에 반대하여 말함

• ㉣ 말 속에 뼈가 있다는 뜻으로, 예사로운 말 속에 단단한 속뜻이 들어 있음을 이르는 말

• ㉤ 입에는 꿀이 있고 배 속에는 칼이 있다는 뜻으로, 말로는 친한 듯하나 속으로는 해칠 생각이 있음을 이르는 말

12 다음 문자 메시지 대화를 읽고, 빈칸에 알맞은 한자 성어를 써 보자.

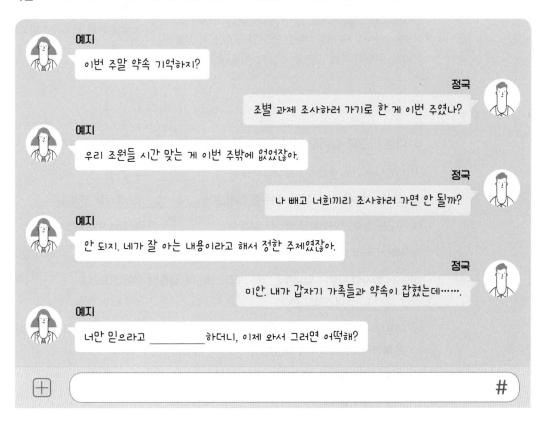

예지
이번 주말 약속 기억하지?

정국
조별 과제 조사하러 가기로 한 게 이번 주였나?

예지
우리 조원들 시간 맞는 게 이번 주밖에 없었잖아.

정국
나 빼고 너희끼리 조사하러 가면 안 될까?

예지
안 되지. 네가 잘 아는 내용이라고 해서 정한 주제였잖아.

정국
미안. 내가 갑자기 가족들과 약속이 잡혔는데……

예지
너만 믿으라고 _____ 하더니, 이제 와서 그러면 어떡해?

＃

03 일차

01 문학 개념어

1단계 문맥으로 어휘 확인하기

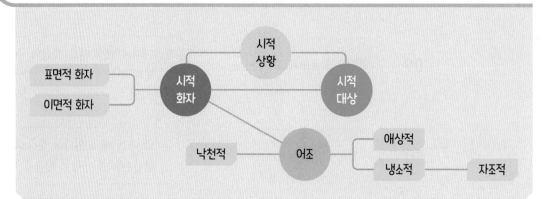

시적 상황(시詩 과녁的 형상狀 하물며況) 화자나 시적 대상이 처해 있는 형편이나 처지, 시적 배경을 가리킴

시적 화자(시詩 과녁的 말할話 놈者) 시에서 말하는 사람. 시인을 대신하여 시의 내용을 전달하는 인물로 시적 자아, 서정적 자아라고도 함

표면적 화자(겉表 낯面 과녁的 말할話 놈者) / **이면적 화자**(속裏 낯面 과녁的 말할話 놈者) 시에서 화자가 겉으로 드러나 있으면 '표면적 화자'라고 하고, 겉으로 드러나 있지 않고 숨어 있으면 '이면적 화자'라고 함

시적 대상(시詩 과녁的 대답할對 코끼리象) 시에서 화자가 바라보고 있거나 말하고 있는 대상. 특정한 인물이나 구체적 사물, 자연물, 추상적 관념 등을 가리킴

어조(말씀語 고를調) 시에서 화자의 목소리의 특징을 말함 ⊕ 억양, 말투, 말씨

낙천적(즐길樂 하늘天 과녁的) 세상과 인생을 즐겁고 좋은 것으로 여기는 것 ⊖ 비관적

애상적(슬플哀 상처傷 과녁的) 슬퍼하거나 가슴 아파하는 것

냉소적(찰冷 웃을笑 과녁的) 자기 자신이 아닌 다른 대상이나 현실을 쌀쌀한 태도로 업신여기며 비웃는 것

자조적(스스로自 비웃을嘲 과녁的) 스스로 자신의 행동이나 모습 등을 자책하며 비웃는 것

● **다음 빈칸에 들어갈 알맞은 단어를 위에서 찾아 문맥에 맞게 써 보자.**

(1) 시에서 시인을 대신하여 말하는 이를 □□ □□라고 한다.

(2) 그녀는 어려운 일이 있어도 여유를 잃지 않는 □□□인 성격을 지녔다.

(3) 친구는 실패만 거듭했던 자신의 삶에 대해 □□□인 태도로 이야기했다.

(4) 시에서 시적 화자가 바라보는 구체적인 사물이나 사람을 □□ □□이라고 한다.

(5) 시적 화자의 말투나 말씨를 □□라고 하는데, 슬픔에 젖어 있으면 □□□ 어조, 비꼬는 듯한 말투는 □□□ 어조라고 한다.

(6) 시에서 시적 대상에 대한 화자의 정서가 고통과 체념, 슬픔으로 나타나 있다면, 화자가 처한 □□ □□은 부정적으로 그려지기 마련이다.

(7) 시에서 시적 화자를 지칭하는 시어가 '나, 우리'와 같이 겉으로 나타나 있으면 □□□ □□, 겉으로 나타나 있지 않으면 □□□ □□라고 한다.

2단계 문제로 어휘 익히기

1 다음 개념에 해당하는 설명을 찾아 바르게 연결해 보자.

(1) 낙천적 •

(2) 애상적 •

(3) 자조적 •

• ㉠ 슬퍼하거나 가슴 아파하는 것

• ㉡ 세상과 인생을 즐겁고 좋은 것으로 여기는 것

• ㉢ 스스로 자신의 행동이나 모습 등을 자책하며 비웃는 것

2 다음 문장에 들어갈 알맞은 단어를 〈보기〉에서 찾아 써 보자.

〈보기〉

시적 대상   시적 상황   이면적 화자   표면적 화자

(1) '천만리 머나먼 길에 고운 님 여의옵고'는 '천만리'라는 과장된 표현을 통해 '님'과 이별한 (   )을/를 강조하고 있다.

(2) 시에서 화자가 주목하는 특정 인물이나 사물, 관념 등을 (   )(이)라고 하는데, 이는 시의 중심 소재라고 볼 수 있다.

(3) 시에서 화자 자신을 지칭하는 시어를 겉으로 드러내지 않고 숨겨 놓는 경우가 있는데, 이를 두고 (   )(이)라고 표현한다.

3 제시된 뜻과 예문을 참고하여 다음 초성에 해당하는 단어를 빈칸에 써 보자.

(1) ㅇㅈ : 시적 화자의 목소리의 특징

예 시에서 화자가 자신의 이야기를 조용히 혼잣말하는 듯한 말투로 표현하는 것을 독백적 (   )라고 한다.

(2) ㅅㅈ ㅎㅈ : 시에서 말하는 사람

예 (   )는 시인 자신일 수도 있지만, 시적 상황에 맞게 설정된 허구적 대리인일 수도 있다.

4 다음 빈칸에 들어갈 가장 적절한 단어를 찾아보자.

황지우 시인의 「새들도 세상을 뜨는구나」는 1980년대 군사 정권의 암울한 시대 현실을 배경으로 한 시이다. 시인은 영화관에서조차 애국가를 경청해야 하는 부당한 상황이 강요되는 현실에 대해 조롱과 야유를 보내는 것으로 (   ) 태도를 드러내고 있다.

① 희망적   ② 냉소적   ③ 예찬적   ④ 낙천적   ⑤ 의지적

03 일차

02 고전 시가 주제어_사랑과 이별

1단계 문맥으로 어휘 확인하기

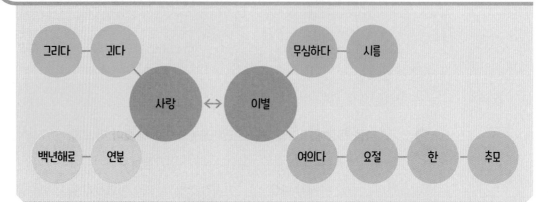

괴다 '특별히 귀여워하고 사랑하다.'의 예스러운 표현

그리다 사랑하는 마음으로 간절히 생각하다. ⊕ 사모하다, 그리워하다

연분(인연緣 나눌分) ① 서로 관계를 맺게 되는 인연 ② 하늘이 베푼 인연 ③ 부부가 되는 인연 ☞ 길에 돌도 연분이 있어야 찬다: 아무리 하찮은 일이라도 인연이 있어야 이루어질 수 있음을 이르는 말

백년해로(일백百 해年 함께偕 늙을老) 부부가 되어 한 평생을 사이좋게 지내고 즐겁게 함께 늙음 ⊕ 백년동락(百年同樂), 백년해락(百年偕樂), 해로(偕老)

무심(없을無 마음心)**하다** ① 아무런 생각이나 감정이 없다. ② 남의 일에 걱정하거나 관심을 두지 않다.

시름 마음에 걸려 풀리지 않고 항상 남아 있는 근심과 걱정

여의다 ① 부모나 사랑하는 사람이 죽어서 이별하다. ⊕ 사별하다 ② 딸을 시집보내다. ③ 멀리 떠나보내다. 옛말은 '여희다'로, 18세기 문헌부터 '여의다'로 나타나기 시작함

요절(어릴夭 꺾을折) 젊은 나이에 죽음 ⊕ 단절, 단명 ⊖ 장수

한(한할恨) 몹시 원망스럽고 억울하거나 안타깝고 슬퍼 응어리진 마음

추모(쫓을追 그리워할慕) 죽은 사람을 그리며 생각함 ⊕ 추도, 추념

● **다음 빈칸에 들어갈 알맞은 단어를 위에서 찾아 문맥에 맞게 써 보자.**

(1) 할머니는 노랫가락을 들으며 □□을 달래었다.

(2) 친구의 눈물 앞에서도 그는 □□한 표정이었다.

(3) 조국의 광복만 이루어진다면 나는 죽어도 □이 없다.

(4) 나는 어려서 부모님을 □□□ 할머니의 손에 자랐다.

(5) 민희는 전학 간 친구를 □□□ 밤새도록 잠을 이루지 못했다.

(6) 임금은 뒤늦은 나이에 본 자식을 특별히 □□ 날마다 동궁전을 드나들었다.

(7) 신랑과 신부는 검은 머리가 파 뿌리가 될 때까지 □□□□하기로 약속하였다.

(8) 그는 □□을 하든 명대로 살다 죽든 어차피 죽기는 한 번 죽는 목숨이라고 말했다.

(9) 오늘 이렇게 아름다운 □□을 맺게 해 주신 양가 부모님께 진심으로 감사를 드립니다.

(10) 6월 항쟁은 처음에는 단지 안타깝게 목숨을 잃은 한 젊은이의 □□를 위해 모인 집회로부터 시작되었다.

2단계 문제로 어휘 익히기

1 다음 단어의 의미를 찾아 바르게 연결해 보자.

(1) 괴다 •

(2) 그리다 •

(3) 추모하다 •

• ㉠ 죽은 사람을 그리며 생각하다.

• ㉡ 사랑하는 마음으로 간절히 생각하다.

• ㉢ '특별히 귀여워하고 사랑하다.'의 예스러운 표현이다.

2 다음 문장에 들어갈 알맞은 단어를 〈보기〉에서 찾아 써 보자.

〈보기〉

한　　　시름　　　연분　　　백년해로

(1) 그는 (　　　　)을/를 만나야 결혼을 하겠다고 선언하였다.

(2) 어머니는 직장을 잃고 (　　　　)에 잠긴 아들을 다독이며 위로의 말을 건넸다.

(3) 할아버지께서는 이북에 두고 온 가족을 잊지 못하시고 천추의 (　　　　)을/를 품은 채 눈을 감으셨다.

3 다음 문장의 괄호 안에 들어갈 알맞은 단어를 골라 보자.

(1) 하늘엔 (무심한 / 무고한) 구름만 한가로이 흘러가고 있다.

(2) 그는 일찍이 부모를 (여의고 / 여위고) 고아로 자라서 외로움이 익숙했다.

(3) 그녀는 장래가 촉망되는 인재였지만 아쉽게도 교통사고를 당해 서른이 채 되기 전에 (자멸 / 요절)하고 말았다.

4 다음 빈칸에 들어가기에 적절하지 <u>않은</u> 단어를 찾아보자.

옛날 사람들은 결혼을 어떻게 했을까? 요즘에도 전통 혼례를 하는 사람들이 있는데, 그 순서를 보면 다음과 같다. 신랑과 신부는 신부 집 앞마당인 초례청에서 혼례를 치르게 되는데, 신랑이 제일 먼저 신부의 어머니에게 _____하겠다는 약속의 의미로 나무로 만든 기러기를 드린다. 그리고 남북으로 놓인 상을 가운데에 두고, 신랑은 동쪽에 신부는 서쪽에 마주 서서 혼례를 한다. 초례청에서 처음으로 만난 신랑과 신부는 서로에게 절을 하고, 술을 한 잔 나누어 마신다. 혼례가 끝나면 신부 집에서 며칠을 지낸 후, 신랑 집으로 가게 되는데 이것을 신행이라고 한다. 시댁에서 신부는 신랑과 함께 시부모나 시댁 어른에게 절을 올리고, 시부모는 자식을 많이 낳으라는 의미로 밤과 대추를 신부에게 던져 준다.

① 해로(偕老)　　　② 백년하청(百年河清)　　　③ 백년동락(百年同樂)

④ 백년해락(百年偕樂)　　　⑤ 백년해로(百年偕老)

[1~3] 다음 글을 읽고 물음에 답하시오.   2019학년도 3월 고1 전국연합

1 산촌(山村)에 눈이 오니 돌길이 묻혔어라

　시비(柴扉)를 열지 마라 날 찾을 이 뉘 있으랴

　밤중만 일편명월(一片明月)이 긔 벗인가 하노라

2 창(窓)밖에 워석버석 임이신가 일어 보니

　혜란 혜경(蕙蘭蹊徑)에 낙엽(落葉)은 무슨 일이고

　어즈버 ㉠유한한 간장(肝腸)이 다 긏을까 하노라

3 노래 삼긴 사람 시름도 하도 할샤

　일러 다 못 일러 불러나 풀었던가

　진실로 풀릴 것이면은 나도 불러 보리라

                              – 신흠, 「방옹시여(放翁詩餘)」

감상 체크

1. **1**에서 계절적 배경을 알 수 있는 시어는?

'　'을 통해 계절적 배경이 겨울임을 알 수 있음

2. **2**에서 화자가 착각을 하게 된 상황은?

워석버석 소리에 임인가 하여 일어나 보니 '　　'이 짐

3. **3**에서 '노래'가 하는 역할은?

말로는 풀지 못하는 '　　'을 풀어 주는 역할을 함

어휘 체크

◐ **시비:** 사립짝을 달아서 만든 문

◐ **일편명월:** 한 조각의 밝은 달

◐ **워석버석:** 얇고 뻣뻣한 물건이나 풀기가 센 옷 따위가 부스러지거나 서로 크게 스치는 소리. 또는 그 모양

◐ **혜란 혜경:** 난초가 자라난 지름길

◐ **유한한:** 살아서 뜻을 이루지 못하고 남긴 한이 서린

◐ **간장:** 간과 창자. '애'나 '마음'을 비유적으로 이르는 말

1 ㉠의 상황을 나타내는 말로 가장 적절한 것은?

① 구곡간장(九曲肝腸)
② 구밀복검(口蜜腹劍)
③ 동병상련(同病相憐)
④ 이심전심(以心傳心)
⑤ 풍수지탄(風樹之嘆)

2 윗글의 표현상 특징으로 가장 적절한 것은?

① 대상과의 문답을 통해 시상을 전개하고 있다.
② 대상에 감정을 이입하여 화자의 심리 변화를 드러내고 있다.
③ 영탄적 표현을 통해 화자의 정서를 효과적으로 드러내고 있다.
④ 대상을 의인화하여 대상의 속성들을 점층적으로 나열하고 있다.
⑤ 냉소적 어조를 통해 시적 상황에 대한 화자의 태도를 부각하고 있다.

● **문답**: 묻고 대답함
● **대상에 감정을 이입하여**: 시적 대상에 화자의 감정을 불어넣어
● **점층적**: 그 정도를 점점 강하게 하거나, 크게 하거나, 높게 하는 것

기출 문제

3 〈보기〉를 바탕으로 윗글을 감상한 내용으로 적절하지 <u>않은</u> 것은?

━━ 보기 ━━

　「방옹시여(放翁詩餘)」는 선조의 총애를 받던 신흠이 선조 사후 '계축옥사'에 연루되어 관직을 박탈당하고 김포로 내쫓겼던 시기에 쓴 시조 30수 중 일부이다. 이들 30수는 자연 지향, 세태 비판, 연군, 취흥 등의 다양한 주제 의식을 형성하고 있으며, 우리말 시가에 대한 작가의 인식도 엿볼 수 있다. 그 서문 격인 「방옹시여서」에는 창작 당시 그의 심경이 다음과 같이 적혀 있다. "내 이미 전원으로 돌아오매 세상이 진실로 나를 버렸고 나 또한 세상사에 지쳤기 때문이다."

① '산촌'은 세상과 대비되는 공간으로서의 자연의 의미를 지니는 것이겠군.
② '일편명월'은 세태를 비판하고 자신의 억울한 처지를 호소하는 작가를 상징하는 것이겠군.
③ '임'을 군왕으로 이해한다면 '간장이 다 긏을까 하노라'는 임금을 향한 신하의 애끓는 심정이 함축된 것이겠군.
④ '시름'은 정치적 혼란기에 정계에서 쫓겨나 버림받은 작자의 복잡한 심경을 나타내는 것이겠군.
⑤ '노래'는 세상사에 지치고 뒤엉킨 작가의 마음을 풀어 내는 수단으로서의 성격을 지니는 것이겠군.

04 일차

01 문학 개념어

1단계 문맥으로 어휘 확인하기

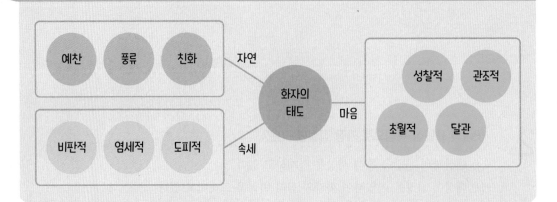

예찬(예도禮 기릴讚) 무엇이 훌륭하거나 좋거나 아름답다고 찬양함 ❸ 찬양

풍류(바람風 흐를流) 고상하고 우아한 멋이 있는 일이나 그렇게 즐기는 일. 주로 자연을 즐기는 태도로 나타남

친화(친할親 화목할和) 서로 뜻이 맞거나 사이좋게 잘 어울림 ❹ 불화

비판적(칠批 판가름할判 과녁的) 현상이나 사물의 옳고 그름을 판단하여 밝히거나 잘못된 점을 지적하는 것 ❸ 비평적

염세적(싫을厭 세대世 과녁的) 세상을 싫어하고 모든 일을 어둡고 부정적으로 보는 것 ❹ 낙천적

도피적(달아날逃 피할避 과녁的) 어떤 상황에 적극적으로 맞서지 않고 피하는 것

성찰적(살필省 살필察 과녁的) 지나간 일을 되돌아보며 반성하고 살피는 것

관조적(볼觀 비출照 과녁的) 고요한 마음으로 사물이나 현상을 관찰하거나 비추어 보는 것

초월적(넘을超 넘을越 과녁的) 어떠한 한계나 표준, 이해나 자연 따위를 뛰어넘거나 경험과 인식의 범위를 벗어나는 것

달관(통할達 볼觀) 인생의 진리를 꿰뚫어 보아 사소한 일에 집착하지 않고 넓고 멀리 바라봄

● **다음 빈칸에 들어갈 알맞은 단어를 위에서 찾아 문맥에 맞게 써 보자.**

(1) 그는 마치 세상일에 [ ][ ]한 도인처럼 말소리와 표정이 담담했다.

(2) 그 시인의 작품은 [ ][ ][ ]인 태도로 자연과 인생을 투시하고 있다.

(3) 윤동주 시인은 시를 쓰는 순간에도 자기 [ ][ ][ ]인 자세를 잃지 않았다.

(4) 신문에서는 음주 운전을 한 정치인의 행동에 대하여 [ ][ ][ ]인 기사를 냈다.

(5) 오페라를 관람하고 나온 우리는 가슴을 울린 주인공의 독창 실력을 [ ][ ]하였다.

(6) 조선 시대의 풍속화에서는 자연에서 여유롭게 [ ][ ]를 즐기는 양반들의 모습이 눈의 띈다.

(7) 사람들은 큰 어려움에 처했거나 한계에 다다랐을 때, [ ][ ][ ]인 존재나 힘에 의지하기도 한다.

(8) 나는 한때 [ ][ ][ ]이 되어 세상이 마치 구더기가 득시글거리는 무덤 속과 같다는 생각을 했다.

(9) 식구들은 가족을 떠나 중이 되려 하는 형의 결정을 자신만을 위한 [ ][ ][ ]인 행동이라고 말했다.

(10) 최근 지어지는 아파트들은 작은 숲이나 공원을 단지 안에 포함하여 자연 [ ][ ] 중심의 주거지를 지향한다.

2단계 문제로 어휘 익히기

1 다음 개념에 해당하는 설명을 찾아 바르게 연결해 보자.

(1) 초월적 •

(2) 풍류적 •

(3) 달관적 •

• ㉠ 고상하고 우아한 멋이 있는 일이나 그렇게 즐기는 것

• ㉡ 인생의 진리를 꿰뚫어 보아 사소한 일에 집착하지 않고 넓고 멀리 바라보는 것

• ㉢ 어떠한 한계나 표준, 이해나 자연 따위를 뛰어넘거나 경험과 인식의 범위를 벗어나는 것

2 다음 단어에 대한 설명이 맞으면 ○, 틀리면 × 표시를 해 보자.

(1) 화자가 고요한 마음으로 사물이나 현상을 관찰하거나 비추어 보는 자세를 '성찰적' 태도라고 한다. (○, ×)

(2) 화자가 현실의 문제에 적극적으로 맞서지 않고 도망치려 하는 모습을 보이는 것을 '도피적' 태도라고 한다. (○, ×)

(3) 화자가 시적 대상이나 상황에 대해 일정한 거리를 유지하면서 절제된 감정으로 표현하는 것을 '관조적' 태도라고 한다. (○, ×)

3 다음 문장에 들어갈 알맞은 단어를 〈보기〉에서 찾아 써 보자.

┌─────────────── 보기 ───────────────┐

관조적   비판적   염세적   예찬적

└──────────────────────────────────┘

(1) 자신과 종교가 다르다고 해서 무조건 (   )으로 생각하는 것은 좋지 않다.

(2) 세상을 부정적으로만 보는 (   )인 세계관을 가진 사람은 우울증에 빠지기 쉽다.

(3) 고전 시가에서 '임'은 주로 임금을 의미하는데, 작가가 사대부일 때 '임'의 인품에 대한 (   )인 태도를 드러내는 경우가 많다.

4 다음 빈칸에 들어갈 가장 적절한 단어를 찾아보자.

> 십 년을 경영하여 초려 삼간 지어 내니
> 나 한 간 달 한 간에 청풍 한 간 맡겨 두고
> 강산은 들일 데 없으니 둘러 두고 보리라.   – 송순

선생님: 화자의 태도란 시적 상황이나 대상에 대해 보이는 화자의 생각이나 자세를 말해요. 이 시조의 화자는 소박한 초가집을 지어 '달'과 '청풍'을 들이고, 그 주변에 '강산'을 둘러 두고 싶다고 말해요. 여기서 '달'과 '청풍', '강산'은 모두 자연을 상징하는 시어죠? 따라서 화자는 자연을 벗 삼아 즐기며 살아가려는 자연 _____ 태도를 보이고 있답니다.

① 도피적   ② 비판적   ③ 친화적   ④ 초월적   ⑤ 예찬적

04
일차

02 고전 시가 주제어 _ 시련과 절개

1단계 문맥으로 어휘 확인하기

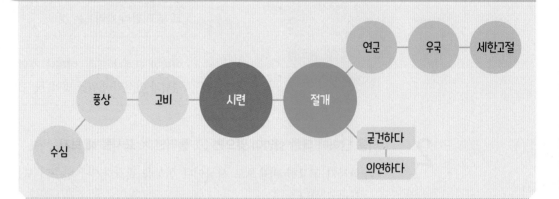

시련(시험할試 불릴鍊) 겪어 내기 힘든 어려움 ⊕ 고난

고비 일이 되어 가는 과정에서 가장 중요한 단계나 대목. 또는 매우 어려운 순간이나 국면 ⊕ 기로, 위기, 절정

풍상(바람風 서리霜) ① 바람과 서리를 아울러 이르는 말 ② 많이 겪은 세상의 어려움과 고생을 비유적으로 이르는 말

수심(근심愁 마음心) 걱정거리가 있어서 애가 탐. 또는 그런 마음 ⊕ 근심, 염려, 걱정

절개(마디節 대개槪) 신념, 신의 따위를 굽히지 아니하고 굳게 지키는 꿋꿋한 태도

연군(사모할戀 임금君) 임금을 그리워함

우국(근심憂 나라國) 나랏일을 근심하고 염려함

세한고절(해歲 찰寒 외로울孤 마디節) 추운 계절에도 혼자 푸르른 대나무라는 뜻으로, 높은 절개를 말함 ⊕ 오상고절(傲霜孤節): 서릿발이 심한 추위 속에서도 굽히지 않고 홀로 꿋꿋이 지키는 절개라는 뜻으로, 충신을 말함

굳건하다 사람이나 그 뜻이 굽힘이 없이 굳세며 건실하다. ⊕ 강건하다

의연(굳셀毅 그럴然)**하다** 의지가 굳세어서 끄떡없다. ⊛ 비굴하다

● **다음 빈칸에 들어갈 알맞은 단어를 위에서 찾아 문맥에 맞게 써 보자.**

(1) 국화가 간밤의 ☐☐을 견디고 피어났다.

(2) 그는 풍랑에 죽을 ☐☐를 가까스로 넘기고 돌아왔다.

(3) 어머니의 얼굴에 ☐☐의 그늘이 짙게 드리워져 있었다.

(4) 분단은 우리 민족에게 극복하기 어려운 ☐☐을 주었다.

(5) 젊은 나이에 결혼한 형은 그래도 제법 ☐☐☐ 가장의 모습을 하고 있었다.

(6) 가사 문학의 대가인 정철은 임금을 향한 ☐☐의 마음을 담아 「사미인곡」을 지었다.

(7) 신하는 임금께 백성은 나라의 근본이라 근본이 ☐☐☐☐ 나라가 튼튼해진다고 아뢰었다.

(8) 그는 어떠한 역경 속에서도 지조와 ☐☐로써 충성을 다하며 국가를 생각하는 ☐☐지사였다.

(9) 대나무는 겨울에도 색이 변하거나 대가 굽지 않아 ☐☐☐☐이라고 불리며 절개의 상징이 되었다.

2단계 문제로 어휘 익히기

1 제시된 뜻과 예문을 참고하여 다음 초성에 해당하는 단어를 빈칸에 써 보자.

(1) ㅅ ㅅ : 걱정거리가 있어서 애가 탐

예 기운찬 대답과는 달리 친구의 얼굴에는 (   )이 가득하였다.

(2) ㅍ ㅅ : 바람과 서리를 아울러 이르는 말

예 옛 절터에는 (   )으로 여기저기가 닳아 없어진 석탑이 서 있다.

(3) ㅈ ㄱ : 신념, 신의 따위를 굽히지 아니하고 굳게 지키는 꿋꿋한 태도

예 김시습은 의리와 (   )가 높다 하여 생육신의 한 사람으로 불리기도 한다.

2 다음 문장에 들어갈 알맞은 단어를 〈보기〉에서 찾아 써 보자.

〈보기〉

| 시련 | 연군 | 우국 | 세한고절 |

(1) 그들은 (   )이 닥칠수록 더욱 굳게 단결되었다.

(2) 말로는 (   )한다고 외치지만 너희들이 실제로 나라를 위해서 한 것이 뭐가 있느냐?

(3) 겨울에도 푸른 대나무의 정신을 일컬어 (   )이라고 칭하면서 절개의 상징으로 표현하였다.

3 다음 문장의 괄호 안에 들어갈 알맞은 단어를 골라 보자.

(1) 군인은 (곤궁한 / 굳건한) 신념이 없으면 지속할 수 없는 직업이다.

(2) 그들은 온갖 어려움에도 불구하고 (의연함 / 연연함)을 잃지 않았다.

(3) 그는 전쟁 상황 속에서 수없이 많은 (고비 / 시비)를 겪었지만 그때마다 아슬아슬하게 목숨을 부지했다.

4 다음 빈칸에 들어갈 가장 적절한 단어를 찾아보자.

조선 시대에 사대부가 지은 가사에는 유교적 세계관이 투영되어 있는데, 주로 다음과 같은 부류의 주제 의식을 보이는 시가들이 창작되었다. 현실을 도피하여 자연을 벗 삼아 지내면서 아름다운 경치와 충의(忠義) 사상을 결합시킨 '강호가도(江湖歌道)', 신하로서 임금에 대한 변함없는 사랑과 그리움을 표현하는 (   ), 가난한 생활을 하면서도 편안한 마음으로 도를 즐겨 지킨다는 '안빈낙도(安貧樂道)' 등의 내용을 담고 있다.

① 군신(君臣) ② 절개(節槪) ③ 충의(忠義) ④ 우국(憂國) ⑤ 연군(戀君)

2010학년도 3월 고1 전국연합

[1~3] 다음 글을 읽고 물음에 답하시오.

가 새로 거른 막걸리 젖빛처럼 뿌옇고　　　　新蒭濁酒如湩白
큰 사발에 보리밥, 높기가 한 자로세.　　　大碗麥飯高一尺
밥 먹자 도리깨 잡고 마당에 나서니　　　　飯罷取耞登場立
검게 탄 두 어깨 햇볕 받아 번쩍이네.　　　雙肩漆澤翻日赤
응헤야 소리 내며 발맞추어 두드리니　　　呼邪作聲擧趾齊
삽시간에 보리 낟알 온 마당에 가득하네.　須臾麥穗都狼藉
주고받는 노랫가락 점점 높아지는데　　　雜歌互答聲轉高
보이느니 지붕 위에 보리 티끌뿐이로다.　但見屋角紛飛麥
그 기색 살펴보니 즐겁기 짝이 없어　　　觀其氣色樂莫樂
마음이 몸의 노예 되지 않았네.　　　　　了不以心爲形役
낙원이 먼 곳에 있는 게 아닌데　　　　　樂園樂郊不遠有
무엇하러 벼슬길에 헤매고 있으리오.　　　何苦去作風塵客
　　　　　　　　　　　　　　　－ 정약용, 「보리타작[打麥行]」

나 눈 맞아 휘어진 대를 뉘라서 굽다턴고.
굽을 절개라면 눈 속에 푸를쏘냐.
아마도 ㉠세한고절(歲寒孤節)은 너뿐인가 하노라.

　　　　　　　　　　　　　　　　　　　　－ 원천석

감상 체크

1. (가)에서 '낙원'과 대비되는 시어는?
'□□□'은 화자가 과거에 추구하던 삶을 나타내는 시어로, 화자가 깨달은 진정한 삶의 공간인 '낙원'과 대조됨

2. (가)에서 화자가 주목한 농민들의 바람직한 삶의 모습이 나타난 시구는?
'마음이 몸의 □□ 되지 않았네.'에 화자가 주목한, 정신과 육체가 조화를 이룬 농민들의 삶이 나타남

3. (나)에서 '시련'을 상징하는 시어는?
대나무를 휘게 하는 '□'

4. (나)에서 '휘어진 대'에 대한 화자의 태도는?
화자는 어려운 상황 속에서도 변치 않는 대나무의 모습을 □□함

어휘 체크
● 한 자: 일 척. 약 30cm 가량
● 도리깨: 곡식의 낟알을 떠는 데 쓰는 농기구의 하나
● 보이느니: 보이는 것이
● 굽다턴고: 굽었다고 했던가.
● 푸를쏘냐: 푸르겠는가.

1
㉠과 바꾸어 쓰기에 가장 적절한 것은?

① 낙목한천(落木寒天)
② 오상고절(傲霜孤節)
③ 의기양양(意氣揚揚)
④ 추풍낙엽(秋風落葉)
⑤ 풍월주인(風月主人)

2
(가)에 대한 설명으로 적절하지 <u>않은</u> 것은?

① 시적 대상에 대한 화자의 예찬적 태도를 드러내고 있다.
② 실생활과 관련된 시어를 사용하여 생동감을 높이고 있다.
③ 선경후정의 구조를 통해 주제를 효과적으로 제시하고 있다.
④ 시각적 이미지의 대비를 통해 화자의 갈등을 드러내고 있다.
⑤ 설의적 표현을 사용하여 화자가 얻은 깨달음을 드러내고 있다.

◔ **선경후정(先景後情):** 시에서, 앞부분에 자연 경관이나 사물에 대한 묘사를 먼저하고 뒷부분에 자기의 감정이나 정서를 그려 내는 구성

 기출 문제
3
〈보기〉를 바탕으로 (나)를 감상한 내용으로 적절하지 <u>않은</u> 것은?

┌─ 보기 ─┐

　(나)의 작가 원천석은 고려 말의 학자이자 문인이다. 이성계가 새로운 왕조를 세우려 하자, 고려의 신하들은 그에게 협력하는 사람과 격렬하게 저항하는 사람으로 나뉘었다. 이 상황에서 작가는 새 왕조에 반대하여 치악산에 은거하였다. 조선 건국 후 태종이 즉위하여 여러 차례 벼슬을 내리고 그를 불렀으나 끝내 응하지 않았다. (나)는 이런 상황을 반영하고 있다.

◔ **은거하였다:** 세상을 피하여 숨어서 살았다.

① 초장의 '눈'은 새로운 왕조에 협력을 강요하는 세력을 의미한다고 볼 수 있겠군.
② 초장의 '휘어진'은 이성계 세력에 강력하게 맞서지 않고 은거한 작가의 삶과 관련된다고 볼 수 있겠군.
③ 중장의 '절개'는 고려의 신하로서 새 왕조에 반대하고 끝내 벼슬을 거절한 것과 관련된다고 볼 수 있겠군.
④ 중장의 '눈 속에 푸를쏘냐'는 새 왕조에 협력하는 사람들에 대한 원망이 담겨 있다고 볼 수 있겠군.
⑤ 종장의 '너'는 초장의 '대'와 동일한 대상으로, 조선의 건국 과정에서 보여 준 작가의 태도와 유사한 특성을 가지고 있다고 볼 수 있겠군.

● 말과 관련된 속담

가는 말이 고와야 오는 말이 곱다	자기가 남에게 말이나 행동을 좋게 하여야 남도 자기에게 좋게 한다는 말 예 가는 말이 고와야 오는 말이 곱다잖아. 네가 먼저 동생을 잘 챙겨 주면 동생도 너를 따르고 좋아하게 될 거야.
가루는 칠수록 고와지고 말은 할수록 거칠어진다	가루는 체에 칠수록 고와지지만 말은 길어질수록 시비가 붙을 수 있고 마침내는 말다툼까지 가게 되니 말을 삼가라는 말 예 가루는 칠수록 고와지고 말은 할수록 거칠어진다는 말이 맞네. 그렇게 모여서 말들을 많이 하더니 오해만 생겨서 결국 싸움이 나잖아.
낮말은 새가 듣고 밤말은 쥐가 듣는다	① 아무도 안 듣는 데서라도 말조심해야 한다는 말 ② 아무리 비밀히 한 말이라도 반드시 남의 귀에 들어가게 된다는 말 예 이 세상에 비밀이 어디 있니? 낮말은 새가 듣고 밤말은 쥐가 듣는 법이야.
말 많은 집은 장맛도 쓰다	① 집안에 잔말이 많으면 살림이 잘 안된다는 말 ② 입으로는 그럴듯하게 말하지만 실상은 좋지 못하다는 말 예 말 많은 집은 장맛도 쓰다고, 자식 자랑을 그렇게 하더니 꼴좋다.
말 안 하면 귀신도 모른다	마음속으로만 애태울 것이 아니라 시원스럽게 말을 하여야 한다는 말 예 어휴, 답답해. 무슨 일이 있었던 건지 말 좀 해 줘. 말 안 하면 귀신도 모른다니까?
말은 보태고 떡은 뗀다	말은 퍼질수록 더 보태어지고, 음식은 이 손 저 손으로 돌아가는 동안 없어지는 것이라는 말 예 말은 보태고 떡은 뗀다더니, 별것 아닌 말이 소문이 되어 시간이 지날수록 점점 더 부풀려졌다.
말이란 아 해 다르고 어 해 다르다	말이란 같은 내용이라도 표현하는 데 따라서 아주 다르게 들린다는 말 예 말이란 아 해 다르고 어 해 다른 건데, 자경이는 좋은 말도 괜히 비꼬아 말해서 듣는 사람의 기분을 상하게 하더라.
말 한마디에 천 냥 빚도 갚는다	말만 잘하면 어려운 일이나 불가능해 보이는 일도 해결할 수 있다는 말 예 말 한마디에 천 냥 빚도 갚는다는데, 넌 어째서 못된 말만 골라서 하니?

➕ 말은 해야 맛이고 고기는 씹어야 맛이다: 마땅히 할 말은 해야 한다는 말

➕ 벽에도 귀가 있다: 비밀은 없기 때문에 경솔히 말하지 말 것을 비유적으로 이르는 말

➕ 말 단 집에 장 단 법 없다, 말 단 집에 장이 곤다

➕ 말은 할수록 늘고 되질은 할수록 준다: 말은 퍼질수록 보태어지고, 물건은 옮겨 갈수록 줄어든다는 말

➕ 말로 온 공을 갚는다: 말을 잘하는 사람은 사람들과 어울리며 살아가는 데 유리하다는 말

| 발 없는 말이 천 리 간다 | 말은 비록 발이 없지만 천 리 밖까지도 순식간에 퍼진다는 뜻으로, 말을 삼가야 함을 비유적으로 이르는 말
예 발 없는 말이 천 리 간다더니, 어제 들었던 그 소문이 벌써 학교 안에 다 퍼졌어. | 🔂 말은 한번 나가면 사두마차라도 이를 잡지 못한다: 소문이 퍼지는 정도가 네 마리의 말이 달려도 잡지 못할 정도로 빠름 |

| 세 살 먹은 아이 말도 귀담아들으랬다 | 어린아이가 하는 말이라도 일리가 있을 수 있으므로 소홀히 여기지 말고 귀담아들어야 한다는 뜻으로, 남이 하는 말을 신중하게 잘 들어야 함을 비유적으로 이르는 말
예 세 살 먹은 아이 말도 귀담아들으랬어. 아무리 너보다 아랫사람이어도 잘 들어 보면 이치에 맞는 말일 수 있어. | 🔂 팔십 노인도 세 살 먹은 아이한테 배울 것이 있다: 어린아이에게도 때로는 귀담아들을 말이 있음을 이르는 말 |

| 입은 비뚤어져도 말은 바로 하랬다 | 상황이 어떻든지 말은 언제나 바르게 하여야 함을 이르는 말
예 입은 비뚤어져도 말은 바로 하랬어. 내가 너 보고 길눈이 어둡다고 했지, 언제 바보라고 그랬니? | |

| 호랑이도 제 말 하면 온다 | ① 깊은 산에 있는 호랑이조차도 저에 대하여 이야기하면 찾아온다는 뜻으로, 어느 곳에서나 그 자리에 없다고 남을 흉보아서는 안 된다는 말
② 다른 사람에 관한 이야기를 하는데 공교롭게 그 사람이 나타나는 경우를 이르는 말
예 호랑이도 제 말 하면 온다더니, 뒤에 사장님 오셨어. | 🔂 담호호지(談虎虎至): 호랑이도 제 말을 하면 온다는 뜻으로, 이야기에 오른 사람이 마침 그 자리에 나타남을 이르는 말 |

상황으로 보는 속담

호랑이도 제 말 하면 온다

01 다음 빈칸에 들어갈 속담의 뜻을 〈보기〉에서 골라 기호를 써 보자.

| 호랑이도 제 말 하면 온다 | 말 많은 집은 장맛도 쓰다 | 말 한마디에 천 냥 빚도 갚는다 | 말이란아해다르고 어해다르다 | 세살먹은아이말도 귀담아들으랬다 |

( ) ( ) ( ) ( ) ( )

보기

㉠ 입으로는 그럴듯하게 말하지만 실상은 좋지 못하다는 말

㉡ 말이란 같은 내용이라도 표현하는 데 따라서 아주 다르게 들린다는 말

㉢ 말만 잘하면 어려운 일이나 불가능해 보이는 일도 해결할 수 있다는 말

㉣ 깊은 산에 있는 호랑이조차도 저에 대하여 이야기하면 찾아온다는 뜻으로, 어느 곳에서나 그 자리에 없다고 남을 흉보아서는 안 된다는 말

㉤ 어린아이가 하는 말이라도 일리가 있을 수 있으므로 소홀히 여기지 말고 귀담아들어야 한다는 뜻으로, 남이 하는 말을 신중하게 잘 들어야 함을 비유적으로 이르는 말

[02~05] 다음 빈칸에 알맞은 단어를 쓰고, 속담의 뜻을 찾아 바르게 연결해 보자.

02 [　　] 없는 말이 천 리 간다 · · ㉠ 상황이 어떻든지 말은 언제나 바르게 하여야 함을 이르는 말

03 말은 보태고 [　　]은 뗀다 · · ㉡ 마음속으로만 애태울 것이 아니라 시원스럽게 말을 하여야 한다는 말

04 말 안 하면 [　　]도 모른다 · · ㉢ 말은 퍼질수록 더 보태어지고, 음식은 이 손 저 손으로 돌아가는 동안 없어지는 것이라는 말

05 [　　]은 비뚤어져도 말은 바로 하랬다 · · ㉣ 말은 비록 발이 없지만 천 리 밖까지도 순식간에 퍼진다는 뜻으로, 말을 삼가야 함을 비유적으로 이르는 말

06 다음 문자 메시지 대화를 읽고, 빈칸에 알맞은 속담을 써 보자.

예지: 아, 배고파. 먹을 거 없니?

정국: 무슨 소리야. 밥 다 먹고 빵 두 개 먹은 애가…….

예지: 돼지마냥 피자랑 라면 다 먹은 네가 할 소린 아닌데?

정국: 누가 누구더러? 내가 돼지면 넌 코끼리냐?

예지: 뭐? 너 지금 나 보고 코끼리라고 놀린 거야?

정국: ＿＿＿＿＿＿＿＿＿＿＿는 말 몰라? 네가 먼저 돼지라며.

예지: 알겠어. 미안해. 내가 먼저 사과했으니, 너도 사과해 줄래?

＋ ＿＿＿＿＿＿＿＿＿＿ ＃

01 문학 개념어

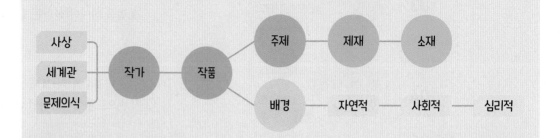

1단계 문맥으로 어휘 확인하기

사상(생각思 생각想) 어떠한 사물에 대하여 가지고 있는 구체적인 사고나 생각 ☺ 이념, 의식, 생각

세계관(인간世 경계界 볼觀) 자연적 세계 및 인간 세계를 이루는 인생의 의의나 가치에 관한 통일적인 견해. 작가는 글을 쓸 때 자신의 체험, 지식, 상상 등을 활용하는데, 그에 못지않게 세상에 대한 안목을 바탕으로 작품을 쓰게 됨 ☺ 인생관: 인생의 의의, 가치, 목적 따위에 대한 관점이나 견해

문제의식(물을問 제목題 뜻意 알識) 문제점을 찾아서 그에 적극적으로 대처하려는 태도

주제(주인主 제목題) 문학 작품의 중심 생각. 글의 중심적인 내용이나 중심 생각, 혹은 작가가 표현하고자 하는 의도나 세계관의 반영체

제재(제목題 재목材) 문학 작품의 바탕이 되는 요소로서 작가가 작품의 주제를 나타내기 위하여 수많은 소재 중에서 선택한 구체적인 재료

소재(본디素 재목材) 글을 쓸 때 글쓴이가 말하고자 하는 바를 나타내기 위해 사용하는 글의 재료로, 특정 대상이나 환경, 인물의 행동이나 감정 등이 모두 소재가 될 수 있음 ☺ 글감, 글거리

배경(등背 경치景) 문학 작품에서, 주제를 뒷받침하는 시대적·사회적 환경이나 장소. 배경은 작품의 분위기를 만들어 주고, 인물의 심리 상태를 간접적으로 묘사하며, 작품을 더욱 사실적이고 생생하게 느낄 수 있도록 해 줌

자연적 배경	시간과 공간, 계절과 지역 등 작품의 물리적인 배경
사회적 배경	인물을 둘러싼 정치, 경제, 종교, 문화 등과 같은 사회적 환경이나 시대 현실, 역사적 상황
심리적 배경	인물의 심리 상황이나 독특한 내면세계와 같이 인물의 주관적 심리에 따라 형성되는 배경

● **다음 빈칸에 들어갈 알맞은 단어를 위에서 찾아 문맥에 맞게 써 보자.**

(1) 작가의 ☐☐☐은 작품의 기법, 주제 등의 문학적 장치를 통해 짐작할 수 있다.

(2) 고전 소설은 충, 효 등 선한 것을 권하고, 악한 것을 벌하는 권선징악을 ☐☐로 하는 작품들이 많다.

(3) ☐☐☐ 배경은 인물의 심리와 그 변화에 초점을 맞추어 사건을 전개하는 심리 소설에서 주로 나타난다.

(4) ☐☐는 작품에 등장하는 수많은 ☐☐들 중 작가가 주제를 나타내기 위하여 선택한 구체적인 재료이다.

(5) ☐☐☐ 배경에는 시간적·공간적 배경이 포함되고, ☐☐☐ 배경에는 시대적·역사적 배경이 포함된다.

(6) 「허생전」은 조선 시대를 ☐☐으로 한 한문 소설로, 당시 사회 현실에 대한 박지원의 ☐☐☐☐이 담긴 작품이다. 백성들의 삶을 안정시키기 위해서는 상업과 공업을 발전시켜야 한다는 작가의 실학☐☐이 드러나 있다.

2단계 문제로 어휘 익히기

1 다음 개념에 해당하는 설명을 찾아 바르게 연결해 보자.

(1) 소재 •

(2) 주제 •

(3) 배경 •

• ㉠ 문학 작품의 중심 생각

• ㉡ 문학 작품에서, 주제를 뒷받침하는 시대적·사회적 환경이나 장소

• ㉢ 글을 쓸 때 글쓴이가 말하고자 하는 바를 나타내기 위해 사용하는 글의 재료

2 다음 문장에 들어갈 알맞은 단어를 〈보기〉에서 찾아 써 보자.

보기

사회적   심리적   자연적   평면적

(1) 「춘향전」은 혼인 시 남녀의 신분 차이가 문제가 되었던 조선 시대를 (   ) 배경으로 삼은 소설이다.

(2) 이효석의 소설 「메밀꽃 필 무렵」에서 '달밤'과 '메밀밭'이라는 (   ) 배경이 사건 전개에 매우 중요한 역할을 한다.

(3) 이상의 소설 「날개」는 등장인물의 내적인 감정 상태, 환상, 무의식 등을 드러내는 (   ) 배경에 초점을 둔 소설이다.

3 다음 문장의 괄호 안에 들어갈 알맞은 단어를 골라 보자.

(1) 작품 속 등장인물이 세상을 어떻게 보고 받아들이는지를 통해 작가의 (세계관 / 자연관)을 파악할 수 있다.

(2) 황순원의 소설 「소나기」에서 '소나기'는 소년과 소녀를 가깝게 해 주는 역할도 하지만, 소녀의 죽음에 원인이 되는 (제재 / 주제)라고 볼 수 있다.

4 다음 빈칸에 들어갈 가장 적절한 단어를 찾아보자.

윤우: 「홍길동전」의 배경인 조선 시대에는 신분 제도가 매우 엄격했어.

민준: 그런 시대에 주인공 홍길동은 서얼임에도 벼슬자리까지 오르게 돼.

윤우: 소설이 허구를 바탕으로 한다지만 이런 설정은 당시에 매우 논란이 될 만한 내용이었을 거야.

민준: 맞아. 허균이 당시 문인들과는 전혀 다른 (   )을 지니고 있었던 사람이었기에 이런 이야기가 가능하지 않았을까?

① 사리사욕   ② 문제의식   ③ 윤리 의식

④ 적서 차별   ⑤ 유교적 인간관

02 현대 소설 주제어 _상황 속 인물의 행동

1단계 문맥으로 어휘 확인하기

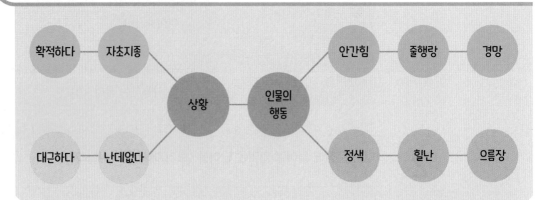

자초지종(스스로自 처음初 이를至 마칠終) 처음부터 끝까지의 과정 ⓤ 자두지미, 자초지말, 종두지미, 전후수말, 전후시말

확적(굳을確 과녁的)**하다** 정확하게 맞아 조금도 틀리지 아니하다. ⓤ 적확하다

난데없다 갑자기 불쑥 나타나 어디서 왔는지 알 수 없다. ⓤ 갑작스럽다

대근하다 견디기가 어지간히 힘들고 만만하지 않다. ⓤ 고단하다

안간힘 어떤 일을 이루기 위해서 몹시 애쓰는 힘 ⓟ 안간힘을 쓰다: 불만이나 고통 따위를 참으려고 매우 노력하다.

줄행랑(다닐行 사랑廊) '도망'을 속되게 이르는 말 ⓤ 도망, 도주, 줄걸음 ⓟ 줄행랑을 놓다: 낌새를 채고 피하여 달아나다.

경망(가벼울輕 허망할妄) 행동이나 말이 가볍고 조심성이 없음 ⓤ 경거망동, 방정, 경박 ⓥ 신중

정색(바를正 빛色) 얼굴에 엄격하고 바른 빛을 나타냄. 또는 그런 얼굴빛 ⓤ 정안

힐난(꾸짖을詰 어려울難) 트집을 잡아 지나치게 많이 따지고 듦 ⓤ 책망, 비난 ⓥ 칭찬

으름장 말과 행동으로 위협하는 짓 ⓤ 협박 ⓟ 으름장을 놓다: 상대편이 겁을 먹도록 무서운 말이나 행동으로 위협하다.

● **다음 빈칸에 들어갈 알맞은 단어를 위에서 찾아 문맥에 맞게 써 보자.**

(1) 그는 [ ][ ][ ]을 다해 혼자 책상을 옮겼다.

(2) 이번 일은 보기보다 [ ][ ][ ][ ] 미리 준비를 좀 해야겠다.

(3) 그 일은 증거가 너무나 [ ][ ][ ][ ] 그가 더 이상 발뺌할 수가 없었다.

(4) 친구들 앞에서 [ ][ ]을 떠는 남편의 모습이 그녀에게는 낯설게만 느껴졌다.

(5) 그는 웃지도 않고 [ ][ ]하더니 내 얼굴을 똑바로 쳐다보고 또박또박 말하였다.

(6) 그는 한참 어린 동생에게 노골적인 면박과 [ ][ ]을 들은 것이 분하고 억울했다.

(7) 그들은 나에게 악담인지 [ ][ ]인지 모를 소리를 하고 나서 문밖으로 사라졌다.

(8) 반장은 어제 학급에서 일어난 사건에 대한 [ ][ ][ ][ ]을 선생님께 세세히 보고하였다.

(9) 수박 밭에서 서리를 하던 아이들은 [ ][ ][ ][ ] 나타난 주인 아저씨를 보고 깜짝 놀라 수박을 그대로 둔 채 [ ][ ][ ]을 쳤다.

2단계 문제로 어휘 익히기

1 다음 단어의 의미를 찾아 바르게 연결해 보자.

(1) 힐난 • • ㉠ 말과 행동으로 위협하는 짓

(2) 으름장 • • ㉡ 트집을 잡아 지나치게 많이 따지고 듦

(3) 난데없다 • • ㉢ 견디기가 어지간히 힘들고 만만하지 않다.

(4) 대근하다 • • ㉣ 갑자기 불쑥 나타나 어디서 왔는지 알 수 없다.

2 다음 단어에 대한 설명이 맞으면 ○, 틀리면 ✕ 표시를 해 보자.

(1) '경망'은 행동이나 말이 신중하고 조심성이 있음을 의미한다. (○, ✕)

(2) '줄행랑을 놓다'는 낌새를 채고 피하여 달아남을 의미하는 관용 표현이다. (○, ✕)

(3) '확적하다'는 조용하고 쓸쓸한 상황을 표현할 때 사용하는 말로, '적막하다'와 바꿔 쓸 수 있다. (○, ✕)

3 다음 문장에 들어갈 알맞은 단어를 〈보기〉에서 찾아 써 보자.

| 보기 |
| 경망 　　 정색 　　 안간힘 　　 줄행랑 　　 자초지종 |

(1) 자꾸만 말을 돌리는 그에게 나는 ( )을 하고 단호하게 말했다.

(2) 그는 친구를 쳐다보려고도 하지 않고 분을 삭이느라 ( )을 썼다.

(3) 동생은 울면서 어머니에게 그 일에 대한 ( )을 낱낱이 털어놓았다.

(4) 구치소에 있던 죄수가 밤새 감쪽같이 ( )을 쳤으니 경찰은 대경실색할 노릇이었다.

4 다음 문장의 괄호 안에 들어갈 알맞은 단어를 골라 보자.

(1) 선생님의 말씀은 단순한 (으름장 / 어름장)이 아니었다.

(2) 그는 갑자기 웃음기를 거두더니 (안색 / 정색)으로 대꾸를 하였다.

(3) 너도 성인이면 묵직한 데가 있어야지 그렇게 (경망 / 경황)해서야 되겠니?

(4) 어젯밤 (간데없는 / 난데없는) 할머니의 방문에 모두들 깜짝 놀라 뛰쳐나왔다.

[1~3] 다음 글을 읽고 물음에 답하시오.

2015학년도 9월 고1 전국연합

가 이지러는 졌으나 보름을 가제 지난 달은 부드러운 빛을 흐뭇이 흘리고 있다. 대화까지는 칠십 리의 밤길, 고개를 둘이나 넘고 개울을 하나 건너고 벌판과 산길을 걸어야 된다. 길은 지금 긴 산허리에 걸려 있다. 밤중을 지난 무렵인지 죽은 듯이 고요한 속에서 짐승 같은 달의 숨소리가 손에 잡힐 듯이 들리며, 콩 포기와 옥수수 잎새가 한층 달에 푸르게 젖었다. 산허리는 온통 메밀밭이어서 피기 시작한 꽃이 소금을 뿌린 듯이 흐뭇한 달빛에 숨이 막힐 지경이다. 붉은 대궁이 향기같이 애잔하고 나귀들의 걸음도 시원하다. 길이 좁은 까닭에 세 사람은 나귀를 타고 외줄로 늘어섰다. 방울 소리가 시원스럽게 딸랑딸랑 메밀밭께로 흘러간다. 앞장선 허 생원의 이야기 소리는 꽁무니에 선 동이에게는 확적히는 안 들렸으나, 그는 그대로 개운한 제멋에 적적하지는 않았다.

나 "장 선 꼭 이런 날 밤이었네. 객줏집 토방이란 무더워서 잠이 들어야지. 밤중은 돼서 혼자 일어나 개울가에 목욕하러 나갔지. 봉평은 지금이나 그제나 마찬가지지. 보이는 곳마다 메밀밭이어서 개울가에 어디 없이 하얀 꽃이야. 돌밭에 벗어도 좋을 것을, 달이 너무도 밝은 까닭에 옷을 벗으러 물방앗간으로 들어가지 않았나. 이상한 일도 많지. 거기서 난데없는 성 서방네 처녀와 마주쳤단 말이네. 봉평서야 제일가는 일색이었지." / "팔자에 있었나 부지." / 아무렴 하고 응답하면서 말머리를 아끼는 듯이 한참이나 담배를 빨 뿐이었다. 구수한 자줏빛 연기가 밤기운 속에 흘러서는 녹았다.

"날 기다린 것은 아니었으나 그렇다고 달리 기다리는 놈팽이가 있는 것두 아니었네. 처녀는 울고 있단 말야. 짐작은 대고 있었으나 성 서방네는 한창 어려워서 들고날 판인 때였지. 한 집안 일이니 딸에겐들 걱정이 없을 리 있겠나. 좋은 데만 있으면 시집도 보내련만 시집은 죽어도 싫다지……. 그러나 처녀란 울 때같이 정을 끄는 때가 있을까. 처음에는 놀라기도 한 눈치였으나 걱정 있을 때는 누그러지기도 쉬운 듯해서 이럭저럭 이야기가 되었네……. 생각하면 무섭고도 기막힌 밤이었어."

"제천인지로 ⊙줄행랑을 놓은 건 그 다음 날이었나?"

"다음 장도막에는 벌써 온 집안이 사라진 뒤였네. 장판은 소문에 발끈 뒤집혀 오죽해야 술집에 팔려가기가 상수라고 처녀의 뒷공론이 자자들 하단 말이야. 제천 장판을 몇 번이나 뒤졌겠나. 하나 처녀의 꼴은 ⊙꿩 궈 먹은 자리야. 첫날밤이 마지막 밤이었지. 그때부터 봉평이 마음에 든 것이 반평생을 두고 다니게 되었네. 평생인들 잊을 수 있겠나."

다 허 생원의 이야기로 실심해 한 끝이라 동이의 어조는 한풀 수그러진 것이었다.

"아비 어미란 말에 가슴이 터지는 것도 같았으나 제겐 아버지가 없어요. 피붙이라고는 어머니 하나뿐인걸요." / "돌아가셨나?" / "당초부터 없어요." / "그런 법이 세상에."

생원과 선달이 야단스럽게 껄껄들 웃으니, 동이는 ⊙정색하고 우길 수밖에는 없었다.

"부끄러워서 말하지 않으려 했으나 정말예요. 제천 촌에서 달도 차지 않은 아이를 낳고 어머니는 집을 쫓겨났죠. 우스운 이야기나, 그러기 때문에 지금까지 아버지 얼굴도 본 적 없고 있는 고장도 모르고 지내와요."

라 고개가 앞에 놓인 까닭에 세 사람은 나귀를 내렸다. 둔덕은 험하고 입을 벌리기도 ㉣대근하여 이야기는 한동안 끊겼다. 〈중략〉 / "모친의 친정은 원래부터 제천이었던가?"

"웬걸요. 시원스리 말은 안 해 주나 봉평이라는 것만은 들었죠."

"봉평? 그래 그 아비 성은 무엇이구?" / "알 수 있나요. 도무지 듣지를 못했으니까."

그 그렇겠지 하고 중얼거리며 흐려지는 눈을 까물까물하다가 허 생원은 ㉤경망하게 도 발을 빗디뎠다. 앞으로 고꾸라지기가 바쁘게 몸째 풍덩 빠져 버렸다.

– 이효석, 「메밀꽃 필 무렵」

1 문맥상 ㉠~㉤에 쓰인 의미와 다른 것은?

① ㉠: 나는 바위 뒤로 돌아서 산으로 줄행랑을 놓았다.
② ㉡: 단서를 찾기 위해 그 집에 가 봤지만 꿩 궈 먹은 자리마냥 아무것도 없었다.
③ ㉢: 그가 갑자기 정색하는 바람에 모임 분위기가 어색해졌다.
④ ㉣: 주말에 친구 결혼식에 가야 하는데 대근할 사람을 구하기 힘들었다.
⑤ ㉤: 매사에 나서기를 좋아하는 그녀는 경망하게도 말실수를 저질렀다.

2 윗글에 대한 설명으로 적절하지 않은 것은?

① 다양한 감각적 표현을 사용하여 배경을 묘사하고 있다.
② 대화를 통해 과거의 사건을 요약적으로 제시하고 있다.
③ 배경 묘사를 통해 낭만적인 분위기를 고조시키고 있다.
④ 토속적 어휘를 사용하여 향토적 분위기를 드러내고 있다.
⑤ 현재와 과거를 교차 서술하여 인물 간의 갈등을 심화하고 있다.

❥ 요약적 제시: 실제 일어났던 일이나 사건을 압축적으로 정리하여 보여 주는 서술 방식을 말함

^{기출 문제}
3 〈보기〉를 바탕으로 윗글을 감상한 내용으로 적절하지 않은 것은?

> 보기
>
> 이 작품은 자연 배경, 현재와 과거의 연결 구조, 한국적인 소재의 선택, 서정적 문체 등이 조화를 이루어 독자에게 감동을 주고 있다. 그리고 질문과 대답의 과정을 통해 중심인물들의 관계가 밝혀지는 탐정식 수법이 사용되고 있다.

① 허 생원의 옛 추억은 현재의 삶에 영향을 미치고 있군.
② 한국적 소재인 핏줄 찾기 이야기라서 독자가 쉽게 공감하겠군.
③ 허 생원의 과거 일이 작가의 글 솜씨로 아름답게 꾸며져 독자에게 전달되겠군.
④ 허 생원과 동이의 대화에서 인간과 자연의 조화를 추구하는 작가의 가치관이 드러나는군.
⑤ 허 생원은 동이 모가 성 서방네 처녀가 아닐까 하는 기대감으로 탐정식 질문을 하고 있군.

❥ 탐정식 수법: 숨겨진 일이나 드러나지 않은 사정을 살피고 추적해 나가는 기법적 장치

01 문학 개념어

1단계 문맥으로 어휘 확인하기

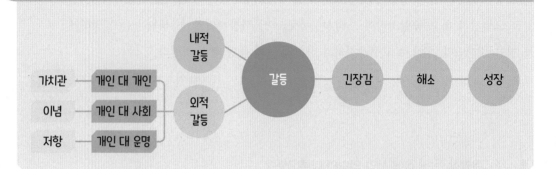

갈등(칡葛 등나무藤) 인물 사이에 일어나는 대립과 충돌 또는 인물과 환경 사이의 대립을 이르는 말

내적 갈등(안內 과녁的 칡葛 등나무藤) 인물의 내면에서 일어나는 갈등. 한 인물의 마음속에 두 가지 이상의 생각이 동시에 나타나 벌어지는 갈등

외적 갈등(바깥外 과녁的 칡葛 등나무藤) 한 인물과 그 인물을 둘러싸고 있는 세계, 환경과의 대립을 통해 나타나는 갈등으로, 인물과 갈등을 빚는 요소에는 타인, 물리적 환경, 사회, 운명 등이 있음

가치관(값價 값值 볼觀) 인간이 자기를 포함한 세계나 그 속의 사상에 대하여 가지는 평가의 근본적 태도. 작품에서 주로 인물들의 가치관이 서로 달라 갈등을 빚는 형태로 나타남

이념(다스릴理 생각할念) 이상적인 것으로 여겨지는 생각이나 견해. 한 시대나 사회 또는 계급에 독특하게 나타나는 관념, 믿음, 주의 등을 통틀어 이르는 말

저항(막을抵 겨룰抗) 외부로부터 가해지는 어떤 힘이나 조건에 굽히지 아니하고 거역하거나 버팀

긴장감(긴할緊 베풀張 느낌感) 마음을 놓지 않고 계속하여 정신을 바짝 차리게 되는 상태. 작품에서 갈등이 최고조에 이를 때 긴장감도 극대화됨

해소(풀解 사라질消) 어려운 일이나 문제가 되는 상태를 해결하여 없애 버림. 주로 작품의 결말 단계에서 갈등이 해소되고 사건이 마무리됨 🔂 소실, 소멸

성장(이룰成 길長) 사람이나 동식물이 자라서 점점 커짐. 작품에서 도덕적, 정신적으로 미성숙했던 인물이 갈등을 통해 깨달음을 얻고 성숙한 존재로 거듭남

● **다음 빈칸에 들어갈 알맞은 단어를 위에서 찾아 문맥에 맞게 써 보자.**

(1) 다양한 책을 읽으면 올바른 ◯◯◯을 세우는 데 도움이 된다.

(2) 청소년기는 육체적으로나 정신적으로나 ◯◯이 매우 빠른 시기이다.

(3) 우리나라의 건국 ◯◯은 널리 인간을 이롭게 한다는 의미의 홍익인간이다.

(4) 그는 피할 수 없는 운명에 필사적으로 ◯◯해 보았지만 결국 항복하고야 말았다.

(5) 길가에 떨어져 있는 지갑을 주운 친구는 ◯◯ 갈등 없이 바로 경찰서에 맡겼다며 으스댔다.

(6) 이 소설은 전쟁을 체험한 아버지 세대와 전쟁을 체험하지 않은 아들 세대 간의 이념 ◯◯을 그렸다.

(7) 갈등이 지속되면 팽팽한 ◯◯◯이 계속되므로 대화를 통해 갈등을 ◯◯하는 노력을 해야 한다.

(8) 이 영화는 발레리나인 주인공이 자신과 비슷한 실력을 가진 동료와 경쟁하는 ◯◯ 갈등이 중심을 이룬다.

2단계 문제로 어휘 익히기

1 다음 개념에 해당하는 설명을 찾아 바르게 연결해 보자.

(1) 갈등 •

(2) 저항 •

(3) 해소 •

• ㉠ 어려운 일이나 문제가 되는 상태를 해결하여 없애 버림

• ㉡ 외부로부터 가해지는 어떤 힘이나 조건에 굽히지 아니하고 거역하거나 버팀

• ㉢ 인물 사이에 일어나는 대립과 충돌 또는 인물과 환경 사이의 대립을 이르는 말

2 다음 단어에 대한 설명이 맞으면 ○, 틀리면 × 표시를 해 보자.

(1) 이상적으로 여겨지는 생각이나 견해를 '이념'이라고 한다. (○, ×)

(2) 운명에 의하여 이미 정해진 것을 인물이 거부하면서 갈등이 생기는데, 이를 '내적 갈등'이라고 한다. (○, ×)

(3) '긴장감'은 마음을 놓지 않고 계속하여 정신을 바짝 차리게 되는 상태를 말하며, 문학 작품에서 갈등이 최고조에 이를 때 보통 긴장감도 극대화된다. (○, ×)

3 다음 문장에 들어갈 알맞은 단어를 〈보기〉에서 찾아 써 보자.

보기

성장   가치관   내적 갈등   외적 갈등

(1) 우리는 사물을 올바르게 판단할 수 있는 (   )을 지녀야 한다.

(2) 주인공과 그와 대립하는 다른 인물과의 갈등, 주인공이 그가 속한 사회의 관습이나 이념과 대립하며 겪는 갈등 모두 (   )에 해당한다.

(3) 「나비」에서 주인공은 친구의 공작나방을 몰래 훔치려다 나비를 망가뜨리게 되어 죄책감에 사로잡혀 괴로워하는데, 여기서 주인공의 (   )이 드러난다.

4 다음 빈칸에 들어갈 가장 적절한 단어를 찾아보자.

「하늘은 맑건만」의 주인공 '문기'는 미숙한 상태의 어린아이로 양심의 가책과 친구의 유혹 사이에서 갈등을 겪는다. 하지만 갈등을 해결하는 과정에서 양심을 따르는 정직한 삶이 중요하다는 깨달음을 얻고 도덕적·정신적인 (   )을 하게 된다.

① 갈등   ② 성장   ③ 이념   ④ 저항   ⑤ 가치관

06 일차

02 현대 소설 주제어 _인물의 마음

1단계 문맥으로 어휘 확인하기

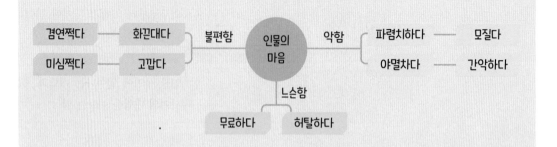

화끈대다 몸이나 쇠 따위가 뜨거운 기운을 받아 잇따라 달아오르다. 주로 부끄러움이나 창피함, 긴장감을 느낄 때 나타남

겸연(찐덥지 않을慊 그럴然)**쩍다** 쑥스럽거나 미안하여 어색하다. ❸ 무안하다

고깝다 섭섭하고 야속하여 마음이 언짢다.

미심(아닐未 살필審)**쩍다** 분명하지 못하여 마음이 놓이지 않는 데가 있다. ❸ 의심스럽다, 꺼림칙하다

무료(없을無 귀 울릴聊)**하다** 흥미 있는 일이 없어 심심하고 지루하다. ❸ 재미없다

허탈(빌虛 벗을脫)**하다** 몸에 기운이 빠지고 정신이 멍하다.

파렴치(깨뜨릴破 청렴할廉 부끄러워할恥)**하다** 염치를 모르고 뻔뻔스럽다. ❸ 몰염치하다, 뻔뻔스럽다

모질다 ① 마음씨가 몹시 매섭고 독하다. ❸ 모진 놈 옆에 있다가 벼락 맞는다: 악한 사람을 가까이하면 반드시 그 화를 입게 됨을 비유적으로 이르는 말 ② 기세가 몹시 매섭고 사납다. ③ 참고 견디기 힘든 일을 능히 배기어 낼 만큼 억세다. ④ 괴로움이나 아픔 따위의 정도가 지나치게 심하다.

야멸차다 자기만 생각하고 남의 사정을 돌볼 마음이 거의 없다.

간악(간사할奸 악할惡)**하다** 간사하고 악독하다. ❸ 악하다 ❹ 착하다

● **다음 빈칸에 들어갈 알맞은 단어를 위에서 찾아 문맥에 맞게 써 보자.**

(1) 그는 착하고 순진한 얼굴로 주변 사람들을 등쳐 먹고 사는 [　][　][　]한 인간이다.

(2) 그가 하는 말이 사실인지 [　][　][　][　]는 생각은 들었지만 일단 믿어 보기로 했다.

(3) 속상해서 우는 친구를 비웃으며 놀리는 것을 보니 녀석은 [　][　] 성격임이 분명하다.

(4) 우리 사장님은 교활하고 [　][　]한 사람이어서 직원들을 노예처럼 부려 먹을 생각만 한다.

(5) 옆집 소녀와 마주치자 갑자기 얼굴이 [　][　]대는 것을 보니 어느새 그녀를 좋아하게 된 것 같다.

(6) 우리 팀은 경기에서 최선을 다해 뛰었지만 역전패를 당해 버려 [　][　]한 마음을 가눌 수가 없었다.

(7) 그는 나에게 빌린 노트를 잃어버려서 미안하다며 머리를 긁적이면서 [　][　][　][　] 표정을 지었다.

(8) 어렵게 시간을 내어 가족 여행을 왔지만 세차게 내리는 비 때문에 여행 내내 [　][　]하게 숙소에만 있었다.

(9) 나를 귀찮게 쫓아다니던 동생이 오늘은 모르는 체하는 것을 보니 서운한 나머지 [　][　][　]는 생각이 들었다.

(10) 치료비가 부족하여 자식이 제대로 치료를 받지 못하게 된 현수가 친구에게 도움을 요청했지만 [　][　][　][　] 거절당했다.

2단계 문제로 어휘 익히기

1 다음 단어에 대한 설명이 맞으면 ○, 틀리면 ✕ 표시를 해 보자.

(1) '고깝다'는 마음씨가 몹시 매섭고 독하다는 의미이다. (○, ✕)

(2) '겸연쩍다'는 쑥스럽거나 미안하여 어색하다는 의미이다. (○, ✕)

(3) '허탈하다'는 흥미 있는 일이 없어 심심하고 지루함을 느낄 때 쓰는 말이다. (○, ✕)

(4) '야멸차다'는 자기만 생각하고 남의 사정을 돌볼 마음이 거의 없는 사람에게 쓸 수 있는 말이다. (○, ✕)

2 다음 문장에 들어갈 알맞은 단어를 〈보기〉에서 찾아 문맥에 맞게 써 보자.

┌─────────── 보기 ───────────┐
모질다   무료하다   미심쩍다   허탈하다   화끈대다
└────────────────────────────┘

(1) 시험이 끝나고 할 일이 없어 주말 내내 집에서 (   ) 텔레비전만 봤다.

(2) 시험장에 제시간에 도착하지 못한 학생은 굳게 닫힌 정문 앞에서 (   ) 서 있었다.

(3) 홍수로 세간이 모두 떠내려갔지만 마을 사람들은 마음을 (   ) 먹고 마을을 재건하는 데 힘을 썼다.

(4) 책꽂이에 꽂아 둔 내 일기장의 위치가 바뀌어 있어 혹시 동생이 몰래 본 것은 아닐지 (   ) 생각이 들었다.

3 다음 문장의 괄호 안에 들어갈 알맞은 단어를 골라 보자.

(1) 이 책에서 작가는 일본의 (간략한 / 간악한) 조선 침략 정책을 낱낱이 파헤쳤다.

(2) 도덕심이라고는 찾아볼 수 없는 (파렴치한 / 능글맞은) 범죄를 저지른 범인에게 시민들은 분노했다.

4 다음 빈칸에 들어갈 가장 적절한 단어를 찾아보자.

┌──┐
│ '(   ) 놈 옆에 있다가 벼락 맞는다'는 속담이 있다. 이 속담은 악한 사람을 가까이하면 반드시 그 화를 입게 된다는 것을 비유적으로 이르는 말이다. 이 속담과 유사한 의미를 지닌 속담으로는 '죄지은 놈 옆에 있다가 벼락 맞는다', '천산갑이 지은 죄를 구목 나무가 벼락 맞는다' 등이 있다. │
└──┘

① 모진   ② 고까운   ③ 무료한   ④ 화끈대는   ⑤ 미심쩍은

[1~3] 다음 글을 읽고 물음에 답하시오. 2016학년도 6월 고1 전국연합

가 앞부분 줄거리 | 시골에서 서울로 올라온 소년 수남이는 전기용품점에서 일을 한다. 수남이는 부지런해서 주위 사람들에게 칭찬을 받고, 자신에게 친절한 주인 영감님을 잘 따른다. 어느 날 영감님의 심부름으로 거래처에 수금을 하던 중, 세워 둔 자전거가 바람에 넘어져 신사의 자동차에 작은 흠집을 내게 되어 수남이는 곤경에 처한다.

나 "아저씨, 그러시지 말고 한 번만 봐 주세요. 네, 아저씨."

수남이는 주머니에 든 만 원 생각을 하면 얼굴이 (㉠   ) 공연히 무섭기까지 하다. 그렇지만 주인 영감님을 위해 그 돈만은 죽기를 무릅쓰고 지킬 각오를 단단히 한다.

[A]
"아니 욘석이 이제 보니 이런 큰일 저지르고 그냥 내뺄 심사 아냐? 요런 악질 녀석 같으니라고."

신사의 표정은 은은히 감돌던 (㉡   )이 싹 가시고 점잖게 무표정해진다. 그리고는 옆에 섰던 운전사인 듯한 남자에게, / "안 되겠네. 요런 악질 깡패 녀석하고 시비해 봤댔자 공연히 시간만 낭비니, 자네 자물쇠 하나 마련해다 주게. 이 녀석 자전걸 잡아 놓기로 하세. 언제든지 오천 원 가져와서 찾아가라고."

그리고는 주머니에서 오백 원짜리를 한 장 꺼내서 운전사에게 주는 것이었다. 수남이로서는 전혀 예기치 못했던 사태였다. 주머니의 만 원에 대해서만 생각했었지 자전거에 대해선 전혀 생각이 미치지 못했었다. / 운전사는 금방 커다란 자물쇠를 하나 사 가지고 왔다. 신사는 다시 네놈은 쳐다보기도 싫다는 듯이 수남이를 전혀 상대 안 하고, 묵묵히 자전거 바퀴에다 자물쇠를 채우고, 앞에 빌딩을 가리키면서,

"나 저기 306호실에 있으니까 돈 오천 원 갖고 와. 그러면 열쇠 내줄 테니."

다 이상한 용기가 솟았다. 수남이는 자전거를 마치 검부러기처럼 가볍게 옆구리에 끼고 질풍같이 달렸다. 정말이지 조금도 안 무거웠다. 타고 달릴 때보다 더 신나게 달렸다. 달리면서 마치 오래 참았던 오줌을 시원스레 내깔기는 듯한 쾌감까지 느꼈다. 〈중략〉

수남이는 겨우 숨을 가라앉히고 자초지종을 주인 영감님께 고해바친다. 다 듣고 난 주인 영감님은 무엇이 그리 좋은지 무릎을 치면서 (㉢   ).

[B]
"잘했다, 잘했어. 맨날 촌놈인 줄만 알았더니 제법인데, 제법이야."

그리고는 가게에서 쓰는 드라이버와 펜치를 가지고 자전거에 채운 자물쇠를 분해하기 시작한다. 엎드려서 그 짓을 하고 있는 주인 영감님이 수남이의 눈에 흡사 도둑놈 두목 같아 보여 속으로 정이 떨어진다. 주인 영감님 얼굴이 누런 똥빛인 것조차 지금 깨달은 것 같아 속이 메스껍다.

마침내 자물쇠를 깨뜨렸나 보다. 영감님 얼굴에 (㉣   )의 미소가 떠오르더니 자유롭게 된 자전거 바퀴를 시험이라도 하려는 듯이 자전거로 골목을 한 바퀴 빙그르르 돌아 들어와서는,

"네 놈 오늘 운 텄다."

라 낮에 내가 한 짓은 옳은 짓이었을까? 옳을 것도 없지만 나쁠 것은 또 뭔가. 자가용 까지 있는 주제에 나 같은 아이에게 오천 원을 우려 내리고 그렇게 (⑩) 굴던 신 사를 그 정도 곯려 준 것이 뭐가 나쁜가? 그런데도 왜 무섭고 떨렸던가. 그때의 내 꼴이 어땠으면, 주인 영감님까지 "네 놈 꼴이 꼭 도둑놈 꼴이다."고 하였을까.

그럼 내가 한 짓은 도둑질이었단 말인가. 그럼 나는 도둑질을 하면서 그렇게 기쁨을 느꼈더란 말인가.

– 박완서, 「자전거 도둑」

---

1 ㉠~⑩에 들어갈 인물의 심리로 적절하지 <u>않은</u> 것은?

① ㉠: 화끈대고   ② ㉡: 연민   ③ ㉢: 허탈해한다
④ ㉣: 회심   ⑤ ⑩: 간악하게

❂ 회심: 마음에 흐뭇하게 들어 맞음. 또는 그런 상태의 마음

2 윗글에 대한 설명으로 적절하지 <u>않은</u> 것은?

① 주인공의 심리 변화가 섬세하게 나타나 있다.
② 인물과 인물 간에 발생한 갈등이 잘 드러나 있다.
③ 물질적 이익만을 추구하는 도시 사람들의 모습을 그리고 있다.
④ 주인공이 점원으로 일하며 겪는 사건을 시간 순서대로 서술하고 있다.
⑤ 작품 밖 서술자가 관찰자의 입장에서 사건을 객관적으로 전달하고 있다.

기출 문제

3 〈보기〉를 참고하여 [A]와 [B]를 이해한 것으로 적절하지 <u>않은</u> 것은?

───〈 보기 〉───

　박완서의 「자전거 도둑」은 한 소년이 소년기에서 성인의 단계로 입문하는 과 정에서 겪게 되는 자아의 깨달음과 성숙을 다룬 성장 소설이다. 이 작품에서 '수 남이'는 속물적인 어른들과 갈등을 겪으면서 물질적 측면보다 양심이나 도덕성 이 중요함을 깨닫게 된다. 이러한 과정을 거치면서 소년은 성숙해 간다.

❂ 속물적: 교양이 없거나 식견 이 좁고 세속적인 일에만 신경 을 쓰는 것

① [A]에서 어쩔 줄 모르는 수남이의 모습은 수남이가 소년기 자아에 머물러 있 는 것으로 볼 수 있겠군.
② [A]에서 자전거를 빼앗기는 사건은 수남이가 성장하게 되는 계기로 볼 수 있 겠군.
③ [B]에서 영감님이 수남이를 칭찬하는 모습은 영감님이 도덕적인 어른들의 세계에 있는 것으로 볼 수 있겠군.
④ [B]에서 수남이가 영감님의 얼굴빛을 이전과 다르게 인식하는 모습은 수남 이가 성숙의 과정에 있는 것으로 볼 수 있겠군.
⑤ [A]에서 [B]의 사건을 겪는 수남이의 모습은 소년이 성인의 단계로 입문하고 있는 과정으로 볼 수 있겠군.

● 자연과 관련된 한자 성어

단사표음
(소쿠리簞 먹이食 바가지瓢 마실飮)

대나무로 만든 밥그릇에 담은 밥과 표주박에 든 물이라는 뜻으로, 청빈하고 소박한 생활을 이르는 말
예 그 선비는 자신의 신념인 단사표음의 생활을 실천하고 있다.

⊕ **단표누항(簞瓢陋巷)**: 누항에서 먹는 한 그릇의 밥과 한 바가지의 물이라는 뜻으로, 선비의 청빈한 생활을 이르는 말

만경창파
(일만萬 밭 넓이 단위頃 푸를蒼 물결波)

만 이랑의 푸른 물결이라는 뜻으로, 한없이 넓고 넓은 바다를 이르는 말
예 요즘 그의 사업은 마치 만경창파에 뜬 작은 배처럼 위태롭기만 하다.

⊛ **만경창파에 배 밑 뚫기**: 심통 사나운 짓을 비유적으로 이르는 말

만리장천
(일만萬 마을里 길長 하늘天)

아득히 높고 먼 하늘
예 오늘은 이리 기웃 내일은 저리 기웃 마음의 정처가 없으니 만리장천을 나는 집 없는 외기러기 신세와 다를 바가 없다.

⊕ **구만리장천(九萬里長天)**: 끝도 없이 높고 넓은 하늘

⊛ **구만리장천이 지척**: 높고 먼 저세상이 가까운 거리에 있다는 뜻으로, 사람은 언제 죽을지 모른다는 말

무위자연
(없을無 할爲 스스로自 그럴然)

사람의 힘을 더하지 않은 그대로의 자연. 또는 그런 이상적인 경지
예 사업에 승승장구하던 그녀는 어느 날 문득 속세의 삶에 회의를 느끼고 산골로 들어가 무위자연의 삶을 누렸다.

물아일체
(만물物 나我 하나— 몸體)

자연물과 자아가 하나가 된다는 뜻으로, 대상에 완전히 몰입된 경지를 나타냄
예 노승은 산을 바라보며 정신의 안정을 찾고 물아일체의 경지에 이르렀다.

⊕ **물심일여(物心一如)**: 사물과 마음이 구분 없이 하나의 근본으로 통합됨

산천초목
(뫼山 내川 풀草 나무木)

산과 내와 풀과 나무라는 뜻으로, '자연'을 이르는 말
예 그 암행어사는 한번 출두하면 산천초목도 벌벌 떨도록 일을 처리하였다.

삼수갑산
(석三 물水 갑옷甲 뫼山)

우리나라에서 가장 험한 산골이라 이르던 삼수와 갑산. 조선 시대에 귀양지의 하나였음
예 삼수갑산에 가는 한이 있어도 그놈만큼은 내 손으로 잡겠다.

⊛ **삼수갑산을 가도 님 따라 가랬다**: 부부는 아무리 큰 고난이 닥쳐도 함께 극복해야 한다는 말

엄동설한 (엄할嚴 겨울冬 눈雪 찰寒)	눈 내리는 깊은 겨울의 심한 추위 **예** 뼈를 에는 <u>엄동설한</u>에 집을 나갔으니 오죽 고생이 심하겠니?

연하고질
(연기煙 노을霞 고질痼 병疾)

자연의 아름다운 경치를 몹시 사랑하고 즐기는 병
예 <u>연하고질</u>이라고나 할까, 자연은 나에게 안식처와 같다.

✚ **천석고황(泉石膏肓)**: 산수(山水)를 즐기고 사랑하는 것이 정도에 지나쳐 마치 고치기 어려운 깊은 병과 같음을 이르는 말

요산요수
(좋아할樂 뫼山 좋아할樂 물水)

산수(山水)의 자연을 즐기고 좋아함
예 지혜롭고 어진 사람은 <u>요산요수</u>를 즐긴다.

✚ **지자요수인자요산(智者樂水仁者樂山)**: 지혜로운 사람은 물을 좋아하고, 어진 사람은 산을 좋아함

음풍농월
(읊을吟 바람風 희롱할弄 달月)

맑은 바람과 밝은 달을 대상으로 시를 짓고 흥취를 자아내며 즐겁게 놂
예 장기나 두고 술이나 마시며 <u>음풍농월</u>하던 시절은 이제 다 지나갔다.

점입가경
(점점漸 들入 아름다울佳 지경境)

① 들어갈수록 점점 재미가 있음
예 설악산은 안으로 깊이 들어갈수록 그 멋이 <u>점입가경</u>이다.
② 시간이 지날수록 하는 짓이나 몰골이 더욱 꼴불견임을 비유적으로 이르는 말
예 그들 사이의 경쟁이 <u>점입가경</u>으로 치닫자 보는 사람들이 눈살을 찌푸렸다.

유래로 보는 한자 성어

단사표음(簞食瓢飮)

공자는 일생 동안 3천 명의 제자를 두었는데, 그중 공자가 가장 아끼고 사랑하던 제자는 안회였다. 안회는 가난하지만 학문을 매우 좋아하던 사람으로, 29세에 벌써 백발이 되었다고 한다. 안회는 매우 가난하여 끼니 거르기를 밥 먹 듯했지만, 그의 수행과 학문 연구를 향한 열정은 꺾을 수 없었다. 이런 안회의 모습을 보고 공자는 "어질도다, 안회여. 한 소쿠리의 밥과 한 표주박의 물로 누추한 곳에 산다면, 다른 사람은 그 근심을 견뎌 내지 못하거늘 안회는 즐거움을 잃지 않는구나. 어질도다, 안회여[賢哉回也 一簞食一瓢飮在陋巷 人不堪其憂 回也不改其樂 賢哉回也]."라며 칭찬을 아끼지 않았다. 이는 『논어(論語)』의 「옹야편(雍也篇)」에 나오는 말로, 이후 '단사표음'은 시골에 묻혀 사는 은사들의 생활의 본보기가 되었으며, 「옹야편」의 표현 그대로 '일단사일표음(一簞食一瓢飮)'이라고도 한다.

[01~06] 다음 뜻에 해당하는 한자 성어를 찾아 가로, 세로, 대각선으로 표시해 보자.

고	요	하	다	아	가	점	층	적
입	산	통	제	방	지	입	구	층
이	요	구	벽	두	빈	가	족	력
삼	수	갑	산	속	만	경	창	파
친	료	진	천	비	리	솔	조	충
구	의	집	초	밀	장	경	인	류
변	사	항	목	첩	천	천	유	계
지	민	일	기	지	장	측	민	방
장	도	부	생	로	병	사	지	책

01 산수(山水)의 자연을 즐기고 좋아함

02 우리나라에서 가장 험한 산골이라 이르던 삼수와 갑산. 조선 시대에 귀양지의 하나였음

03 산과 내와 풀과 나무라는 뜻으로, '자연'을 이르는 말

04 아득히 높고 먼 하늘

05 ① 들어갈수록 점점 재미가 있음 ② 시간이 지날수록 하는 짓이나 몰골이 더욱 꼴불견임을 비유적으로 이르는 말

06 만 이랑의 푸른 물결이라는 뜻으로, 한없이 넓고 넓은 바다를 이르는 말

07 다음 단어의 뜻을 참고하여 끝말잇기를 완성해 보자.

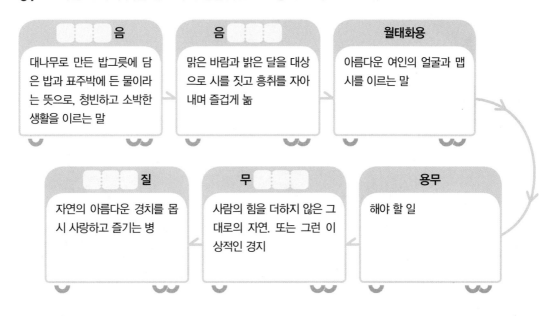

☐☐☐ 음	음 ☐☐☐	월태화용
대나무로 만든 밥그릇에 담은 밥과 표주박에 든 물이라는 뜻으로, 청빈하고 소박한 생활을 이르는 말	맑은 바람과 밝은 달을 대상으로 시를 짓고 흥취를 자아내며 즐겁게 놂	아름다운 여인의 얼굴과 맵시를 이르는 말

☐☐☐ 질	무 ☐☐☐	용무
자연의 아름다운 경치를 몹시 사랑하고 즐기는 병	사람의 힘을 더하지 않은 그대로의 자연. 또는 그런 이상적인 경지	해야 할 일

08 다음 문자 메시지의 대화를 읽고, 빈칸에 알맞은 한자 성어를 써 보자.

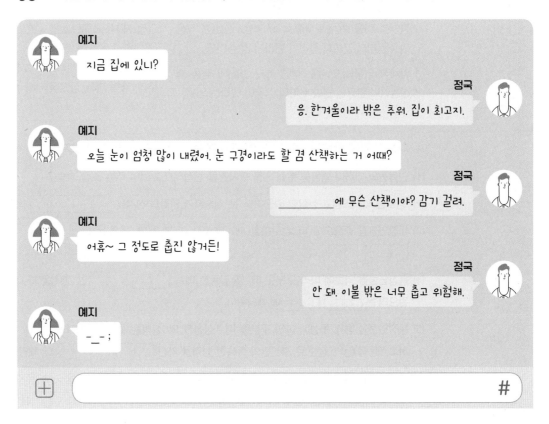

예지
지금 집에 있니?

정국
응. 한겨울이라 밖은 추위. 집이 최고지.

예지
오늘 눈이 엄청 많이 내렸어. 눈 구경이라도 할 겸 산책하는 거 어때?

정국
_____ 에 무슨 산책이야? 감기 걸려.

예지
어휴~ 그 정도로 춥진 않거든!

정국
안 돼. 이불 밖은 너무 춥고 위험해.

예지
-_-;

01 문학 개념어

일차

1단계 문맥으로 어휘 확인하기

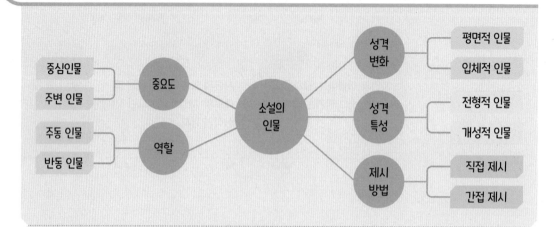

중심인물(가운데中 마음心 사람人 만물物) 사건을 이끌어 가는 주인공 역할을 하는 인물 ⊕ 주연

주변 인물(두루周 가邊 사람人 만물物) 중심인물의 주변에서 사건의 진행을 돕는 인물 ⊕ 조연

주동 인물(주인主 움직일動 사람人 만물物) 작품의 주인공으로서, 사건을 이끌어 가는 인물

반동 인물(돌이킬反 움직일動 사람人 만물物) 주인공에 맞서 갈등을 빚는 인물로, 대립자, 적대자 역할을 함

평면적 인물(평평할平 낯面 과녁的 사람人 만물物) 작품의 처음부터 끝까지 성격이 변하지 않는 인물

입체적 인물(설立 몸體 과녁的 사람人 만물物) 작품 속 상황이나 환경의 변화에 따라 성격이 변하는 인물

전형적 인물(법典 거푸집型 과녁的 사람人 만물物) 어떤 집단, 계층, 특정 세대를 대표하는 특성을 지닌 인물

개성적 인물(낱個 성품性 과녁的 사람人 만물物) 개인의 특성이 뚜렷하게 드러나는, 독자적 성격을 지닌 인물

직접 제시(곧을直 접할接 끌提 보일示) 서술자가 직접 인물의 특성을 요약해서 설명하는 방법. 독자가 인물의 특성을 쉽게 파악할 수 있음 ⊕ 말하기, 분석적 제시, 설명적 제시

간접 제시(사이間 접할接 끌提 보일示) 인물의 행동이나 대화 등을 통해 인물의 특성을 제시하는 방법. 인물을 생생하고 구체적으로 그려 낼 수 있음 ⊕ 보여 주기, 극적 제시, 장면적 제시

● **다음 빈칸에 들어갈 알맞은 단어를 위에서 찾아 문맥에 맞게 써 보자.**

(1) 인물들의 대화나 행동을 통해 인물과 사건을 간접적으로 보여 주는 소설 기법을 □□ □□라고 한다.

(2) '경호는 억척스럽고 성실한 일꾼이다.'는 서술자가 인물의 성격을 □□ □□ 방법으로 서술한 것이다.

(3) 등장인물을 중요도에 따라 구분할 때, 「춘향전」의 '춘향'과 '몽룡'은 □□□□이고, '월매'와 '방자'는 □□ □□이다.

(4) 등장인물을 역할에 따라 구분할 때, 「홍길동전」에서 □□ □□인 '홍길동'과 대립하여 갈등을 빚는 '탐관오리'는 □□ □□에 해당한다.

(5) 등장인물을 성격 특성에 따라 구분할 때, 「심청전」의 '심청'은 효녀를 대표하는 □□□ □□에 해당하고, 「동백꽃」의 '점순'은 자신만의 독특한 성격을 가진 □□□ □□에 해당한다.

(6) 등장인물을 성격 변화에 따라 구분할 때, 「흥부전」의 '흥부'는 착한 심성을 계속 유지하는 □□□ □□에 해당하는 반면, '놀부'는 악행을 일삼다 개과천선하는 □□□ □□에 해당한다.

2단계 문제로 어휘 익히기

1 다음 단어에 대한 설명이 맞으면 ○, 틀리면 ✕ 표시를 해 보자.

(1) 사건의 전개 과정에서 상황이나 환경의 변화에 따라 성격이 변하는 인물을 '입체적 인물'이라고 한다. (○, ✕)

(2) '주변 인물'은 주인공에 맞서 대립하는 인물로, 작가가 의도하는 주제의 방향에 역행하는 인물을 말한다. (○, ✕)

(3) 「춘향전」에서 하인 신분이지만 양반의 약점을 잡아 놀리기도 하는 인물인 '방자'는 '반동 인물'이자 '전형적 인물'에 해당한다. (○, ✕)

(4) 직접적인 설명이나 묘사 대신, 인물들 간의 대화나 행동 등을 통해 인물의 성격을 제시할 때, 독자가 인물의 특성을 쉽게 파악할 수 있다는 장점이 있지만, 독자의 상상력을 제한한다는 단점도 있다. (○, ✕)

2 다음 문장에 들어갈 알맞은 단어를 〈보기〉에서 찾아 써 보자.

┌─────────── 보기 ───────────┐

주동   반동   개성적   전형적   평면적

└──────────────────────────────┘

(1) 흰색 긴 저고리에 검은색 깡동치마는 개화기 때에 신여성들의 (   )인 옷차림이었다.

(2) 이번 드라마에서 김 기사 역은 정의로우면서도 코믹한 성격을 소유한 매우 (   )인 역할이다.

(3) 소설에서 주인공으로 등장하는 영웅은 (   ) 인물로 사건을 해결하는 역할을 하고, 적대자인 악당은 (   ) 인물로 주인공을 방해하는 역할을 한다.

3 다음 글에 나타난 인물의 성격 제시 방법으로 가장 적절한 것을 찾아보자.

┌──┐

"어린 자식을 데리고 굶다 못하여 형님 처분 바라자고 염치 불구하고 왔사오니 양식이 만일 못 되거든 돈 서 푼만 주시오면 하루라도 살겠나이다."

놀부 더욱 화를 내어 하는 말이, "이놈아, 들어 보아라. 쌀이 많이 있다 한들 너 주자고 섬을 헐며, 벼가 많이 있다 한들 너 주자고 노적 헐며, 돈이 많이 있다 한들 너 주자고 쾌돈 헐며, 쌀 한 되나 주자 한들 너 주자고 대독에 가득한 걸 떠내며, 의복가지나 주자 한들 너 주자고 행랑것들 벗기며, 찬 밥술이나 주자 한들 너 주자고 마루 아래 청삽사리를 굶기며, 지게미나 주자 한들 새끼 낳은 돼지를 굶기며, 콩 섬이나 주자 한들 큰 농우가네 필이니 너를 주고 소 굶기랴."

– 작자 미상, 「흥부전」

└──┘

① 간접 제시   ② 직접 제시   ③ 설명적 제시   ④ 분석적 제시   ⑤ 추상적 제시

07 일차

02 현대 소설 주제어 _인물의 관계

1단계 문맥으로 어휘 확인하기

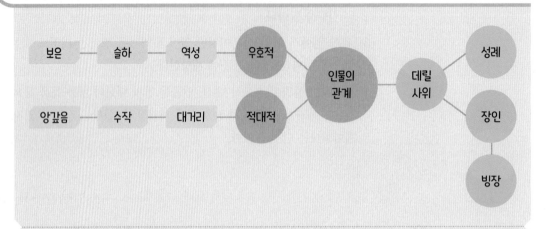

역성 옳고 그름에는 관계없이 무조건 한쪽 편을 들어 주는 일 ⓤ 두둔

슬하(무릎膝 아래下) 무릎의 아래라는 뜻으로, 어버이나 조부모의 보살핌 아래. 주로 부모의 보호를 받는 테두리 안을 이름

보은(갚을報 은혜恩) 은혜를 갚음 ⓤ 수은 ⓦ 배은

대(대답할對)**거리** ① 상대편에게 맞서서 대듦. 또는 그런 말이나 행동 ② 서로 상대의 행동이나 말에 응하여 행동이나 말을 주고받음. 또는 그 행동이나 말

수작(술 권할酬 따를酌) ① 술잔을 서로 주고받음 ② 서로 말을 주고받음. 또는 그 말 ③ 남의 말이나 행동, 계획을 낮잡아 이르는 말 ⓤ 꿍꿍이, 짓거리

앙갚음 남이 저에게 해를 준 대로 저도 그에게 해를 줌 ⓤ 분풀이, 보복

데릴사위 처가에서 데리고 사는 사위 ⓥ 민며느리: 장차 며느리로 삼으려고 데려다 기르는 어린 여자아이

성례(이룰成 예도禮) 혼인의 예식을 지냄 ⓤ 결혼, 혼인 ⓥ 성관: 관례(冠禮)를 행하던 일

장인(어른丈 사람人) 아내의 아버지를 이르는 말 ⓢ 장인 돈 떼먹듯: 장인의 사랑을 받는 사위가 처갓집 돈을 어렵지 않게 얻어 쓰고 갚지 않듯이, 남의 돈을 염치없이 떼어먹으려는 경우에 비유적으로 이르는 말

빙장(부를聘 어른丈) 다른 사람의 장인(丈人)을 이르는 말 ⓤ 빙부

● **다음 빈칸에 들어갈 알맞은 단어를 위에서 찾아 문맥에 맞게 써 보자.**

(1) 재석은 ☐☐에 두 명의 자녀를 두고 있다고 대답했다.

(2) 그는 청혼을 한 후, ☐☐이 되실 분을 뵙고 결혼 승낙을 받았다.

(3) 형과 싸우면 어머니는 이유도 묻지 않고 형 ☐☐만 들어서 서운했다.

(4) 자기를 낳고 키워 준 부모의 은혜에 보답하는 전통은 일종의 ☐☐ 사상이다.

(5) 중서는 질투심에 휩싸여 한바탕 ☐☐☐를 벌일 것처럼 나를 향해 소리를 질렀다.

(6) 벌써부터 혼인을 약속하였는데 제 오빠가 아직 장가를 못 가서 ☐☐는 치르지 못하였습니다.

(7) 어머니는 착실한 사람을 ☐☐☐☐로 얻어서 하나뿐인 딸과 자신의 말년을 보내고 싶어 했다.

(8) 그 친구는 결혼 전에 ☐☐어른의 반대가 매우 심했으나, 지금은 처가댁에서 귀여움을 독차지하고 있다.

(9) 사기꾼인 줄 알았지만 속이 빤히 보이는 ☐☐을 들으니 화가 나서 나도 똑같은 수법으로 ☐☐☐을 하였다.

2단계 문제로 어휘 익히기

1 다음 단어에 대한 설명이 맞으면 ○, 틀리면 X 표시를 해 보자.

(1) '빙장'은 아내의 아버지를 낮잡아 이르는 말이다. (○, X)

(2) '보은'의 반대말로 '배은망덕하다'의 '배은'을 들 수 있다. (○, X)

(3) '수작'은 남의 말이나 행동, 계획을 낮잡아 이르는 말을 의미한다. (○, X)

2 다음 문장의 괄호 안에 들어갈 알맞은 단어를 골라 보자.

(1) 남편은 일찍 아버지를 여의고 홀어머니 (수하 / 슬하)에서 어렵게 자랐다.

(2) 고려의 무신들은 문신들에게서 그동안 받아 온 수모를 (안갚음 / 앙갚음)할 날을 칼을 갈며 기다렸다.

(3) 여자가 결혼을 해서 시집에 가서 살게 된 것은 조선 후기의 일로 조선 전기나 고려 시대에는 오히려 남자가 여자의 집에 가서 사는 (데릴사위 / 민며느리) 제도가 일반적이었다.

3 제시된 뜻과 예문을 참고하여 다음 초성에 해당하는 단어를 빈칸에 써 보자.

(1) ㅅ ㄹ : 혼인의 예식을 지냄

예 외할머니는 외할아버지와 열여섯에 혼인을 정하고 열여덟에 ( )를 치르게 되었다고 말씀하셨다.

(2) ㅈ ㅇ : 아내의 아버지를 이르는 말

예 둘째 사위는 ( )의 장례를 치른 직후 처가에 들어가 살 것을 제안했다.

4 다음 단어를 활용하기에 적절한 문장을 찾아 바르게 연결해 보자.

(1) 보은 •

(2) 역성 •

(3) 대거리 •

• ㉠ 지우 아버지는 하나뿐인 딸의 [　　　]만 드니 딸의 버릇이 너무 없어졌다.

• ㉡ 할머니는 평소 사이가 안 좋은 옆집 할머니와 이죽이죽 [　　　]을/를 하였다.

• ㉢ 흥부는 부러진 제비 다리를 고쳐 주고 그 [　　　](으)로 받은 박을 타서 보물을 얻고 부자가 되었다.

2006학년도 6월 고1 전국연합

[1~3] 다음 글을 읽고 물음에 답하시오.

가 "부려만 먹구 왜 성례 안 하지유!"

나는 이렇게 호령했다. 허지만 장인님이 선뜻 오냐 낼이라두 성례시켜 주마, 했으면 나도 성가신 걸 그만두었을지 모른다. 나야 이러면 때린 건 아니니까 나중에 장인 쳤다는 누명도 안 들을 터이고 얼마든지 해도 좋다.

한번은 장인님이 헐떡헐떡 기어서 올라오더니 내 바짓가랭이를 요렇게 노리고서 단박 웅켜잡고 매달렸다. 악, 소리를 치고 나는 그만 세상이 다 팽그르 도는 것이,

"빙장님! 빙장님! 빙장님!"

"이 자식! 잡아먹어라, 잡아먹어!"

"아! 아! 할아버지! 살려 줍쇼, 할아버지!"

하고 두 팔을 허둥지둥 내절 적에는 이마에 진땀이 쭉 내솟고 인젠 참으로 죽나 보다 했다. 그래두 장인님은 놓질 않더니 내가 기어이 땅바닥에 쓰러져서 거진 까무러치게 되니까 놓는다. 더럽다, 더럽다. 이게 장인님인가? 나는 한참을 못 일어나고 쩔쩔맸다. 그러나 얼굴을 드니(눈엔 참 아무것도 보이지 않았다.) 사지가 부르르 떨리면서 나도 엉금엉금 기어가 장인님의 바짓가랭이를 꽉 움키고 잡아나꿨다.

나 내가 머리가 터지도록 매를 얻어맞은 것이 이 때문이다. 그러나 여기가 또한 우리 장인님이 유달리 착한 곳이다. 여느 사람이면 사경을 주어서라도 당장 내쫓았지, 터진 머리를 불솜으로 손수 지져 주고, 호주머니에 희연 한 봉을 넣어 주고 그리고,

"올 갈엔 꼭 성례를 시켜 주마. 암말 말구 가서 뒷골의 콩밭이나 얼른 갈아라."

하고 등을 뚜덕여 줄 사람이 누구냐. 나는 장인님이 너무나 고마워서 어느덧 눈물까지 났다.

점순이를 남기고 인젠 내쫓기려니 하다 뜻밖의 말을 듣고,

"빙장님! 인제 다시는 안 그러겠어유!"

이렇게 맹세를 하며 부랴사랴 지게를 지고 일터로 갔다. 그러나 이때는 그걸 모르고 장인님을 원수로만 여겨서 잔뜩 잡아당겼다.

다 "아! 아! 이놈아! 놔라, 놔."

장인님은 헷손질을 하며 솔개미에 챈 닭의 소리를 연해 질렀다. 놓긴 왜, 이왕이면 호되게 혼을 내 주리라 생각하고 짓궂이 더 댕겼다마는 장인님이 땅에 쓰러져서 눈에 눈물이 피잉 도는 것을 알고 좀 겁도 났다.

"할아버지! 놔라, 놔, 놔, 놔, 놔."

그래도 안 되니까, / "애, 점순아! 점순아!"

이 악장에 안에 있었던 장모님과 점순이가 헐레벌떡하고 단숨에 뛰어나왔다. 나의 생각에 장모님은 제 남편이니까 역성을 할는지도 모른다. 그러나 점순이는 내 편을 들어서 속으로 고수해서 하겠지······,

---

감상 체크

1. '나'와 장인이 갈등하는 이유는?

장인이 '나'와 점순의 ☐☐를 미루고 있기 때문에

2. '나'의 신분에 대한 '나'와 장인의 생각은?

'나'는 ☐☐☐☐라고 생각하고, 장인은 머슴이라고 생각함

3. (다)에서 점순이 보인 행동에 대한 '나'의 심리는?

점순이 부추겨 '나'가 장인과 싸우게 됐는데, 점순이 '나'가 아닌 장인의 편을 들자 '나'는 ☐☐함

어휘 체크

• **단박**: 그 자리에서 바로

• **불솜**: 상처를 소독하기 위하여 불에 그슬린 솜방망이

• **희연**: 일제 강점기 때의 담배 이름

• **부랴사랴**: 매우 부산하고 급하게 서두르는 모양

• **연해**: 끊임없이 거듭

• **악장**: 악을 씀

대체 이게 웬 속인지(지금까지도 난 영문을 모른다.) 아버질 혼내 주기는 제가 내

래 놓고 이제 와서는 달겨들며, / "에그머니! 이 망할 게 아버지 죽이네!"

하고, 귀를 뒤로 잡아댕기며 마냥 우는 것이 아니냐. 그만 여기에 기운이 탁 꺾이어

[A] 나는 얼빠진 등신이 되고 말았다. 장모님도 덤벼들어 한쪽 귀마저 뒤로 잡아채면서

또 우는 것이다. / 이렇게 꼼짝도 못하게 해 놓고 장인님은 지게막대기를 들어서 사

뭇 내려 조겼다. 그러나 나는 구태여 피하려지도 않고 암만 해도 그 속 알 수 없는

점순이의 얼굴만 멀거니 들여다보았다.

– 김유정, 「봄·봄」

1 [A]의 상황에서 '나'가 느꼈을 심정으로 적절하지 <u>않은</u> 것은?

① 가재는 게 편이라더니, 내 편은 아무도 없군.

② 초록은 동색이라니까, 점순이 이제는 내 편을 들겠군.

③ 믿는 도끼에 발등 찍힌다더니, 어떻게 일이 이렇게 되지?

④ 팔이 안으로 굽는다더니, 장모님은 제 남편의 역성을 드는군.

⑤ 열 길 물속은 알아도 한 길 사람 속은 모른다더니, 점순이 나에게 대거리를

할 줄은 몰랐어.

2 〈보기〉의 빈칸에 들어갈 말로 가장 적절한 것은?

┌─── 보기 ───┐

　　김유정의 「봄·봄」은 어리숙하고 순박한 '나'가 점순과의 성례를 두고 장인과

갈등하는 모습을 해학적으로 그린 소설이다. 이 작품에서 '나'는 사건을 이끌어

가는 (　　　　　)로 주인공 역할을 하며 사건을 서술한다. 독자는 '나'의 시선

을 통해 사건을 간접 경험하고, '나'의 마음을 직접적으로 느낄 수 있게 된다.

└────────────┘

① 중심인물　　　② 주변 인물　　　③ 반동 인물

④ 전형적 인물　　⑤ 평면적 인물

♥ 해학적: 익살스럽고도 품위가 있는 말이나 행동이 있는 것

기출 문제

3 윗글에 대해 토의한 내용으로 적절하지 <u>않은</u> 것은?

① 토속성 짙은 사투리를 사용하여 현장감과 사실감을 높이고 있어.

② 독자들은 장인이 사위에게 봉변을 당하는 권위 추락 장면에서 쾌감을 느낄

수도 있어.

③ 작가는 비참한 농촌 현실을 분석적 시각으로 접근하여 구체적인 해결책을

제시하고 있어.

④ 장인과 사위가 몸싸움을 한다는 상식 밖의 상황과 비속어·존칭어 표현의 부

조화에서 웃음이 발생해.

⑤ 이 작품은 데릴사위 제도를 소재로 농촌 내부의 계층 대립을 상징적으로 드

러내고 있다고 말할 수 있어.

♥ 토속성: 그 지방의 특유한 풍속을 담고 있는 특성

♥ 부조화: 서로 잘 어울리지 아니함

08일차

01 문학 개념어

1단계 문맥으로 어휘 확인하기

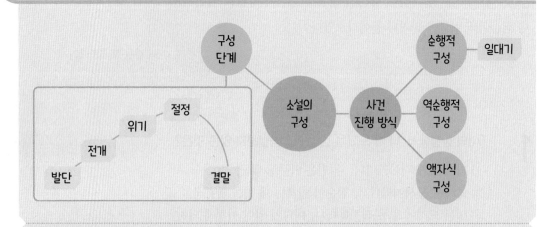

구성 단계(얽을構 이룰成 구분段 섬돌階) 소설에서 전체를 짜임새 있게 설계하는 과정

발단	인물과 배경이 제시되고, 사건이 될 실마리가 드러나는 단계
전개	사건이 시작되고 갈등과 대립이 드러나는 단계
위기	사건이 절정을 향하고 갈등이 심화되면서 긴장감이 높아지는 단계
절정	갈등의 긴장감이 최고조에 이르고 사건 해결의 열쇠가 제시되는 단계
결말	갈등이 해결되고 인물들의 운명이 결정되면서 사건이 마무리되는 단계

순행적 구성(순할順 다닐行 과녁的 얽을構 이룰成) 사건이 시간의 흐름대로 전개되는 구성 방식 ⊕ 평면적 구성

일대기(하나一 대신할代 기록할記) 어느 한 사람의 일생에 관한 내용을 적은 기록

역순행적 구성(거스를逆 순할順 다닐行 과녁的 얽을構 이룰成) 사건이 시간적 순서를 따르지 않고 현재에서 과거로 거슬러 가거나 현재와 과거를 오가는 구성 방식 ⊕ 입체적 구성

액자식 구성(이마額 아들子 법式 얽을構 이룰成) 액자의 틀 속에 사진이 들어 있듯이, 외부 이야기 속에 내부 이야기가 들어 있는 구성 방식

● **다음 빈칸에 들어갈 알맞은 단어를 위에서 찾아 문맥에 맞게 써 보자.**

(1) 사건을 둘러싼 긴장은 □□으로 치닫고 있었다.

(2) 심각한 분위기의 희곡이라고 해서 반드시 슬픈 □□을 내는 것은 아니다.

(3) 일반적으로 소설의 □□□□는 갈등이 진행되는 과정에 따라 5단계로 나뉜다.

(4) 소설에서 □□□□□ 구성은 순행적 구성과 달리 시간적 순서에 얽매이지 않는다.

(5) 「충무공 □□□」를 읽고 이순신 장군이 태어나서 죽을 때까지의 일들을 모두 알게 되었다.

(6) 소설에서 □□는 갈등이 심화되는 단계로, 새로운 사건이 발생하여 위기감이 고조되기도 한다.

(7) 소설의 시작인 □□ 단계는 드라마의 1회와 같이 등장인물들이 나오고 사건의 실마리가 제공된다.

(8) 액자 속에 아름다운 그림이 있듯이, □□□ 구성의 외화 속에는 소설의 주제가 담긴 내화가 존재한다.

(9) 소설의 □□ 단계에서는 사건이 점차 진행되면서 복잡해지고, 주인공과 주변 인물들의 갈등이 나타난다.

(10) 소설에서 □□□ 구성은 사건이 시간의 흐름에 따라 전개되기 때문에 독자가 내용을 파악하기가 쉽다.

2단계 문제로 어휘 익히기

1 다음 개념에 해당하는 설명을 찾아 바르게 연결해 보자.

(1) 순행적 구성 •

(2) 액자식 구성 •

(3) 역순행적 구성 •

• ㉠ 이야기 속에 또 다른 이야기가 들어 있는 구성 방식

• ㉡ 사건이 시간의 흐름에 따라 자연스럽게 전개되는 구성 방식

• ㉢ 사건이 시간적 순서와 상관없이 현재에서 과거로 거슬러 가거나 현재와 과거를 오가는 구성 방식

2 다음 문장에 들어갈 알맞은 단어를 〈보기〉에서 찾아 써 보자.

〈보기〉

발단   전개   절정   결말

(1) 소설 「홍길동전」의 (   ) 단계에서는 홍 판서의 서자로 태어난 홍길동의 내력이 소개된다.

(2) 소설 「홍길동전」에서 홍길동은 결국 고국을 떠나 율도국이라는 이상국을 건설하고 그곳에서 왕이 되는 것으로 (   )을/를 맺는다.

(3) 소설 「홍길동전」에서 활빈당을 이끌고 부정부패를 척결하는 홍길동과 그를 잡아들이려고 하는 조정의 대립이 최고조에 이르는 부분은 (   ) 단계이다.

3 다음 빈칸에 들어갈 가장 적절한 단어를 찾아보자.

『아라비안나이트』는 아라비아의 여러 가지 이야기를 모은 책이다. 여자를 증오하게 된 한 페르시아 왕이 나라 안의 미인을 아내로 맞아들여 다음날 아침이면 사형에 처했다. 이리하여 나라 안의 여자들은 물론 딸을 가진 부모들 모두 공포에 떨게 되자, 셰에라자드라는 여자가 자진하여 왕을 찾아 갔다. 셰에라자드는 매일 밤 흥미진진한 이야기를 왕에게 들려주었는데, 왕은 뒷이야기가 너무 궁금해서 셰에라자드를 죽일 수가 없었다. 그렇게 천 일이 지나자 결국 왕은 자신의 잘못을 반성하고 셰에라자드를 왕비로 맞아들였다. 셰에라자드가 밤마다 한 이야기에는 「알리바바와 40인의 도둑」, 「신드바드의 모험」, 「알라딘과 요술 램프」 등이 있다. 이와 같이 『아라비안 나이트』는 (   ) 구성으로 이루어져 있는데, 페르시아 왕과 셰에라자드의 이야기가 외부 이야기이고, 셰에라자드가 왕에게 들려준 이야기들이 내부 이야기에 해당한다.

① 환몽   ② 순행적   ③ 일대기   ④ 액자식   ⑤ 역순행적

02 고전 소설 주제어 _고전 속 영웅

1단계 문맥으로 어휘 확인하기

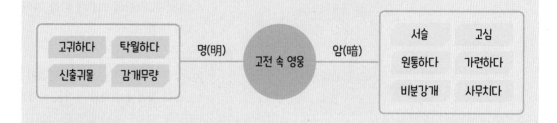

| 고귀하다 | 탁월하다 | 명(明) | 고전 속 영웅 | 암(暗) | 서슬 | 고심 |

고귀하다 탁월하다 신출귀몰 감개무량 — 명(明) → 고전 속 영웅 → 암(暗) — 서슬 고심 원통하다 가련하다 비분강개 사무치다

고귀(높을高 귀할貴)**하다** ① 훌륭하고 귀중하다. ② 지체가 높고 귀하다. ⑧ 거룩하다, 존귀하다 ⑩ 미천하다, 비천하다

탁월(높을卓 넘을越)**하다** 남보다 두드러지게 뛰어나다. ⑧ 건출하다, 우수하다, 월등하다, 출중하다 ⑩ 열등하다

신출귀몰(귀신神 날出 귀신鬼 잠길沒) 귀신같이 나타났다가 사라진다는 뜻으로, 그 움직임을 쉽게 알 수 없을 만큼 자유자재로 나타나고 사라짐을 비유적으로 이르는 말

감개무량(느낄感 분개할慨 없을無 헤아릴量) 마음속에서 느끼는 감동이나 느낌이 끝이 없음. 또는 그 감동이나 느낌

서슬 강하고 날카로운 기세 ⑳ 서슬이 푸르다: 권세나 기세 따위가 아주 대단하다.

고심(괴로울苦 마음心) 몹시 애를 태우며 마음을 씀 ⑧ 고심초사(苦心焦思): 마음을 태우며 애써 생각함

원통(원통할冤 아플痛)**하다** 분하고 억울하다.

가련(옳을可 불쌍히 여길憐)**하다** 슬픈 마음이 들 정도로 가엾고 불쌍하다. ⑧ 가긍하다, 가륵하다

비분강개(슬플悲 성낼憤 강개할慷 분개할慨) 슬프고 분하여 마음이 북받침

사무치다 깊이 스며들거나 멀리까지 미치다. ⑳ 뼈에 사무치다: 원한이나 고통 따위가 뼛속에 파고들 정도로 깊고 강하다.

● **다음 빈칸에 들어갈 알맞은 단어를 위에서 찾아 문맥에 맞게 써 보자.**

(1) 그는 ☐☐한 가문에서 태어났으나, 인품이 형편없었다.

(2) 나보고 도둑이라니 아무리 생각해도 ☐☐하기 짝이 없었다.

(3) 우리 영화가 최우수 작품상을 받으니 정말 ☐☐☐☐합니다.

(4) 윤주의 인생 계획표를 보니 여러 군데 ☐☐의 흔적이 엿보인다.

(5) 그는 이야기를 재미있게 하는 데 ☐☐한 능력을 가지고 있었다.

(6) 우리 식구들은 할아버지의 ☐☐에 기가 죽어 제대로 말도 할 수 없었다.

(7) 고통스러운 백성들의 현실을 바라보면서 김삿갓은 ☐☐☐☐하였다.

(8) 유관순 열사는 일본에 대한 원한이 뼈에 ☐☐☐ 채 옥중에서 순국하였다.

(9) 범인은 ☐☐☐☐의 재주를 가진 사람인지 감쪽같이 행방을 감춘 모양이었다.

(10) 늙고 병들어 일어나지 못하게 된 노인의 처지가 매우 ☐☐하여 나도 모르게 눈물이 났다.

2단계 문제로 어휘 익히기

1 다음 단어의 의미를 찾아 바르게 연결해 보자.

(1) 고귀하다 •

(2) 탁월하다 •

(3) 가련하다 •

(4) 원통하다 •

• ㉠ 분하고 억울하다.

• ㉡ 지체가 높고 귀하다.

• ㉢ 남보다 두드러지게 뛰어나다.

• ㉣ 슬픈 마음이 들 정도로 가엾고 불쌍하다.

2 다음 문장에 들어갈 알맞은 단어를 〈보기〉에서 찾아 써 보자.

┌─────── 보기 ───────┐

감개무량   고심초사   비분강개   신출귀몰

(1) 그녀는 고국의 무대에 서는 것이 (   )하다고 흥분된 어조로 말했다.

(2) 그 탈옥수는 경찰들을 농락이라도 하듯 (   )하며 전국을 누비고 다녔다.

(3) 아버지는 수돗물에서 해충이 나왔다는 신문 기사를 읽고 (   )을/를 억누르지
 못하였다.

3 다음 문장의 괄호 안에 들어갈 알맞은 단어를 골라 보자.

(1) 오랫동안 가지 못한 고향이 (사무치게 / 사모하게) 그리웠다.

(2) 그곳에 있던 모든 사람은 그의 시퍼런 (서슬 / 사슬)에 완전히 압박당하고 말았다.

(3) 형은 유학 문제로 몇 년 동안 (진심 / 고심)을 한 끝에 마침내 결정을 내리고 부모님께
 말씀드렸다.

4 다음 밑줄 친 단어와 바꾸어 쓰기에 적절하지 <u>않은</u> 것을 찾아보자.

┌──┐

 '토마토가 빨갛게 익으면 의사 얼굴이 파래진다.'라는 유럽 속담이 있다. 이 속담은 토마
토가 얼마나 건강에 좋은 식품인지를 알 수 있게 해 준다. 토마토에는 라이코펜, 베타카로
틴 등 항산화 물질이 많이 함유되어 있는데, 이러한 성분은 혈전 형성을 막아 주어 뇌졸중
이나 심근경색 등을 예방해 주고, 노화 방지와 혈당 저하에 도움을 준다. 특히 전립샘암,
유방암, 위암 등 항암에 <u>탁월한</u> 효과가 있다.

└──┘

① 높은   ② 뛰어난   ③ 우수한   ④ 열등한   ⑤ 월등한

감상 체크

1. 이 소설의 중심인물은?
서자로 태어나 비범한 능력을 발휘하는 ☐☐

2. 이 소설에서 비판하고자 하는 사회적 문제는?
☐☐ 차별과 탐관오리의 부정부패

3. 이 소설의 중심인물이 이상을 실현하고자 한 장소는?
길동은 ☐☐☐에서 자신이 꿈꾸던 이상 세계를 건설함

[1~3] 다음 글을 읽고 물음에 답하시오.
2017학년도 9월 고1 전국연합

가 길동 등이 임금에게 아뢰었다.

"신의 아비가 나라의 은혜를 많이 입었사온데, 신이 어찌 감히 나쁜 짓을 하오리까마는, ⓐ신은 본래 천한 종의 몸에서 났는지라, 그 아비를 아비라 못 하옵고 그 형을 형이라 못 하와, 평생 한이 맺혔기에 집을 버리고 도적의 무리에 참여하였사옵니다. 그러나 백성은 ㉠추호도 범하지 않고 각 읍 수령이 백성들을 들볶아˚착취한 재물만 빼앗았을 뿐입니다. 이제 십 년이 지나면 조선을 떠나 갈 곳이 있사오니, 엎드려 빌건대 성상께서는 근심하지 마시고 신을 잡으라는 공문을 거두어 주십시오."

나 "소신 길동은 아무리 하여도 잡지 못할 것이오니, 병조판서 벼슬을 내리시면 잡히겠습니다."

고 하였다. 임금이 그 글을 보고 신하들을 모아 의논하니, 여러 신하들이 말했다.

"이제 그 도적을 잡으려 하다가 잡지 못하고 도리어 병조판서를˚제수하심은 이웃 나라에도 창피스러운 일입니다." / ˙임금이 옳다고 여기고 다만 경상 감사에게 길동 잡기를 ㉡재촉하니, 경상 감사가 왕명을 받고는 황공하고 죄송하여 어쩔 줄을 몰랐다.

다 하루는 길동이 공중으로부터 내려와 절하고 말했다. / "제가 지금은 진짜 길동이오니, 형님께서는 아무 염려 마시고 ㉢결박하여 서울로 보내십시오." 〈중략〉

ⓑ즉시 팔다리를 단단히 묶어 죄인 호송용 수레에 태운 뒤, 건장한 장교 수십 명을 뽑아 철통같이 싸고 풍우같이 몰아가도, 길동의 안색은 조금도 변치 않았다. 여러 날 만에 서울에 다다랐으나, 대궐 문에 이르러 길동이 한번 몸을 움직이자, 쇠사슬이 끊어지고 수레가 깨어져, 마치 매미가 허물 벗듯 공중으로 올라가며, 나는 듯이 운무에 묻혀 가 버렸다. 장교와 모든 군사가 어이없어 다만 공중만 바라보며 넋을 잃을 따름이었다. 어쩔 수 없이 이 사실을 보고하니, 임금이 듣고, / ˚천고에 이런 일이 어디 있으랴?"

하며, 크게 근심을 했다. 이에 여러 신하 중 한 사람이 아뢰기를,

"길동의 소원이 병조판서를 한번 지내면 조선을 떠나겠다는 것이라 하오니, 한번 제 소원을 풀면 제 스스로 은혜에 감사하오리니, 그때를 타 잡는 것이 좋을까 하옵니다."

고 했다. ⓒ임금이 옳다 여겨 즉시 길동에게 병조판서를 제수하고 사대문에 글을 써 붙였다.

라 그때 길동이 이 말을 듣고 즉시˚고관의 복장인 사모관대에 서띠를 띠고 덩그런 수레에 의젓하게 높이 앉아 큰 길로 버젓이 들어오면서 말하기를,

"이제 홍 판서 ㉣사은(謝恩)하러 온다." / 고 했다. 병조의 하급 관리들이 맞이해 궐내에 들어간 뒤, 여러 관원들이 의논하기를, / "길동이 오늘 사은하고 나올 것이니 도끼와 칼을 쓰는 군사를 ㉤매복시켰다가 나오거든 일시에 쳐 죽이도록 하자."

하고 약속을 하였다. 길동이 궐내에 들어가 엄숙히 절하고 아뢰기를,

"소신의 죄악이˚지중하온데, 도리어 은혜를 입사와 평생의 한을 풀고 돌아가면서 전하와 영원히 작별하오니, 부디 만수무강하소서."

어휘 체크

⚬ **착취한:** 계급 사회에서 생산 수단을 소유한 사람이 생산 수단을 갖지 않은 직접 생산자로부터 그 노동의 성과를 대가 없이 자기 것으로 가진

⚬ **제수하심:** 추천의 절차를 밟지 않고 임금이 직접 벼슬을 내리심

⚬ **천고:** 아주 오랜 세월 동안

⚬ **고관:** 지위가 높은 벼슬이나 관리

⚬ **지중하온데:** 더할 수 없이 무거운데

⚬ **선봉장:** 제일 앞에 진을 친 부대를 지휘하는 장수

⚬ **하례하였다:** 축하하여 예를 차렸다.

하고, ⓓ말을 마치며 몸을 공중에 솟구쳐 구름에 싸여 가니, 그 가는 곳을 알 수가 없었다.

마 "내가 이제 율도국을 치고자 하니 그대들은 최선을 다하라." / 하고는 그날 진군을 하였다. 길동은 스스로 선봉장이 되고, 마숙으로 후군장을 삼아, 잘 훈련된 병사 오만을 거느리고 율도국 철봉산에 다다라 싸움을 걸었다. 〈중략〉 길동이 성중에 들어가 백성을 달래어 안심시키고 왕위에 오른 후, 전의 율도왕으로 의령군을 봉했다. 마숙과 최철로 각각 좌의정과 우의정을 삼고, 나머지 여러 장수에게도 각각 벼슬을 내리니, 조정에 가득 찬 신하들이 만세를 불러 하례하였다. ⓔ왕이 나라를 다스린 지 삼 년에 산에는 도적이 없고, 길에서는 떨어진 물건을 주워 가지지 않으니, 태평세계라고 할 만하였다.

– 허균, 「홍길동전」

1 문맥상 ㉠~㉤과 바꾸어 쓰기에 적절하지 않은 것은?

① ㉠: 조금도   ② ㉡: 서두르니   ③ ㉢: 팔다리를 묶어
④ ㉣: 복수를 하러   ⑤ ㉤: 숨어 있게 하다가

2 ⓐ~ⓔ에 대한 이해로 적절하지 않은 것은?

① ⓐ: 길동이 겪은 내적 갈등의 근본적 원인을 알 수 있다.
② ⓑ: 철통같은 경계는 길동의 비범함을 조정에서도 알고 있음을 말해 준다.
③ ⓒ: 임금이 길동의 원통함을 풀어 주고자 체포 대신 회유로 전략을 바꾸었다.
④ ⓓ: 신출귀몰한 길동의 능력을 구체적으로 보여 준다.
⑤ ⓔ: 길동이 생각하는 이상적인 나라의 모습을 짐작할 수 있다.

◐ **비범함**: 보통 수준보다 훨씬 뛰어남 ⊕ 특출함, 비상함

◐ **이상적**: 생각할 수 있는 범위 안에서 가장 완전하다고 여겨지는 것

기출 문제

3 〈보기〉를 참고하여 윗글을 이해한 내용으로 적절하지 않은 것은?

┌─── 보기 ───┐

「홍길동전」이 지금까지 인기를 얻는 이유는 독자들의 흥미를 불러일으키는 길동의 활약이 돋보이기 때문이다. 길동은 백성의 편에 서서 백성이 살기 좋은 세상을 구현하려고 하며, 초월적 능력을 발휘하여 위기를 극복한다. 또한 새 나라를 건설하며, 자신이 가진 신분적 한계를 극복한다. 이러한 모습은 독자들의 기대를 충족시키며 공감을 이끌어 낸다.

① 새 나라를 건설하려는 모습은 길동이 율도국을 공격하는 것에서 드러나는군.
② 초월적 능력을 발휘하는 모습은 잡히지 않기 위해 길동이 도술을 부리는 것에서 나타나는군.
③ 신분적 한계를 극복하는 모습은 미천한 신분이었던 길동이 왕위에 오르는 것에서 알 수 있군.
④ 백성의 편에 서서 펼치는 활약은 수령이 백성들에게 착취한 재물을 길동이 빼앗았다는 것에서 파악할 수 있군.
⑤ 백성이 살기 좋은 세상을 구현하려는 노력을 인정받는 모습은 길동이 병조 판서에 제수되는 것에서 확인할 수 있군.

● 어리석음과 관련된 속담

낫 놓고 기역 자도 모른다	기역 자 모양으로 생긴 낫을 보면서도 기역 자를 모른다는 뜻으로, 아주 무식함을 비유적으로 이르는 말 예 그의 친구는 낫 놓고 기역 자도 모르는 깜깜무식이다.	⊕ 가갸 뒤 자도 모른다, 기역 자 왼 다리도 못 그린다
누워서 침 뱉기	① 남을 해치려고 하다가 도리어 자기가 해를 입게 된다는 것을 비유적으로 이르는 말 ② 하늘을 향하여 침을 뱉어 보아야 자기 얼굴에 떨어진다는 뜻으로, 자기에게 해가 돌아올 짓을 함을 비유적으로 이르는 말 예 동생 흉을 친구에게 보다니 누워서 침 뱉기야.	⊕ 하늘에 돌 던지는 격
대들보 썩는 줄 모르고 기왓장 아끼는 격	장차 크게 손해 볼 것은 모르고 당장 돈이 조금 든다고 사소한 것을 아끼는 어리석은 행동을 비유적으로 이르는 말 예 처음 물이 샐 때 보수 공사를 했어야 하는데 임시방편으로 시멘트만 발라 놓았다가 이제 바닥을 모두 뜯게 생겼으니, 대들보 썩는 줄 모르고 기왓장 아끼는 격이었어.	
등잔 밑이 어둡다	대상에서 가까이 있는 사람이 도리어 대상에 대하여 잘 알기 어렵다는 말 예 등잔 밑이 어둡다고 바로 이 학교에 엄청난 인재가 있었구나.	⊕ 등하불명(燈下不明): 등잔 밑이 어둡다는 뜻으로, 가까이에 있는 물건이나 사람을 잘 찾지 못함을 이르는 말
똥 묻은 개가 겨 묻은 개 나무란다	자기는 더 큰 흉이 있으면서 도리어 남의 작은 흉을 본다는 말 예 똥 묻은 개가 겨 묻은 개 나무란다고, 너는 매일 약속 시간에 늦으면서 내가 오늘 하루 조금 늦었다고 화를 내는 거니?	⊕ 뒷간 기둥이 물방앗간 기둥을 더럽다 한다
빈 수레가 요란하다	실속 없는 사람이 겉으로 더 떠들어 댐을 비유적으로 이르는 말 예 빈 수레가 더 요란한 법이라고, 자기 자랑을 끝없이 늘어놓는 사람치고 괜찮은 사람 못 봤다.	⊕ 속이 빈 깡통이 소리만 요란하다
빈대 잡으려고 초가삼간 태운다	손해를 크게 볼 것을 생각하지 않고 당장의 마땅치 아니한 것을 없애려고 그저 덤비기만 하는 경우를 비유적으로 이르는 말 예 나쁜 균 박멸하려고 살균을 과하게 하는 건 빈대 잡으려고 초가삼간 태우는 꼴이야.	⊕ 빈대 미워 집에 불 놓는다, 싸라기 닦아 먹으려다 노적가리에 불 놓는다

섶을 지고 불로 들어가려 한다	당장에 불이 붙을 섶을 지고 이글거리는 불 속으로 뛰어든다는 뜻으로, 앞뒤 가리지 못하고 미련하게 행동함을 놀림조로 이르는 말
	예 누가 봐도 당신이 질 게 뻔한데, 굳이 섶을 지고 불로 들어가려 하네.

소 잃고 외양간 고친다	소를 도둑맞은 다음에서야 빈 외양간의 허물어진 데를 고치느라 수선을 떤다는 뜻으로, 일이 이미 잘못된 뒤에는 손을 써도 소용이 없음을 비꼬는 말
	예 소 잃고 외양간 고친다고, 감기에 걸리고 나서야 옷을 따뜻하게 입고 다니는구나.

언 발에 오줌 누기	언 발을 녹이려고 오줌을 누어 봤자 효력이 별로 없다는 뜻으로, 임시변통은 될지 모르나 그 효력이 오래가지 못할 뿐만 아니라 결국에는 사태가 더 나빠짐을 비유적으로 이르는 말
	예 그래 봤자 언 발에 오줌 누기일 뿐, 근본적인 해결책이 될 수 없어.

우물 안 개구리	① 넓은 세상의 형편을 알지 못하는 사람을 비유적으로 이르는 말 ② 견식이 좁아 저만 잘난 줄로 아는 사람을 비꼬는 말
	예 세계사의 주된 흐름을 파악하지 못하고 우물 안 개구리가 되어서는 안 된다.

우물에 가 숭늉 찾는다	모든 일에는 질서와 차례가 있는 법인데 일의 순서도 모르고 성급하게 덤빔을 비유적으로 이르는 말
	예 고작 하루 운동하고 근육이 안 생긴다고 하니, 우물에 가 숭늉 찾는 격이다.

유 **사후 약방문**: 사람이 죽은 다음에야 약을 구한다는 뜻으로, 때가 지나 일이 다 틀어진 후에야 뒤늦게 대책을 세움을 비유적으로 이르는 말

유 **미봉책**: 눈가림만 하는 일시적인 방법

유 **정저지와(井底之蛙)**: 우물 안 개구리라는 뜻으로, 견문이 좁고 세상 형편에 어두운 사람을 비유적으로 이르는 말

유 **싸전에 가서 밥 달라고 한다**

상황으로 보는 속담

빈 수레가 요란하다

01 다음 빈칸에 들어갈 속담의 뜻을 〈보기〉에서 골라 기호를 써 보자.

보기

㉠ 넓은 세상의 형편을 알지 못하는 사람을 비유적으로 이르는 말

㉡ 실속 없는 사람이 겉으로 더 떠들어 댐을 비유적으로 이르는 말

㉢ 대상에서 가까이 있는 사람이 도리어 대상에 대하여 잘 알기 어렵다는 말

㉣ 하늘을 향하여 침을 뱉어 보아야 자기 얼굴에 떨어진다는 뜻으로, 자기에게 해가 돌아올 짓을 함을 비유적으로 이르는 말

㉤ 언 발을 녹이려고 오줌을 누어 봤자 효력이 별로 없다는 뜻으로, 임시변통은 될지 모르나 그 효력이 오래가지 못할 뿐만 아니라 결국에는 사태가 더 나빠짐을 비유적으로 이르는 말

[02~05] 다음 빈칸에 알맞은 단어를 쓰고, 속담의 뜻을 찾아 바르게 연결해 보자.

02 우물에 가 ☐ 찾는다 ・

・㉠ 일이 이미 잘못된 뒤에는 손을 써도 소용이 없음을 비꼬는 말

03 ☐ 잃고 외양간 고친다 ・

・㉡ 모든 일에는 질서와 차례가 있는 법인데 일의 순서도 모르고 성급하게 덤빔을 비유적으로 이르는 말

04 낫 놓고 ☐ 자 도 모른다 ・

・㉢ 기역 자 모양으로 생긴 낫을 보면서도 기역 자를 모른다는 뜻으로, 아주 무식함을 비유적으로 이르는 말

05 ☐ 잡으려고 초 가삼간 태운다 ・

・㉣ 손해를 크게 볼 것을 생각지 아니하고 자기에게 마땅치 아니한 것을 없애려고 그저 덤비기만 하는 경우를 비유적으로 이르는 말

06 다음 문자 메시지 대화를 읽고, 빈칸에 알맞은 속담을 써 보자.

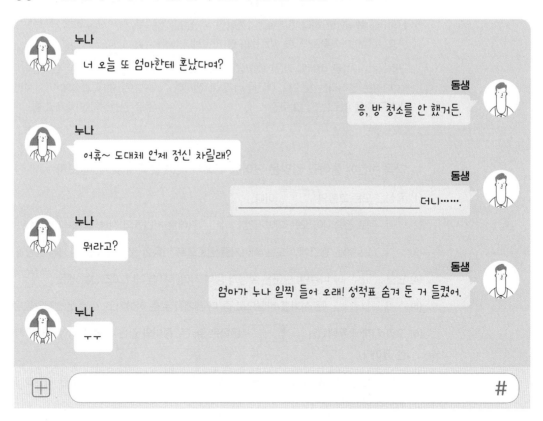

누나: 너 오늘 또 엄마한테 혼났다며?

동생: 응, 방 청소를 안 했거든.

누나: 어휴~ 도대체 언제 정신 차릴래?

동생: _____ 더니…….

누나: 뭐라고?

동생: 엄마가 누나 일찍 들어 오래! 성적표 숨겨 둔 거 들켰어.

누나: ㅜㅜ

01 문학 개념어

1단계 문맥으로 어휘 확인하기

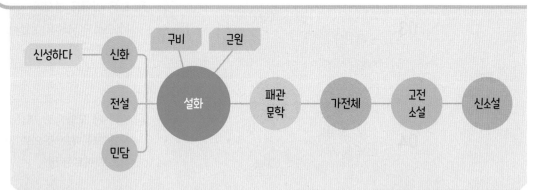

설화(말씀說 말할話) 각 민족 사이에 입에서 입으로 전승되어 오는 신화, 전설, 민담 따위를 통틀어 이르는 말

신화(귀신神 말할話) 신적인 존재의 위대한 업적을 다룬 이야기로, 건국과 관련된 이야기가 많음

전설(전할傳 말씀說) 인간 공동체의 내력이나 자연물의 유래, 이상한 체험 등을 소재로 하는 옛이야기로, 주로 구체적인 배경과 증거물을 가짐

민담(백성民 말씀譚) 주로 재미와 교훈을 주는 옛이야기로, 뚜렷한 배경과 증거물이 없음

신성(귀신神 성인聖)**하다** 함부로 가까이할 수 없을 만큼 고결하고 거룩하다. ⊕ 성스럽다 ⊖ 비천하다

구비(입口 비석碑) 비석에 새긴 것처럼 오래도록 전해 내려온 말이라는 뜻으로, 예전부터 말로 전하여 내려온 것을 이르는 말 ⊕ 구전

근원(뿌리根 근원源) ① 물줄기가 나오기 시작하는 곳 ② 사물이 비롯되는 근본이나 원인

패관 문학(피稗 벼슬官 글월文 배울學) 민간에서 수집한 이야기에 작자의 창의성을 더한 산문 문학으로, 뒤에 소설 발달의 토대가 됨. '패관'은 옛날 중국에서 거리의 소문을 모아 엮는 일을 맡아 하던 벼슬 이름임

가전체(거짓假 전할傳 몸體) 고려 후기, 사물이나 동물을 의인화(사람이 아닌 것을 사람에 비유하여 표현함)하여 전기(傳記)의 형식에 따라 서술한 문학 양식으로, 사회와 인물을 풍자하고 비판하여 교훈을 줌

고전 소설(옛古 법典 작을小 말씀說) 설화를 바탕으로 조선 시대에 생겨나 신소설이 나오기 전까지 창작된 소설로, 현대 소설에 비해 비현실적인 면이 강하며 주로 권선징악을 주제로 함

● **다음 빈칸에 들어갈 알맞은 단어를 위에서 찾아 문맥에 맞게 써 보자.**

(1) 욕심은 모든 고통의 ☐☐이다.

(2) ☐☐로 전승되어 오는 이야기인 ☐☐ 속에는 서민들의 지혜와 재치가 담겨 있다.

(3) ☐☐ 문학은 항간에 떠도는 이야기를 한문으로 기록한 것으로 소설 발생에 영향을 주었다.

(4) 단군 ☐☐에 따르면, 단군은 환웅과 웅녀 사이에서 태어나 고조선을 세운 ☐☐한 존재이다.

(5) ☐☐☐☐은 설화를 바탕으로 좀 더 체계를 갖춘 이야기로, 주로 권선징악을 주제로 한 작품이 많다.

(6) 고려 시대에 유행했던 ☐☐☐ 문학은 술, 돈, 종이와 같은 사물을 의인화하여 사람들을 경계할 목적으로 쓴 글이다.

(7) ☐☐은 구체적인 장소나 증거물이 있는 이야기이고, ☐☐은 자세한 시간과 장소가 나오지 않는 흥미 위주의 이야기이다.

2단계 문제로 어휘 익히기

1 다음 개념에 해당하는 설명을 찾아 바르게 연결해 보자.

(1) 민담 •
(2) 신화 •
(3) 전설 •
(4) 고전 소설 •
(5) 패관 문학 •

• ㉠ 주로 재미와 교훈을 주는 옛이야기

• ㉡ 신적인 존재의 위대한 업적을 다룬 신성한 이야기

• ㉢ 민간에서 수집한 이야기에 작자의 창의성을 더한 산문 문학

• ㉣ 설화를 바탕으로 조선 시대에 생겨나 신소설이 나오기 전까지 창작된 소설

• ㉤ 인간 공동체의 내력이나 자연물의 유래, 이상한 체험 등을 소재로 하는 옛이야기

2 다음 문장에 들어갈 알맞은 단어를 〈보기〉에서 찾아 써 보자.

┌─────── 보기 ───────┐
근원   설화   가전체   고전 소설

(1) 왕의 횡포에 맞서 정조를 지킨 도미 아내 이야기는 「춘향전」의 (   ) 설화이다.

(2) (   )은/는 꾸며 낸 이야기라는 점에서 소설과 유사하지만 기록되어 있는 소설과 달리 입으로 구전된 이야기라는 점에서 차이가 있다.

3 다음 문장의 괄호 안에 들어갈 알맞은 단어를 골라 보자.

(1) 당집은 마을의 수호신인 당 할머니를 모시고 매년 제사를 모시는 (신성한 / 신선한) 곳이다.

(2) 옛이야기가 이 사람에게서 저 사람에게 (구비 / 시비) 전승되어 가는 동안 사람들의 지혜가 골고루 보태어지고 아름답게 다듬어진다.

4 다음 글에서 설명하고 있는 문학 양식으로 가장 적절한 것을 찾아보자.

┌──┐
이 문학 양식은 고려 중기 이후 무신의 집권으로 혼란한 시기에 성행하였다. 사물을 의인화하거나 우화의 수법을 사용하여 계세징인(戒世懲人: 세상 사람들을 경계하고 징벌하는 것)할 목적으로 쓰인 글이 많았다. 이 문학 양식은 작자의 창의성과 허구성을 더하여 소설 문학에 한 단계 접근하였다는 데 의의가 있다.
└──┘

① 설화   ② 가전체   ③ 민속극   ④ 신소설   ⑤ 판소리계 소설

09 일차

02 고전 소설 주제어 _삶의 고통

1단계 문맥으로 어휘 확인하기

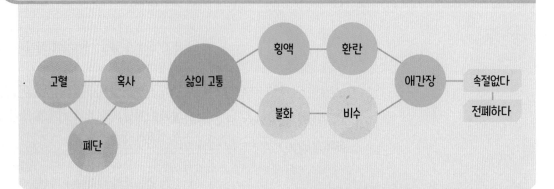

혹사(혹독할酷 부릴使) 몹시 심하게 일을 시킴

고혈(기름膏 피血) ① 사람의 기름과 피 ② 몹시 고생하여 얻는 이익이나 재산을 비유적으로 이르는 말 ⓐ 고혈을 짜다(빨다): 가혹하게 착취하거나 징수하다.

폐단(폐단弊 바를端) 어떤 일이나 행동에서 나타나는 옳지 못한 경향이나 해로운 현상 ⓑ 폐, 악폐, 병폐, 폐해, 해악

횡액(가로橫 재앙厄) 뜻밖에 닥쳐오는 불행 또는 액을 당할 운수 ⓑ 횡래지액(橫來之厄)

환란(근심患 어지러울亂) 근심과 재앙(뜻하지 아니하게 생긴 불행한 변고나 천재지변으로 인한 불행한 사고)을 통틀어 이르는 말

불화(아닐不 화목할和) 서로 화합하지 못함. 또는 서로 사이좋게 지내지 못함 ⓐ 갈등, 분쟁, ⓒ 친화

비수(비수匕 머리首) 날이 매우 날카로운 짧은 칼 ⓐ 비수(슬플悲 근심愁): 슬퍼하고 근심함. 또는 슬픔과 근심

애간장(간肝 창자腸) '애(초조한 마음속)'를 강조하여 이르는 말 ⓐ 애간장을 태우다: 몹시 초조하고 안타까워서 속을 많이 태우다. ⓐ 애간장이 녹다: ① 마음에 들어 정도 이상으로 흐뭇하다. ② 몹시 애가 타다.

속절없다 단념할 수밖에 달리 어찌할 도리가 없다.

전폐(온전할全 폐할廢)하다 아주 그만두다. 또는 모두 없애다.

● **다음 빈칸에 들어갈 알맞은 단어를 위에서 찾아 문맥에 맞게 써 보자.**

(1) 형제지간의 ☐☐ 때문에 부모님의 근심이 크다.

(2) 아들의 말은 ☐☐가 되어 어머니의 가슴에 들어박혔다.

(3) 그해에는 전염병과 전쟁 등 갖가지 ☐☐으로 민심이 흉흉하였다.

(4) 나는 시험 합격 발표 날짜가 다가올수록 입술이 마르고 ☐☐☐이 탔다.

(5) 과거 노예제 사회에서는 노예가 죽도록 ☐☐당하는 일이 빈번하게 발생하였다.

(6) 하루아침에 모든 재산을 잃고 돌아온 아들은 그날부터 식음을 ☐☐하고 드러누웠다.

(7) 산신을 노하게 했으니 ☐☐을 당할 것이라는 예언대로 건강하시던 할머니께서 갑자기 쓰러지셨다.

(8) 그는 오직 절망에서 솟아나는 한숨과 눈물을 짜내며 ☐☐☐☐ 날들을 애달프게 넘길 뿐이었다.

(9) 지배층이 백성들의 ☐☐을 착취하는 일이 빈번하게 일어나고 있으니, 임금은 이와 같은 ☐☐을 없애는 데에 힘을 써야 한다.

2단계 문제로 어휘 익히기

1 다음 단어에 대한 설명이 맞으면 ○, 틀리면 × 표시를 해 보자.

(1) 소리를 높여 슬피 우는 것을 '횡액'이라고 한다. (○, ×)

(2) 근심과 재앙을 통틀어 이르는 말을 '불화'라고 한다. (○, ×)

(3) 어떤 일이나 행동에서 나타나는 옳지 못한 경향이나 해로운 현상을 '폐단'이라고 한다.

(○, ×)

2 다음 문장에 들어갈 알맞은 단어를 〈보기〉에서 찾아 문맥에 맞게 써 보자.

┌─────────────────── 보기 ───────────────────┐

불화하다   속절없다   전폐하다   혹사하다

└──┘

(1) 이미 떠나간 사람을 다시 잡겠다는 생각은 (   ) 것이다.

(2) 이 회사는 노동자들을 너무 (   ) 있다고 고발 조치가 되었다.

(3) 누명을 쓴 아버지가 식음을 (   ) 누워 있는데 진범이 붙잡혔다는 소식이 들렸다.

3 다음 문장의 괄호 안에 들어갈 알맞은 단어를 골라 보자.

(1) 우리는 전염병의 (민란 / 환란) 속에서 공포를 느끼고 있었다.

(2) 그녀의 소리는 날이 갈수록 듣는 사람의 (애간장 / 왜간장)을 끓어오르게 만들곤 하였다.

(3) 헐벗고 굶주린 백성들의 (냉혈 / 고혈)을 빨아 국가 재정을 세우고 왕실 비용을 충당하였다.

4 다음 중, 밑줄 친 단어의 의미가 다른 하나를 찾아보자.

① 그는 비수에 잠겨 쓰리고 아픈 기억을 더듬었다.

② 동생은 모진 말로 아버지의 가슴에 비수를 꽂았다.

③ 그믐달은 날카로운 비수와 같이 푸른빛을 띠고 있었다.

④ 사냥꾼은 멧돼지의 목을 겨냥하여 재빨리 비수를 던졌다.

⑤ 중기는 비수같이 날카로운 문장으로 상대방을 신랄하게 비판하였다.

[1~3] 다음 글을 읽고 물음에 답하시오.

2010학년도 3월 고1 전국연합

감상 체크

1. 이 소설에서 놀부가 저지른 악행은?

흥부와 같이 ☐☐를 얻어 부자가 되기 위해 일부러 제비 다리를 부러뜨림

2. 제비왕이 놀부에게 박씨를 갖다 주라고 한 의도는?

제비의 ☐☐를 갚아 주고 오륜에서 벗어난 놀부를 응징하기 위함

3. 박에 대한 놀부의 기대와 그 결과는?

재물을 얻으려고 박을 타지만 ☐이 쏟아져 나와 패가망신하게 됨

가 "원수 같은 놀부야, 다음 해 삼월에 나와서 다리 분지른 은혜를 갚으리니 잘 있거라. 지지워 지지." / 라 울고 돌아가 제비왕께˚현신하니 이때 제비왕이 각처 제비를˚점고할 새 다리 저는 제비를 보고, / "너는 어찌하여 다리를 저는고?"

그 제비 아뢰되, / "지난해에 폐하께서 웬 박씨를 내보내사 흥부가 부자가 된 까닭으로 그 형 놀부 놈이 신(臣)을 생으로 잡아 여차여차하여 생병신이 되었사오니 이 원수를 갚아 주옵소서."

제비왕이 듣고 화가 나서 가로되, / "이놈이 불의의 재물이 많으면서도 착한 동생을 ㉠구제치 아니하니 이는 오륜에 벗어난 놈으로 또한˚심사가 불량하니 그저 두지 못할지라. 네 원수를 갚아 주리니 이 박씨를 갖다 주라."

나 슬근슬근 칠팔 분이나 타다가 놀부 부부 궁금증이 또 나서 톱을 멈추고 양편에 마주 앉아 들여다보니 별안간 박 속에서 ㉡모진 바람이 쏘아 나오며 벼락같은 소리가 나더니 똥 줄기가 내쏘는지라. 놀부 부부가 똥 벼락을 맞고 나동그라지며 똥 줄기는˚천군만마가 달려 나오는 듯 태산을 밀치고 바다를 메울 듯 ㉢삽시간에 놀부 집 안팎채에 가득하니 놀부 부부 온몸이 황금덩이가 되어 달아나 멀찍이서 바라보니 온 집안이 똥에 묻혔는지라. 놀부 놈이 기막혀 발을 동동 구르며 하는 말이,

"여보 마누라, 이 노릇을 어찌하잔 말이오. 재물을 얻으려다가 있는 재물 다 탕진하고 나중은 똥으로 하여 의복 한 가지 없게 되니 어린 자식들과 장장 여름날에 무엇 먹고 살아나며 동지섣달 눈바람에 무엇 입고 사잔 말이오. 애고 애고, 설운지고."

다 이처럼 땅을 두드리며 통곡할 제 앞뒷집에 사는 양반 제 집까지 똥이 밀려가서 그득한지라. 그 양반들이˚공론하고 고두쇠를 벼락같이 부르더니 놀부 놈을 즉각 잡아 오라 분부한다. 고두쇠 놈이 워낙 놀부 놈을 미워하는 터이라 달려가서 놀부 놈의 덜미를 퍽 퍽 짚어 생원님 앞에 꿇린대, 생원님이 호령하되,

"이놈 놀부야, 듣거라. 네가 본디 부모에 불효하고 형제간에˚불목하고 일가에 ㉣불화하고 다만 재물만 아니, 도적보다 더 심할뿐더러 무슨 몹쓸 짓을 하다가 동내 양반이 귀가 시끄럽게 네 집에 ㉤환란이 거듭하여˚패가망신하니 그는 네 죄에 싼 일이어니와 네 죄로 하여 동내 양반 이 똥으로 못살게 되니 그런 죽일 놈이 어디 있으리오. 네 죄는˚종속소기(從俗所期)려니와 우선 양반 댁에 쌓인 똥을 해 지기 전에 다 쳐내되 만일 지체를 할 지경이면 죽고 남지 못하리라."

놀부 놈 가뜩 망극 중 기가 막히어 아무 말도 못하다가 기왓장에 꿇어앉은 채 제 아내를 시켜 돈 오백 냥을 갖다 놓고 빨리 삯군을 놓아 왕십리, 안감내, 이태원, 둔짐이, 청파, 칠패 여러 곳에 있는 거름 장사들을 있는 대로 불러다가 삯을 후히 주고 똥을 쳐낸 후에야 놀부가 겨우 놓여 와서 부부 서로 붙들고 통곡하더라.

– 작자 미상, 「흥부전」

어휘 체크

• 현신하니: 다른 사람에게 자신을 보이니

• 점고할: 사람이나 동물의 수를 셀

• 심사: 마음속으로 생각하는 일

• 천군만마: 천 명의 군사와 만 마리의 군마라는 뜻으로, 아주 많은 수의 군사와 군마를 이르는 말

• 공론하고: 여럿이 의논하고

• 불목하고: 서로 사이가 좋지 아니하고

• 패가망신하니: 집안의 재산을 다 써 없애고 몸을 망치니

• 종속소기(從俗所期)려니와: 풍속에 따라 처리하려니와

1 문맥상 ㉠~㉤과 바꾸어 쓰기에 적절하지 <u>않은</u> 것은?

① ㉠: 도와주지

② ㉡: 사나운

③ ㉢: 순식간에

④ ㉣: 친화하고

⑤ ㉤: 변고가

2 윗글을 읽은 독자가 놀부에 대해 보인 반응으로 가장 적절한 것은?

① 양반에게 피해를 입혀 놓고 기가 막혀 하다니 방귀 뀐 놈이 성내는 격이로군.

② 거름 장사에게 삯을 주고 똥을 치우게 하다니 도랑 치고 가재 잡는 격이로군.

③ 똥으로 집을 망치고 생원에게 불호령까지 듣게 되다니 엎친 데 덮친 격이로군.

④ 흥부를 따라 하다가 제비 다리까지 부러뜨리게 되다니 고래 싸움에 새우 등 터진 격이로군.

⑤ 박 속에서 나온 똥 벼락을 맞고서 발을 동동 구르며 서러워하다니 지렁이도 밟으면 꿈틀하는 격이로군.

불호령: 몹시 심하게 하는 꾸지람

3 윗글에 이어질 결말을 〈A〉나 〈B〉라고 할 때, 각각의 결말로 얻을 수 있는 효과끼리 바르게 묶은 것은?

〈A〉 놀부는 모든 재산을 잃지만 흥부의 도움을 받아 화목하게 살아간다.	〈B〉 놀부는 모든 재산을 잃고 떠돌면서 힘들게 살아간다.
효과	**효과**
(ㄱ) 인간의 선한 본성을 강조한다.	(a) 개성적인 삶의 필요성을 인식하게 한다.
(ㄴ) 물질이 행복의 필수 조건임을 부각한다.	(b) 악행을 저지르면 안 된다는 교훈을 강조한다.
(ㄷ) 인간은 변하지 않는다는 생각을 갖게 한다.	

필수 조건: 반드시 있어야 하는 상태나 요소

① (ㄱ), (a)   ② (ㄱ), (b)   ③ (ㄴ), (a)

④ (ㄴ), (b)   ⑤ (ㄷ), (a)

01 문학 개념어

1단계 문맥으로 어휘 확인하기

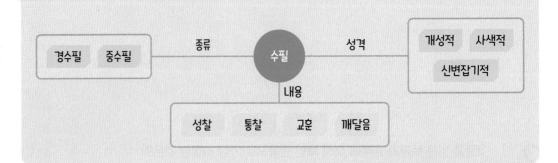

수필(따를隨 붓筆) 일정한 형식을 따르지 않고 인생이나 자연 또는 일상생활에서의 견문이나 체험, 느낌을 생각나는 대로 쓴 산문 형식의 글

경수필(가벼울輕 따를隨 붓筆) 생활 주변에서 일어나는 사소한 일을 소재로 가볍게 쓴 수필로, 글쓴이의 주관적인 감정과 정서가 중심이 됨. 일기, 편지, 기행문, 감상문 등이 해당됨

중수필(무거울重 따를隨 붓筆) 사회적 문제와 같은 무거운 내용을 소재로 하여 논리적이고 객관적으로 쓴 수필로, 글쓴이의 논리적인 생각과 비평이 중심이 됨. 비평, 칼럼, 평론 등이 해당됨

개성적(낱個 성품性 과녁的) 다른 사람이나 개체와 뚜렷이 구별되는 고유의 특성을 가지는 것

사색적(생각思 찾을索 과녁的) 어떤 것에 대하여 깊이 생각하고 이치를 따지는 것을 좋아하는 것을 뜻하며, 주로 중수필에 나타나는 특징임

신변잡기적(몸身 가邊 섞일雜 기록할記 과녁的) 자신의 주변에서 일어나는 여러 가지 일을 적은 것을 뜻하며, 주로 경수필에 나타나는 특징임

성찰(살필省 살필察) 자기의 마음을 반성하고 살핌

통찰(꿰뚫을洞 살필察) 예리한 관찰력으로 사물을 꿰뚫어 봄

교훈(가르칠敎 가르칠訓) 앞으로의 행동이나 생활에 도움이 되거나 참고할 만한 경험적 사실

깨달음 생각하고 궁리하다 알게 되는 것 ⊕ 지각

● **다음 빈칸에 들어갈 알맞은 단어를 위에서 찾아 문맥에 맞게 써 보자.**

(1) 동생은 입는 옷이 굉장히 ☐☐☐이어서 누구나 한 번만 봐도 기억한다.

(2) ☐☐☐☐☐인 글은 생활감이 드러나도록 써야 제맛이 나는 법이다.

(3) 활동적이고 적극적인 누나와 달리 형은 ☐☐☐이고 이지적인 성품을 지녔다.

(4) 나는 ☐☐을 통해 남의 어려움을 외면했던 지난날의 나의 모습을 반성하게 되었다.

(5) ☐☐은 작가가 글 속의 '나'로 등장하여 자신의 생각을 표현하는 주관적인 문학이다.

(6) 할머니가 이야기해 주시는 옛날이야기는 재미있으면서도 ☐☐을 담고 있는 것이 많았다.

(7) ☐☐☐을 써 오라는 숙제를 받고 고민하다가 집 뒤뜰에 감나무를 심은 일을 쓰기로 했다.

(8) 그는 작품에서 '거울'이라는 사물을 통해 삶의 본질에 대한 깊이 있는 ☐☐을 드러내고 있다.

(9) ☐☐☐을 쓰기 위해 시사적인 문제를 소재로 선택한 후 나의 의견을 논리적으로 정리해 보았다.

(10) 꿈을 포기하려 했던 나는 끈질긴 생명력을 지닌 잡초를 보며 포기하면 지는 것이라는 ☐☐☐을 얻었다.

2단계 문제로 어휘 익히기

1 다음 개념에 해당하는 설명을 찾아 바르게 연결해 보자.

(1) 개성적 •

(2) 사색적 •

(3) 신변잡기적 •

• ㉠ 자신의 주변에서 일어나는 여러 가지 일을 적은 것

• ㉡ 다른 사람이나 개체와 뚜렷이 구별되는 고유의 특성을 가지는 것

• ㉢ 어떤 것에 대하여 깊이 생각하고 이치를 따지는 것을 좋아하는 것

2 다음 단어에 대한 설명이 맞으면 ○, 틀리면 ✕ 표시를 해 보자.

(1) '수필'은 생활 속에서 보고 듣고 느낀 것을 자유로운 형식으로 쓴 글을 말한다. (○, ✕)

(2) '경수필'은 주로 사회적인 문제를 소재로 다루기 때문에 무겁고 딱딱한 느낌을 준다.
(○, ✕)

(3) '통찰'은 예리한 관찰력으로 사물을 환히 꿰뚫어 보는 것을 뜻하므로, '성찰'과 그 의미가 같다. (○, ✕)

3 다음 문장의 괄호 안에 들어갈 알맞은 단어를 골라 보자.

(1) 부처는 오랜 수행과 명상 끝에 얻은 (괴로움 / 깨달음)을 중생에게 전하는 것을 게을리하지 않았다.

(2) 법정의 「무소유」에서 글쓴이는 소유욕을 버려야 진정한 평화와 자유를 얻을 수 있다는 (가훈 / 교훈)을 전하고 있다.

(3) 나는 개미를 밟지 말라고 친구에게 말하는 아이를 보고, 작은 생명들을 소중히 여기지 않았던 지난날의 나를 (감찰 / 성찰)하게 되었다.

4 다음 글에 나타난 수필의 특성으로 가장 적절한 것을 찾아보자.

> 날이 밝았다. 차가웠던 어제의 아침 공기가 생각나서 도톰한 웃옷을 입고 집을 나섰다. 어깨를 움츠리고 길을 걷다가 보니 해가 비치기 시작한다. 마침 엄마의 손을 잡고 지나가던 아이가 엄마를 올려다보며 말했다.
> "엄마, 엄마, 방금 따뜻한 바람이 내 볼 간지럽게 했어!"
> 걸으며 계속 그 아이의 말이 생각나서 빙긋이 웃음이 나왔다. 일하는 중에도 아이의 순진무구한 말이 나의 마음을 간지럽혔다. 그러다가 불현듯이 봄이 왔구나 생각했다. 아이 덕분에 나의 마음에 이제야 봄이 자리 잡은 것이다. 그래, 봄이다.

① 비평적   ② 전문적   ③ 논리적   ④ 객관적   ⑤ 신변잡기적

02 수필 주제어 _인생

1단계 문맥으로 어휘 확인하기

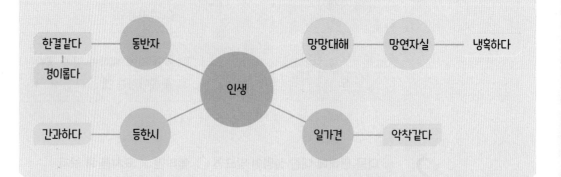

동반자(같을同 짝伴 놈者) ① 어떤 행동을 할 때 짝이 되어 함께하는 사람 ② 어떤 행동을 할 때 적극적으로 참가하지는 아니하나 그것에 동감하면서 어느 정도의 도움을 주는 사람

한결같다 ① 처음부터 끝까지 변함없이 꼭 같다. ② 여럿이 모두 꼭 같이 하나와 같다. ⊕ 시종일관

경이(놀랄驚 다를異)**롭다** 놀랍고 신기한 데가 있다.

등한시(같을等 한가할閑 볼視) 무관심하거나 소홀하게 보아 넘김

간과(볼看 지날過)**하다** 큰 관심 없이 대강 보아 넘기다. ⊕ 설보다, 방과하다, 홀시하다

망망대해(아득할茫 아득할茫 큰大 바다海) 한없이 크고 넓은 바다 ⊕ 망망대양(茫茫大洋), 만경창파(萬頃蒼波)

망연자실(아득할茫 그럴然 스스로自 잃을失) 황당한 일을 당하거나 어찌할 줄을 몰라 정신이 나간 듯이 멍함

냉혹(찰冷 혹독할酷)**하다** 몹시 차갑고 모질다. ⊕ 매섭다, 냉담하다

일가견(하나— 집家 볼見) 어떤 일에 관하여 일정한 경지에 오른 안목이나 견해

악착(악착할齷 악착할齪)**같다** 매우 모질고 끈덕지다. ⊕ 억척같다

● **다음 빈칸에 들어갈 알맞은 단어를 위에서 찾아 문맥에 맞게 써 보자.**

(1) 요리에 있어서는 우리 할머니가 ☐☐☐이 있다.

(2) 아내는 평생을 함께 살아갈 ☐☐☐로서 벗이 되어 주었다.

(3) 매일 게임에 빠져 있다 보니 자연히 공부를 ☐☐☐하게 되었다.

(4) 그는 ☐☐☐☐에 떠 있는 조각배와 같은 고독함을 느끼고 있다.

(5) 그는 무뚝뚝한 성격이지만 아이를 향한 사랑은 ☐☐☐☐ 변함이 없다.

(6) 엄마는 스스로에게 엄격했을 뿐만 아니라 우리도 ☐☐☐ 방법으로 훈육하였다.

(7) 아무리 중요하고 좋은 일이라고 하여도 그에 따른 부작용을 ☐☐해서는 안 될 것이다.

(8) 다리를 다친 완이는 대회 출전을 포기하지 않고 ☐☐같이 재활 훈련과 연습에 매달렸다.

(9) 그는 계약금이 든 지갑을 잃어버렸음을 알고 그 자리에 털썩 주저앉으며 ☐☐☐☐하였다.

(10) 그가 이번 경기에서 지금까지 아무도 도달하지 못한 기록을 세우는 것을 보고 ☐☐로움을 느꼈다.

2단계 문제로 어휘 익히기

1 다음 단어에 대한 설명이 맞으면 ○, 틀리면 × 표시를 해 보자.

(1) '냉혹하다'는 태도나 상황이 몹시 차갑고 모질다는 것을 의미한다. (○, ×)

(2) '일가견'은 어떤 문제에 대하여 일정한 경지에 오른 사람을 가리키는 말이다. (○, ×)

(3) '간과하다'는 사람이 문제나 현상을 큰 관심 없이 대강 보아 넘기는 것을 의미하며, '설보다', '방과하다'와 바꿔 쓸 수 있다. (○, ×)

2 다음 문장의 괄호 안에 들어갈 알맞은 단어를 골라 보자.

(1) 내 친구들은 (귀신같이 / 한결같이) 굼벵이들이라서 아직 아무도 약속 장소에 도착하지 않았다.

(2) 단맛 나는 간식만 즐겨 먹으며 건강을 (등한시 / 멸시)하던 친구는 건강 검진에서 비만 판정을 받았다.

(3) 부모님은 결혼할 당시에 너무 가난하여 (철석같이 / 악착같이) 돈을 모아서 집을 사자는 계획을 세우셨다고 하였다.

3 제시된 뜻과 예문을 참고하여 다음 초성에 해당하는 단어를 빈칸에 써 보자.

(1) ㄱㅇㄹㄷ : 놀랍고 신기한 데가 있다.

예 자연의 섭리는 언제나 (   ).

(2) ㄷㅂㅈ : 어떤 행동을 할 때 짝이 되어 함께하는 사람

예 그녀가 쓴 시는 자연과 인간의 (   )적인 관계를 강조하는 내용이 대부분이다.

(3) ㅁㅇㅈㅅ : 황당한 일을 당하거나 어찌할 줄을 몰라 정신이 나간 듯이 멍함

예 경화는 아끼던 나무가 잘려 나간 뒤 그루터기를 보고는 (   )하였다.

4 다음 빈칸에 들어갈 가장 적절한 단어를 찾아보자.

중세 유럽에서 먼 바다는 죽음을 의미했다. 어디를 둘러봐도 똑같은 수평선밖에 보이지 않는 바다에서 사람들은 자신의 위치를 파악하지 못하기 일쑤였고 그렇게 시작된 표류는 항상 죽음으로 끝이 났기 때문이다. 중세 시대뿐만 아니라 지금도 맨몸으로 바다 한가운데에 떠 있으면 어느 쪽을 보아도 끝없이 _____이/가 펼쳐져 있어서 동서남북의 방향을 알 수가 없다. 이때 방향을 알기 위해 사용하는 것이 바로 나침반이다. 나침반 바늘에서 북쪽을 가리키는 부분이 N극, 남쪽을 가리키는 부분이 S극이다. 항상 수평을 유지하며 남쪽과 북쪽을 가리키는 나침반 덕분에 하늘과 바다에서 우리는 길을 잃지 않을 수 있게 되었다.

① 경이   ② 악착   ③ 등한시   ④ 망망대해   ⑤ 망연자실

2017학년도 6월 고1 전국연합

[1~3] 다음 글을 읽고 물음에 답하시오.

가 학창 시절에는 유별나게도 학년이 바뀌고 반이 바뀌어 친구들과 뿔뿔이 흩어져야
하는 신학기가 싫었다. 마음으로 간절히 원했던 친구는 거의 언제나 다른 반으로 가 버
렸고, 한 반이 되지 않기를 빌고 빌었던 친구는 어김없이 한 반으로 편성되곤 하는 불행
아닌 불행 앞에서 얼마나 많이 속상해했는지 모른다.

그래서 학년이 바뀌면 처음 얼마 동안은 늘 마음을 잡지 못했다. 아침에 눈을 떠 학교
에 갈 일을 생각하면 가슴 한쪽이 싸늘해지곤 하던 그 느낌을 지금도 나는 ˚선연히 떠올
릴 수가 있다.

나 이제는 반이 나뉘고 새로운 급우들한테서 낯섦을 실컷 ㉠맛봐야 하는 신학기 따위
는 영영 내 곁에서 사라졌다. 그 대신 사랑하고 믿어 주는 것보다 시기하고 미워하며,
또는 빼앗고 속이는 일이 더 많은 ㉡황폐한 세상살이에 낯가림하며 사는 나날 속으로
내던져지고 말았다.

망망대해를 헤매는 것처럼 힘든 인생의 항해는 신학기 잠시의 외로움을 극복하는 일
따위와는 비교도 할 수 없을 만큼 두려움 가득한 일이다. 삶은 고난투성이고 끝없는 인
내를 요구하기만 하는데, ⓐ홀로 헤치는 파도는 높고 거칠기만 한 것이다.

다 바로 이때에 영혼을 함께 나눌 친구가 절실히 필요해진다. 인생이란 험난한 항해를
같이 겪고 있다는 동지애를 느낄 수 있는 친구, 혹은 내 삶의 따뜻한 ㉢동반자라는 느낌
이 전해져 오는 친구와 같이 있는 시간에는 이 세상도 한번 살아 볼 만하다는 용기가 솟
는다. 그런 친구와 돈독한 우정을 서로 교환하고 있는 이들이라면, 적어도 실패한 삶은
아니라고 단정할 수 있는 것이다.

라 살아가면서 그런 우정을 가꾸는 이들을 종종 만난다. 비록 나의 친구는 아니지만
그 모습을 보는 일은 참 아름답다. 언젠가 친구가 사업에 실패해서 ˚낙향하여 쓸쓸히 살
아가는 것을 안쓰러워하다 못해 자기도 다니던 직장을 정리하고 가족과 함께 시골로 내
려가 친구 옆에서 땅을 일구는 사람을 만난 적이 있었다.

이미 결혼하여 각각의 ˚식솔을 이끌고 있는 두 사람한테는 참으로 어려운 결정이었겠
지만, 양쪽 집의 가족들 모두는, 한결같이 이렇게 말하였다. ㉣냉혹한 이 세상에 ㉤대
항하기 위해 두 집이 힘을 합쳤으니 얼마나 든든하냐고.

마 누군가는 말했다. 친구 없이 사는 일만큼 ⓑ무서운 사막은 없다고. 또 누군가는 말
했다. 친구 없이 사는 것은 증인 없이 사라지는 일이라고.

– 양귀자, 「사막을 같이 가는 벗」

1 ⊙~⑩의 문맥적 의미와 유사하지 <u>않은</u> 것은?

① ⊙: 내가 끓인 라면을 <u>맛봐야</u> 다시는 내게 요리를 부탁하지 않을 것이다.
② ⓒ: 시 한 편으로 <u>황폐한</u> 사람의 마음에 사랑을 불러일으킬 수 있다.
③ ⓒ: 나는 동료가 나의 성장을 위한 <u>동반자임</u>을 믿어 의심치 않는다.
④ ⓔ: 젊은이들의 꿈과 이상이 <u>냉혹한</u> 현실에 부딪쳐 사라져만 갔다.
⑤ ⑩: 불의를 일삼는 무리들에 <u>대항하기</u> 위해 우리끼리 똘똘 뭉쳐야 한다.

2 ⓐ와 ⓑ가 의미하는 바를 바르게 연결한 것은?

	ⓐ	ⓑ
①	친구와 헤어져 느낀 소외감	냉혹한 현실
②	인생에서 헤쳐 나가야 할 고난	삭막하고 고독한 삶
③	세상살이에 필요한 끝없는 인내	삶의 역경을 이겨 낼 용기
④	험난한 삶을 같이 헤쳐 나갈 동지애	시기와 질투로 가득한 세상
⑤	힘들고 어두운 세상에서 필요한 존재	세상살이에서 마주치는 온갖 어려움

기출 문제

3 윗글을 〈보기〉와 같이 구조화할 때, 이해한 내용으로 적절하지 <u>않은</u> 것은?

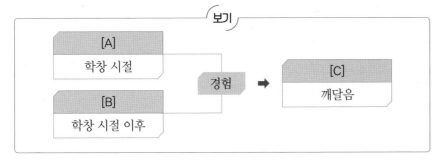

〈보기〉

[A] 학창 시절
[B] 학창 시절 이후
경험 → [C] 깨달음

◑ 구조화: 부분적 요소나 내용
이 서로 관련되어 통일된 조직
이나 체계로 만듦

① [A]: 글쓴이는 신학기 때 원했던 친구들과 반이 달라져 낯섦과 외로움을 경험했다.
② [B]: 글쓴이는 [A]보다 세상살이가 더 힘들다는 것을 절실하게 경험했다.
③ [B]: 글쓴이는 사업에 실패해서 낙향한 친구와 함께 시골에서 돈독한 우정을 나누었다.
④ [B]: 글쓴이는 주변 사람들의 모습을 통해 힘든 삶을 함께 헤쳐 나갈 친구가 있다면 실패한 삶은 아니라고 생각했다.
⑤ [C]: 글쓴이는 [B]의 경험을 통해 힘들 때 진정한 우정을 나눌 수 있는 친구의 필요성을 느꼈다.

주제별로 알아보는 **관용 표현**

● 얼굴과 관련된 관용 표현

귀가 가렵다	남이 제 말을 한다고 느끼다. 예 이렇게 자기 이야기를 하고 있으니 그는 지금 귀가 가려울 거야.
귀가 따갑다	너무 여러 번 들어서 듣기가 싫다. 예 그런 말은 이미 귀가 따갑게 들었다.
귀가 얇다	남의 말을 쉽게 받아들인다. 예 사람이 그렇게 귀가 얇아서 무슨 일을 하겠는가?
귓가로 듣다	별로 관심이 없이 듣다. 예 내 말을 귓가로 듣지 말고 새겨들어라.
눈 깜짝할 사이	매우 짧은 순간 예 그는 밥 한 공기를 눈 깜짝할 사이에 먹어 치웠다.
눈이 뒤집히다	어떤 일에 집착하여 이성을 잃을 지경이 되다. 예 수호는 게임을 시작하면 눈이 뒤집혔다.
눈에 밟히다	잊히지 않고 자꾸 눈에 떠오르다. 예 그는 어머니의 모습이 눈에 밟혀 차마 발걸음을 옮길 수 없었다.
눈에 불을 켜다	몹시 욕심을 내거나 관심을 기울이다. 예 그는 돈이 생기는 일이라면 눈에 불을 켜고 달려든다.
눈에 차다	흡족하게 마음에 들다. 예 눈에 차는 물건이 없으니 다른 곳으로 가 보자.
눈에 흙이 들어가다	죽어 땅에 묻히다. 예 내 눈에 흙이 들어가기 전에는 너희 결혼을 허락할 수 없다.
머리를 굴리다	머리를 써서 해결 방안을 생각해 내다. 예 나는 아무리 머리를 굴려 보아도 뾰족한 수가 떠오르지 않았다.
머리가 굵다	어른처럼 생각하거나 판단하게 되다. 예 학생들이 머리가 굵어서 말도 잘 안 듣는다.
머리를 맞대다	어떤 일을 의논하거나 결정하기 위하여 서로 마주 대하다. 예 머리를 맞대고 대책을 마련해 보자.

⊕ **귀에 못이 박히다**: 같은 말을 너무나 여러 번 듣다.

⊕ **팔랑귀**: 줏대가 없어 다른 사람이 하는 말에 잘 흔들리는 성질이나 사람을 비유적으로 이르는 말

⊕ **눈이 돌아가다**: 놀라거나 격분하여 사리 분별을 못하다.

⊕ **눈에 어리다**: 어떤 모습이 잊히지 않고 머릿속에 뚜렷하게 떠오르다.

⊖ **눈 밖에 나다**: 신임을 잃고 미움을 받게 되다.

⊕ **머리를 쓰다**: 마음속으로 이리저리 따져 생각하다.

⊕ **머리를 모으다, 무릎을 맞대다**: (둘 이상의 사람이) 모여서 중요한 이야기를 하다.

| 입만 살다 | 말에 따르는 행동은 없으면서 말만 그럴듯하게 잘하다. |
| | 예 저 친구도 입만 살았지. 막상 일을 하니 형편없지 뭐야. |

| 입만 아프다 | 애써 자꾸 얘기하는 말이 상대방에게 받아들여지지 않아 보람이 없다. |
| | 예 동생의 고집이 보통이 아니라서 아무리 설득하려 해도 내 입만 아플 뿐이었다. |

| 입에 거미줄 치다 | 가난하여 먹지 못하고 오랫동안 굶다. |
| | 예 우리는 그저 입에 거미줄 치지 않는 것에 감사하며 살았다. |

| 입에 발린 소리 | 마음에도 없이 겉치레로 하는 말 |
| | 예 그는 입에 발린 소리를 잘하니 그의 말을 모두 믿지 마라. |

사탕발림: 달콤한 말로 남의 비위를 맞추어 살살 달래는 일. 또는 그런 말

| 입을 모으다 | 여러 사람이 같은 의견을 말하다. |
| | 예 무리한 다이어트는 건강을 해친다고 의사들은 입을 모아 이야기한다. |

| 코가 꿰이다 | 약점이 잡히다. |
| | 예 그는 옆 사람에게 무슨 코가 꿰이었는지 꼼짝도 못한다. |

발목을 잡히다: 남에게 어떤 약점이나 단서를 잡히다.

| 코가 빠지다 | 근심에 싸여 기가 죽고 맥이 빠지다. |
| | 예 형은 시험을 망쳤는지 코가 빠져 집으로 돌아왔다. |

코가 납작해지다: 몹시 무안을 당하거나 기가 죽어 위신이 뚝 떨어지다.

| 콧대가 세다 | 자존심이 강하여 상대에게 굽히지 않다. |
| | 예 그 사람은 콧대가 세서 다른 사람의 말을 들으려 하지 않는다. |

코가 높다: 잘난 체하고 뽐내는 기세가 있다.

| 콧방귀를 뀌다 | 아니꼽거나 못마땅하여(남의 말을 가소롭게 여겨) 남의 말을 들은 체 만 체 말대꾸를 아니 하다. |
| | 예 은혜는 콧방귀를 뀌면서 나를 무시했다. |

상황으로 보는 관용 표현

입에 발린 소리

[01~05] 빈칸에 알맞은 단어를 쓰고, 관용 표현의 뜻을 찾아 바르게 연결해 보자.

01 [　　　]에 차다 • • ㉠ 흡족하게 마음에 들다.

02 [　　　]로 듣다 • • ㉡ 별로 관심이 없이 듣다.

03 [　　　]만 아프다 • • ㉢ 근심에 싸여 기가 죽고 맥이 빠지다.

04 [　　　]가 빠지다 • • ㉣ 어떤 일을 의논하거나 결정하기 위하여 서로 마주 대하다.

05 [　　　]를 맞대다 • • ㉤ 애써 자꾸 얘기하는 말이 상대방에게 받아들여지지 않아 보람이 없다.

[06~08] 다음 뜻풀이를 참고하여 빈칸에 공통적으로 들어갈 단어를 써 보자.

06 ┌ [　　　]에 밟히다: 잊히지 않고 자꾸 눈에 떠오르다.
　　└ [　　　]에 불을 켜다: 몹시 욕심을 내거나 관심을 기울이다.

07 ┌ [　　　]가 얇다: 남의 말을 쉽게 받아들인다.
　　└ [　　　]가 가렵다: 남이 제 말을 한다고 느끼다.

08 ┌ [　　　]에 거미줄 치다: 가난하여 먹지 못하고 오랫동안 굶다.
　　└ [　　　]만 살다: 말에 따르는 행동은 없으면서 말만 그럴듯하게 잘하다.

[09~13] 다음 빈칸에 알맞은 단어를 〈보기 1〉과 〈보기 2〉에서 찾아 써 보자.

보기 1
눈   코   입   귀   머리

보기 2
굴리다 꿰이다 따갑다 모으다 뒤집히다

09 ☐ 이/가 ☐ : 약점이 잡히다.

10 ☐ 을/를 ☐ : 여러 사람이 같은 의견을 말하다.

11 ☐ 이/가 ☐ : 너무 여러 번 들어서 듣기가 싫다.

12 ☐ 을/를 ☐ : 머리를 써서 해결 방안을 생각해 내다.

13 ☐ 이/가 ☐ : 어떤 일에 집착하여 이성을 잃을 지경이 되다.

14 다음 문자 메시지 대화를 읽고, 빈칸에 알맞은 관용 표현을 써 보자.

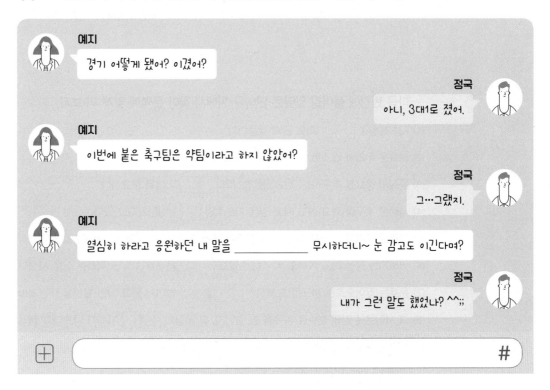

예지
경기 어떻게 됐어? 이겼어?

정국
아니, 3대1로 졌어.

예지
이번에 붙은 축구팀은 약팀이라고 하지 않았어?

정국
그…그랬지.

예지
열심히 하라고 응원하던 내 말을 _____ 무시하더니~ 눈 감고도 이긴다며?

정국
내가 그런 말도 했었나? ^^;;

＋ _____ #

11 일차

01 인문 주제어 _심리학

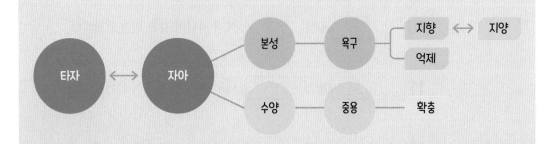

1 단계 ⟩ 문맥으로 어휘 확인하기

타자(다를他 놈者) 자기 외의 다른 사람 ❸ 남, 타인

자아(스스로自 나我) 자기 자신에 대한 의식이나 관념 ❸ 나, 자기, 에고(ego) ❸ 자의식: 자기 자신이 처한 위치나 자신의 행동, 성격 등에 대하여 깨닫는 일

본성(근본本 성품性) 사람이 본래 가지고 태어난 성질 ❸ 천성, 솔성 ❸ 인간성: ① 인간의 본성 ② 사람의 됨됨이

욕구(하고자 할欲 구할求) / (욕심慾 구할求) 무엇을 얻거나 무슨 일을 하고자 바라는 일 ❸ 희구

지향(뜻志 향할向) ① 어떤 목표로 뜻이 쏠리어 향함. 또는 그 방향이나 그쪽으로 쏠리는 의지 ② 의식의 기본 구조로서, 의식이 어떤 대상을 향하고 있음

지양(그칠止 오를揚) 더 높은 단계로 오르기 위하여 어떠한 것을 하지 아니함

억제(누를抑 억제할制) ① 감정이나 욕망, 충동적 행동 따위를 내리눌러서 그치게 함 ② 정도나 한도를 넘어서 나아가려는 것을 억눌러 그치게 함 ❸ 억압, 극기, 요알

수양(닦을修 기를養) 몸과 마음을 갈고닦아 품성이나 지식, 도덕 따위를 높은 경지로 끌어올림 ❸ 수신, 단련, 수련

중용(가운데中 떳떳할庸) 지나치거나 모자라지 아니하고 한쪽으로 치우치지도 아니한, 떳떳하며 변함이 없는 상태나 정도

확충(넓힐擴 가득할充) 늘리고 넓혀 충실하게 함

● **다음 빈칸에 들어갈 알맞은 단어를 위에서 찾아 문맥에 맞게 써 보자.**

(1) 사회생활은 ☐☐와의 관계 맺음이다.

(2) 교육은 우리가 스스로 ☐☐를 발견할 수 있게 도와준다.

(3) 물질의 풍요를 추구하는 것보다는 정신의 ☐☐이 더욱 중요하다.

(4) 사람은 누구나 먹고 싶고 자고 싶은 기본적인 ☐☐를 가지고 있다.

(5) 그들은 우리말 쓰기를 ☐☐하고 외래어 쓰기를 ☐☐하자는 캠페인을 벌였다.

(6) 아버지는 평생 어느 쪽에도 치우치지 않고 ☐☐을 지키고자 노력하는 삶을 사셨다.

(7) 은호는 끓어오르는 분노를 도저히 ☐☐할 수가 없어서 들고 있던 볼펜을 내던져 버렸다.

(8) 그 사람은 순간의 실수로 잘못을 한 것이지, 그 사람의 ☐☐ 자체가 나쁘다고 생각하지 않는다.

(9) 사람은 누구나 인의예지의 마음을 ☐☐해서 쉽게 흔들리지 않고 변함없는 마음을 간직하면 성인군자가 될 수 있다.

2단계 문제로 어휘 익히기

1 다음 단어의 의미를 찾아 바르게 연결해 보자.

(1) 수양 •

(2) 본성 •

(3) 중용 •

• ㉠ 사람이 본래 가지고 태어난 성질

• ㉡ 몸과 마음을 갈고닦아 품성이나 지식, 도덕 따위를 높은 경지로 끌어올림

• ㉢ 지나치거나 모자라지 아니하고 한쪽으로 치우치지도 아니한, 떳떳하며 변함이 없는 상태나 정도

2 다음 문장에 들어갈 알맞은 단어를 〈보기〉에서 찾아 써 보자.

〈보기〉

수양   욕구   억제   자아   타자

(1) 누구에게나 (   )에게 알릴 수 없는 비밀이 한두 가지쯤은 있기 마련이다.

(2) ○○회사에서 나온 다이어트 약 광고는 소비자들의 구매 (   )을/를 유발하였다.

(3) 부모의 기대와 사랑을 독차지한 동생을 보며 형은 질투심을 (   )할 수가 없었다.

(4) 은퇴 후에도 경제 활동을 통해 (   )을/를 실현하고자 하는 노인 인구가 크게 늘고 있다.

3 제시된 뜻과 예문을 참고하여 다음 초성에 해당하는 단어를 빈칸에 써 보자.

(1) ㅎ ㅊ : 늘리고 넓혀 충실하게 함

예 ○○시에서는 어린이 보호 구역을 (   )하여 교통사고로부터 어린이들을 보호하겠다고 발표했다.

(2) ㅈ ㅇ : 더 높은 단계로 오르기 위하여 어떠한 것을 하지 아니함

예 부모가 자녀에게 무조건적 순종을 강요하는 것은 (   )해야 한다.

4 다음 빈칸에 들어갈 가장 적절한 단어를 찾아보자.

스피노자는 선은 자신에게 기쁨을 주는 모든 것이며, 악은 자신에게 슬픔을 주는 모든 것이라고 하며, 코나투스인 욕망을 긍정하고 욕망에 따라 행동하라고 이야기한다. 즉 슬픔은 거부하고 기쁨을 _____하라는 것, 그것이 곧 선의 추구라는 것이다.

① 지향   ② 지양   ③ 억제   ④ 단련   ⑤ 수양

02 인문 주제어 _철학

11
일차

1단계 문맥으로 어휘 확인하기

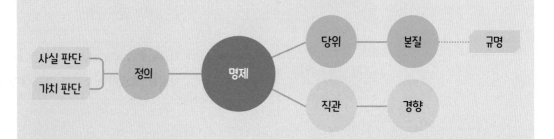

명제(목숨命 제목題) 어떤 문제에 대한 하나의 논리적 판단 내용(참과 거짓을 판단할 수 있는 내용)과 주장을 언어 또는 기호로 표시한 것. 이를테면, '고래는 포유류이다.' 따위임

정의(정할定 옳을義) 어떤 말이나 사물의 뜻을 분명하게 정하여 밝히는 것. 또는 그 뜻

사실 판단(일事 열매實 판가름할判 끊을斷) 현실 세계에 존재하는 대상이나 사건에 대해, 사실을 있는 그대로 기술하는 판단. 예를 들면 '개나리꽃은 노란빛이다.'와 같이 객관적으로 참과 거짓의 판별이 가능한 경우를 말함

가치 판단(값價 값値 판가름할判 끊을斷) 판단하는 사람의 가치관이 개입되는 판단으로, 어떤 대상에 대해 좋고 나쁨, 옳고 그름, 아름다움과 추함, 해야 할 것과 하지 말아야 할 것 등으로 기술하는 판단. 예를 들면 '철수는 착하다.'와 같이 객관적으로 참과 거짓의 판별이 어려운 경우를 말함

당위(마땅當 할爲) ① 마땅히 그렇게 하거나 되어야 하는 것 ❸ 당위성: 마땅히 그렇게 하거나 되어야 할 성질 ② 마땅히 있어야 하는 것. 또는 마땅히 행하여야 하는 것

본질(근본本 바탕質) ① 본디부터 가지고 있는 사물 자체의 성질이나 모습 ❹ 고유, 근본, 본바탕, 밑바탕 ② 사물이나 현상을 성립시키는 근본적인 성질

규명(얽힐糾 밝을明) 어떤 사실을 자세히 따져서 바로 밝힘

직관(곧을直 볼觀) 감각, 경험, 연상, 판단, 추리 따위의 사유 작용을 거치지 아니하고 대상을 직접적으로 파악하는 작용. 대상이나 현상을 보고 즉각적으로 느끼는 깨달음을 말함 ❹ 직각 ❺ 논증: 옳고 그름을 이유를 들어 밝힘

경향(기울傾 향할向) 현상이나 사상, 행동 따위가 어떤 방향으로 기울어짐 ❹ 추세, 동향

● 다음 빈칸에 들어갈 알맞은 단어를 위에서 찾아 문맥에 맞게 써 보자.

(1) 성리학에서 삼강오륜은 인간이 마땅히 지켜야 할 ☐☐적 명제였다.

(2) 사람들은 기차를 탈 때 창가 자리를 선호하는 ☐☐이 있는 것 같다.

(3) 그 예술가 집단은 예술은 새로움을 추구하는 작업이라고 ☐☐를 내렸다.

(4) 그는 뛰어난 ☐☐과 분석력으로 현대 사회의 문제점을 정확하게 지적하였다.

(5) 'A는 B이다.'라는 ☐☐가 참이라고 해서 그 역인 'B는 A이다.'도 참이 되지는 않는다.

(6) 마을 주민들은 이번 사건의 ☐☐이 무엇인지에 대해 철저하게 ☐☐할 것을 요구하였다.

(7) ☐☐☐☐☐에 따르면 객관적 검증이 가능하기 때문에 참과 거짓을 가려낼 수 있지만, ☐☐☐☐에 따르면 주관적인 가치에 근거하기 때문에 똑같은 현상도 그 해석이 달라질 수 있다.

2단계 문제로 어휘 익히기

1 다음 단어에 대한 설명이 맞으면 ○, 틀리면 × 표시를 해 보자.

(1) '정의(定義)'는 개인 간의 올바른 도리를 뜻한다. (○, ×)

(2) 참이나 거짓을 가리기 위해 어떤 논리적 판단의 내용을 언어, 기호 등으로 나타낸 것을 '명제'라고 한다. (○, ×)

(3) 본디부터 가지고 있는 사물 자체의 성질이나 모습을 뜻하는 '본질'은 '밑바탕'이라는 말과 바꾸어 쓸 수 있다. (○, ×)

2 다음 문장의 괄호 안에 들어갈 알맞은 단어를 골라 보자.

(1) 대학 병원의 이번 의료 분쟁은 진실이 (규제 / 규명)될 때까지 장기화될 전망이다.

(2) 수미는 어떤 사물의 본질을 한눈에 꿰뚫어 보는 (이성 / 직관)적 능력을 가지고 있다.

(3) 아무리 언니라고 해도 무조건 언니에게 양보하라고 요구하는 것이 (당위 / 진위)라고 볼 수는 없다.

3 다음 단어를 활용하기에 적절한 문장을 찾아 바르게 연결해 보자.

(1) 본질 •

(2) 경향 •

(3) 정의 •

• ㉠ '인간'은 '이성을 가진 동물'이라고 [ ] 할 수 있다.

• ㉡ 대학 입시를 준비하려면 최근 수능 출제의 [ ] 부터 파악해야 한다.

• ㉢ 개화기의 국어학자 주시경 선생은 민족이 [ ] 적으로 언어 공동체이며, 언어가 사회를 조직한다는 생각을 갖게 되었다.

4 ㉠과 ㉡에 들어갈 단어로 바르게 짝지어진 것을 찾아보자.

'강아지는 동물이다.'는 그 내용이 실제로 존재하는지 아닌지를 과학적·역사적 탐구 등의 방법으로 경험적 검증을 할 수 있는 것으로, [㉠] 판단이라고 한다. 그리고 '정민이는 착하다.'는 판단하는 사람의 주관이 개입되어 객관적으로 참과 거짓을 구별하기 어려운 것으로, [㉡] 판단이라고 한다.

	㉠	㉡		㉠	㉡
①	가치	도덕	②	도덕	사실
③	사실	가치	④	주관	가치
⑤	사실	객관			

[1~3] 다음 글을 읽고 물음에 답하시오.

2010학년도 6월 고1 전국연합

1 일반적으로 가치는 반드시 주관적인 평가가 들어가는 반면에, 사실은 주관적인 평가가 들어가지 않는다. 그러나 많은 철학자들은 사실과 가치가 분명히 구분되지 않는다고 주장한다. 이들도 사실과 가치 어느 쪽에 강조점을 두느냐에 따라 서로 다른 입장으로 나누어진다.

2 첫째로, 사실에 강조점을 두는 입장에서는 가치를 사실로써 설명하려고 한다. 이런 시도를 하는 철학자들의 의도는 가치 판단에 속하는 윤리적인 ㉠명제들에 대해 객관적이고 과학적인 탐구를 ˚정당화해 보려는 것이다. 즉, 윤리의 ㉡본질, 혹은 윤리에 대한 학(學)의 성립 가능성을 확보하기 위해 가치를 사실에 ˚환원하고자 한다. 그래서 이 입장의 철학자들은 '선하다'라는 윤리적인 가치 개념을 '쾌락을 증진시킨다'라는 사실로 설명하려고 한다든가, '옳다'라는 도덕적 개념을 개인이나 집단이 '자기 보존을 위해 노력한다'라는 등 자연적인 사실에 의해 ㉢정의하고자 한다.

3 이렇게 사실로부터 가치나 ㉣당위를 이끌어 내고자 하는 입장을 보통 '자연주의'라고 부른다. 자연주의는 주로 근대에 들어 인간적인 경험에 근거해서 가치를 설명해 보려고 시도했다. 그러나 이 입장에 대한 ˚반론도 만만치 않다. 어떤 철학자들은 규범이나 도덕의 가치들은 결코 사실로 환원되지 않는다고 강력히 주장한다. 직관론자로 불리는 이들은, '선하다'라는 성질은 ㉤직관에 의해서만 파악되는 것이지, '행복하다'든지 '바라고 있다'라는 경험적 사실에 의해 정의될 수 없다고 주장하면서 가치를 사실에 환원하는 것을 '자연주의적 오류'라 비판한다.

4 둘째로, 가치를 중요시하는 입장에서는 반대로 사실이 항상 엄격한 객관성을 가지고 있다는 주장에 의문을 제기한다. 아울러 많은 경우 우리가 사실이라고 생각하는 것은 주관적 요소의 개입이 전혀 없는 벌거벗은 사실이 아니라 이미 어떤 가치의 옷을 입고 있는 사실이라고 주장한다. 즉, 많은 경우 사실은 가치의 개입을 전제한다는 것이다.

5 이런 입장을 가진 사람들의 주장에 의하면, 사실 판단과 가치 판단은 논리적으로는 구분이 되지만 실제의 지적인 활동에서는 서로 결합될 수밖에 없다는 것이다. 이런 주장은 상당히 설득력을 가진다. 인간은 과학을 통해서 사실의 구조를 인식하며 윤리를 통해서 가치를 판단하기 때문에 사실 판단과 가치 판단은 적어도 논리적으로는 확연히 구분될 수 있는 별개의 영역이다. 그러나 실제로 한 인간이 어떤 생각이나 판단을 할 때에는 이 두 영역이 서로 맞붙어 있는 경우가 ˚허다하다.

독해 체크

1. 이 글의 핵심어는?

□□과 가치

2. 문단별 중심 내용은?

1 사실과 가치의 일반적인 특징 및 그 □□에 대한 입장 소개

2 사실에 강조점을 두는 '□□□□'의 입장

3 '자연주의'를 비판하는 □□□□들의 입장

4 사실은 가치의 개입을 □□한다고 보는 가치를 중시하는 입장

5 □□를 중시하는 입장이 설득력이 있는 이유

3. 이 글의 주제는?

사실과 가치의 구분을 둘러싼 여러 □□□들의 입장

어휘 체크

• **정당화해:** 정당성이 없거나 정당성에 의문이 있는 것을 무엇으로 둘러대어 정당한 것으로 만들어

• **환원하고자:** 본디의 상태로 다시 돌아가고자. 잡다한 사물을 어떤 근본적인 것으로 치환하여 귀착시키고자

• **반론:** 남의 논설이나 비난, 논평 따위에 대하여 반박함. 또는 그런 논설

• **허다하다:** 수효가 매우 많다.

1 ㉠~㉤의 사전적 의미로 적절하지 <u>않은</u> 것은?

① ㉠: 어떤 문제에 대한 하나의 논리적 판단 내용과 주장을 언어 또는 기호로 표시한 것

② ㉡: 본디부터 가지고 있는 사물 자체의 성질이나 모습

③ ㉢: 어떤 말이나 사물의 뜻을 분명하게 정하여 밝히는 것

④ ㉣: 사람이 의지를 가지고 하는 짓

⑤ ㉤: 감각, 경험, 연상, 판단, 추리 따위의 사유 작용을 거치지 아니하고 대상을 직접적으로 파악하는 작용

2 윗글에 대한 이해로 가장 적절한 것은?

① 사실을 강조하는 철학자들은 사실을 가치로써 설명하고자 하였다.

② 일반적인 견해에 따르면 사실과 가치는 명확하게 구분되지 않는다.

③ 자연주의 철학자들은 사실이 항상 엄격한 객관성을 지니고 있다는 주장에 의문을 제기하였다.

④ 직관론자들은 근대에 들어 인간적인 경험에 근거해서 가치에 대해 규명해 보려고 시도하였다.

⑤ 가치를 중시하는 철학자들은 많은 경우 사실이 가치의 개입을 전제하므로 사실과 가치의 실제적 구분이 어렵다고 보았다.

◐ **전제하므로**: 어떠한 사물이나 현상을 이루기 위하여 먼저 내세우므로

기출 문제

3 윗글의 핵심 논제로 가장 적절한 것은?

① 사실과 가치는 정의할 수 있는가?

② 사실과 가치의 공통점은 무엇인가?

③ 사실과 가치는 분명하게 구분되는가?

④ 사실과 가치는 과학적으로 검증되는가?

⑤ 사실과 가치는 논리적으로 설명이 가능한가?

◐ **논제**: 논설이나 논문, 토론 따위의 주제나 제목

01 인문 주제어_윤리

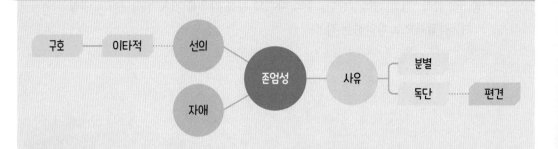 1단계 문맥으로 어휘 확인하기

존엄성(높을尊 엄할嚴 성품性) 감히 범할 수 없는 높고 엄숙한 성질 ⊜ 인간 존엄성: 인간이 인간이기 때문에 가지는 부정하거나 범할 수 없는 고상한 성질, 휴머니즘: 인간의 존엄성을 최고의 가치로 여기고, 인종, 민족, 국가, 종교 등의 차이를 초월하여 인류의 안녕과 복지를 꾀하는 것을 이상으로 하는 사상이나 태도

선의(착할善 뜻意) 남에게 도움을 주고자 하거나 좋은 목적을 가진 착한 마음 ⊜ 호의, 선심 ⊕ 악의

이타적(이로울利 다를他 과녁的) 자기의 이익보다는 다른 이의 이익을 더 꾀하는 것 ⊕ 이기적

구호(구원할救 보호할護) ① 재해나 재난 따위로 어려움에 처한 사람을 도와 보호함 ⊜ 구제, 구휼, 원조 ② 병자나 부상자를 간호하거나 치료함

자애(사랑할慈 사랑愛) 아랫사람에게 베푸는 따사롭고 돈독한 사랑

사유(생각思 생각할惟) ① 대상을 두루 생각하는 일 ② 개념, 구성, 판단, 추리 등을 행하는 인간의 이성 작용 ⊜ 사고, 생각

분별(나눌分 다를別) ① 서로 다른 일이나 사물을 구별하여 가름 ⊜ 변별, 식별 ② 세상의 물정이나 돌아가는 형편을 사리에 맞도록 헤아려 판단함 ⊜ 분변

독단(홀로獨 끊을斷) 남과 상의하지 않고 혼자서 판단하거나 결정함

편견(치우칠偏 볼見) 한쪽으로 치우친 공정하지 못한 생각이나 견해 ⊜ 색안경: 주관이나 선입견에 얽매여 좋지 않게 보는 태도를 비유적으로 이르는 말

● **다음 빈칸에 들어갈 알맞은 단어를 위에서 찾아 문맥에 맞게 써 보자.**

(1) 나는 ◻◻를 가지고 한 말인데 네가 기분이 나빴다면 사과할게.

(2) 세상 돌아가는 일을 ◻◻하는 힘은 오래 세상을 산 경험에서 나온다.

(3) 이 수익금은 전 세계의 불우한 고아와 이재민의 ◻◻에 쓸 예정이다.

(4) 나는 ◻◻가 가득한 미소를 머금고 있는 어머니의 얼굴을 바라보았다.

(5) 우리 반 반장은 다른 사람과 상의 없이 ◻◻으로 일을 처리하고는 한다.

(6) ◻◻에 사로잡히면 모든 사물을 나쁘게 보는 좋지 못한 습관이 길러진다.

(7) 자신의 시간과 돈, 에너지를 바쳐 봉사 활동을 하는 것이야말로 ◻◻◻인 행동이다.

(8) 전쟁은 생명의 ◻◻◻을 짓밟는 행위이므로 절대 일어나서는 안 된다고 강조하였다.

(9) 사물의 현상에 대한 편견을 버리고 ◻◻를 통해 사물의 본질에 대한 답을 얻을 수 있다.

2단계 문제로 어휘 익히기

1 다음 단어의 의미를 찾아 바르게 연결해 보자.

(1) 구호 •

(2) 독단 •

(3) 사유 •

• ㉠ 대상을 두루 생각하는 일

• ㉡ 남과 상의하지 않고 혼자서 판단하거나 결정함

• ㉢ 재해나 재난으로 어려움에 처한 사람을 도와 보호함

2 다음 문장에 들어갈 알맞은 단어를 〈보기〉에서 찾아 써 보자.

┌─────────── 보기 ───────────┐

분별   사유   자애   편견

└──────────────────────────┘

(1) 나에 대한 할아버지의 (   )은/는 매우 각별했다.

(2) 아무리 봐도 두 형제는 (   )이/가 안 될 만큼 닮았다.

(3) 오늘날에도 인종에 대한 (   )와/과 차별은 엄연히 존재하고 있는 것이 사실이다.

3 다음 문장의 괄호 안에 들어갈 알맞은 단어를 골라 보자.

(1) 모든 사람이 (상의 / 선의)를 베푼다고만 생각하다가는 낭패를 볼 수 있다.

(2) 남을 먼저 배려하는 (이타적 / 이기적)인 사람을 만나면 나도 모르게 마음이 따뜻해지고 안정이 된다.

(3) 범죄자의 사회적 치료와 재활을 돕는 정책은 피해자보다 범죄자의 (존엄성 / 존재성)을 중요시 여긴다는 비난을 받았다.

4 다음 빈칸에 공통적으로 들어갈 가장 적절한 단어를 찾아보자.

┌──┐

_____에 의한 차별은 우리의 삶 곳곳에 깊이 침투해 있다. 우리의 사회에서 삶의 모든 영역에서 그 피해자들은 오늘도 만들어지고 있는 것이다. 주된 피해자는 흑인, 유색 인종, 여성 등으로, 백인이나 남성 중심의 사회에서 이들은 '약자'이므로 무시해도 된다는 공정하지 못한 생각이 뿌리를 내리고 있다. 제니퍼 에버하트는 "이 같이 차별이 고착화된 현실은 _____이/가 우리 삶에 깊이 스며든 결과"라고 말한다.

└──┘

① 자애   ② 선의   ③ 편견   ④ 독단   ⑤ 분별

12 일차

02 인문 주제어 _심리학

1단계 문맥으로 어휘 확인하기

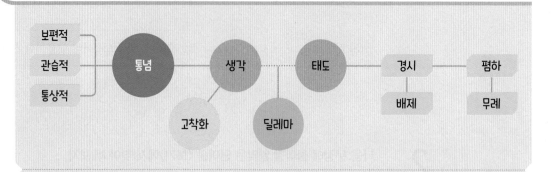

통념(통할通 생각할念) 일반 사회에 널리 퍼져 있는 생각 ⊕ 통설, 보편 개념 ⊕ 사회 통념: 사회 일반에 널리 퍼져 있는 공통된 사고방식

보편적(널리普 두루遍 과녁的) 모든 것에 두루 미치거나 통하는 것 ⊕ 일반적

관습적(버릇慣 익힐習 과녁的) 어떤 사회에서 오랫동안 지켜 내려와 그 사회 구성원들이 널리 인정하는 질서나 풍습에 따르는 것

통상적(통할通 항상常 과녁的) 특별하지 아니하고 예사로운 것

고착화(굳을固 붙을着 될化) 어떤 상황이나 현상이 굳어져 변하지 않는 상태가 됨. 또는 그렇게 함

딜레마(dilemma) 선택해야 할 길은 두 가지 중 하나로 정해져 있는데, 그 어느 쪽을 선택해도 바람직하지 못한 결과가 나오게 되는 곤란한 상황 ⊕ 궁지: 매우 곤란하고 어려운 일을 당한 처지, 진퇴양난(進退兩難): 이러지도 저러지도 못하는 어려운 처지

경시(가벼울輕 볼視) 대수롭지 않게 보거나 업신여김 ⊕ 멸시, 무시 ⊕ 중시

배제(밀칠排 덜除) 받아들이지 아니하고 물리쳐 제외함 ⊕ 배격, 배척

폄하(낮출貶 아래下) 가치나 수준을 깎아내려 평가함

무례(없을無 예도禮) 태도나 말에 예의가 없음 ⊕ 결례, 실례

● **다음 빈칸에 들어갈 알맞은 단어를 위에서 찾아 문맥에 맞게 써 보자.**

(1) 처음 보는 사람에게 바보라니 그런 ☐☐한 행동이 어디 있니?

(2) 집단 이기주의가 ☐☐☐되기 전에 반드시 뿌리를 뽑아야 한다.

(3) 세시풍속은 사계절에 따라 ☐☐☐으로 반복되는 생활 방식이다.

(4) 매 학기마다 ☐☐☐으로 해 오던 학교 수료식이 올해는 취소되었다.

(5) 지금 그는 고백을 해야 하느냐 말아야 하느냐 하는 ☐☐☐에 빠져 버렸다.

(6) 기자는 자신의 생각을 최대한 ☐☐하고 객관적인 사실에 근거하여 기사를 써야 한다.

(7) 그 화가의 나이가 어리다고 해서 그의 작품에 대한 평가까지 ☐☐하는 것은 옳지 않다.

(8) 사회를 이루고 있는 사람들 사이의 갈등은 어느 사회에나 일어나는 ☐☐☐인 현상이다.

(9) 소방관은 남성의 직업이라는 ☐☐을 깨고 여성 소방 공무원에 도전하는 사람들이 많아졌다.

(10) 서양 문화를 떠받들고 우리 고유문화를 ☐☐하던 때가 있었으나 최근 이러한 현상이 크게 바뀌었다.

2단계 문제로 어휘 익히기

1 다음 단어를 활용하기에 적절한 문장을 찾아 바르게 연결해 보자.

(1) 고착화 •

(2) 딜레마 •

(3) 보편적 •

• ㉠ 과거에 빈부의 격차가 [   ]된 배경에는 지주제가 있었다.

• ㉡ 자유와 평등은 인류 모두가 따라야 하는 [   ]인 이념이다.

• ㉢ 우리는 현재 어느 쪽도 지지할 수 없는 [   ]에 처해 있다.

2 제시된 뜻과 예문을 참고하여 다음 초성에 해당하는 단어를 빈칸에 써 보자.

(1) ㅁㄹ : 태도나 말에 예의가 없음

예 공공장소에서 큰 목소리로 떠드는 것은 남에게 폐를 끼치는 (   )한 행동이다.

(2) ㅍㅎ : 가치나 수준을 깎아내려 평가함

예 상우는 시험에 합격하지 못했다고 그동안의 노력까지 (   )하는 친구들의 비웃음에 화가 났다.

3 다음 문장의 괄호 안에 들어갈 알맞은 단어를 골라 보자.

(1) 인권은 모든 인간이 존중받아야 하는 (부분적 / 보편적)인 가치이다.

(2) 내 의견과 다르다고 해서 남의 의견을 함부로 (경시 / 중시)해서는 안 된다.

(3) 그가 그동안 마을 사람들을 속였음이 드러나자 사람들은 그를 철저히 (배제 / 배재)했다.

4 다음 빈칸에 들어갈 가장 적절한 단어를 찾아보자.

우리는 부부와 미혼 자녀가 함께 사는 것을 '정상 가족'이라고 생각해 왔다. 그런데 최근 혼인과 혈연으로 엮인 전통적 가족 개념이 느슨해지는 추세이다. 통계청 조사에서 '정상 가족'의 비중은 2010년 37%에서 2019년 29.8%로 줄었다. 반면 1인 가구는 같은 기간 23.9%에서 30.2%로 증가했다. 지난해 여성가족부 조사에서 10명 중 7명(69.7%)이 혼인·혈연관계가 아니어도 생계나 주거를 공유하면 '가족'이라는 데 동의한다는 응답은 그동안 가졌던 가족에 대한 _____을/를 깨기에 충분하다.

① 보편　　　② 경시　　　③ 통념　　　④ 배제　　　⑤ 동조

2016학년도 6월 고1 전국연합

[1~3] 다음 글을 읽고 물음에 답하시오.

1 다음 상황을 생각해 보자. Ａ가 등교하는 길에 다리가 불편한 할머니가 횡단보도 건너는 것을 도와 달라고 하였다. 지금 학교에 가지 않으면 지각을 하여 벌점을 받게 된다. Ａ는 할머니를 도와야 할까, 아니면 학교에 가야 할까? 이런 상황을 도덕적 딜레마라 한다. 이런 상황에서 개인 행위의 옳고 그름을 판단하는 기준이 필요하다. 이러한 기준을 우리는 크게 두 가지 관점에서 제시할 수 있다. 하나는 ㉠의무론적 관점이고 다른 하나는 ㉡목적론적 관점이다.

2 의무론적 관점은 행위에 대한 도덕적 판단이 도덕 법칙에 따라 이루어져야 한다고 보았다. 이 관점은 도덕 법칙을 지키려는 의지를 의무로 보았으며 결과와 ⓐ무관하게 행위 자체의 옳고 그름에 주목하였다. 도덕 법칙은 언제나 타당하고 ⓑ보편적인 것이기에 '왜'라는 질문은 성립하지 않는다. 따라서 좋지 않은 결과를 ⓒ초래하더라도 도덕 법칙은 지켜야 한다. 이런 의미에서 의무론적 관점을 법칙론이라고도 한다.

3 그러나 의무론적 관점에는 한계가 있다. 두 개의 옳은 도덕 법칙이 ⓓ충돌할 때 의무론적 관점에 따르면 결정을 내릴 수 없다. 예를 들어 1번 철로에는 3명의 인부가, 2번 철로에는 5명의 인부가 일을 하고 있을 때 브레이크가 고장 난 기차의 기관사는 어떤 길을 선택해야 할까? 의무론적 관점은 이 상황에서 어떤 철로를 선택해야 할지 결정을 내릴 수 없다.

4 한편, 목적론적 관점은 행복이나 쾌락을 인간이 추구해야 할 목적으로 보았다. 이 관점은 오로지 최선의 결과를 가져오는 행위가 옳은 행위이며, 경험을 통하여 도덕을 얻을 수 있다고 생각하였다. 도덕은 '보다 많은 사람들에게 보다 많은 행복을 가져오는 행위'이다. 따라서 어떤 행위를 결정할 때는 미래에 있을 결과를 고려해야 한다. 이런 의미에서 목적론적 관점을 결과론이라고도 한다.

5 그러나 목적론적 관점도 한계가 있다. 똑같은 결과라도 사람마다 판단이 달라질 수 있기 때문이다. 위의 예에서 1번 철로를 선택하는 것이 목적론적 관점에서는 옳은 선택이지만 1번 철로에 있던 인부의 가족에게 물었을 경우 대답은 달라질 것이다. 이런 문제 때문에 목적론적 관점은 도덕 법칙에 대해 많은 예외를 ⓔ허용할 우려가 있다.

독해 체크

1. 이 글의 핵심어는?

의무론적 관점과 목적론적 관점에서의 □□□ 판단

2. 문단별 중심 내용은?

1 □□□□ □□□ 상황에서 옳고 그름을 판단하는 기준의 필요성

2 □□□을 따라야 한다는 의무론적 관점의 개념과 특징

3 □□□□ 관점의 한계

4 최선의 □□를 가져오는 것을 옳은 행위로 보는 목적론적 관점의 개념과 특징

5 □□□□ 관점의 한계

3. 이 글의 주제는?

도덕적 판단의 기준이 되는 의무론적 관점과 목적론적 관점의 특징과 □□

어휘 체크

○ **타당하고**: 일의 이치로 보아 옳고

○ **성립하지**: 일이나 관계 따위가 제대로 이루어지지

○ **쾌락**: 감성의 만족, 욕망의 충족에서 오는 유쾌하고 즐거운 감정

1 문맥상 ⓐ~ⓔ와 바꾸어 쓰기에 적절하지 <u>않은</u> 것은?

① ⓐ: 관계없이

② ⓑ: 일반적인

③ ⓒ: 가져오더라도

④ ⓓ: 어울릴

⑤ ⓔ: 인정할

2 윗글에 대한 설명으로 가장 적절한 것은?

① 대상에 대한 사회적 통념을 열거하여 비판하고 있다.

② 다른 대상과 비교하여 대상의 장점을 내세우고 있다.

③ 중심 대상의 개념을 밝히고 사례를 들어 설명하고 있다.

④ 서로 다른 관점을 절충적으로 통합하여 설명하고 있다.

⑤ 대상에 대한 문제점을 설명하고 이를 해결할 수 있는 방법을 제시하고 있다.

◑ **절충적**: 서로 다른 사물이나 의견, 관점 따위를 알맞게 조절하여 서로 잘 어울리게 하는 것

기출 문제

3 ㉠, ㉡에서 A 에게 할 수 있는 말로 적절하지 <u>않은</u> 것은?

① ㉠: '왜?'라는 질문에 답할 수 있게 행동하세요.

② ㉠: 누가 보더라도 옳다고 생각하는 기준에 따라 행동하세요.

③ ㉠: 나중에 일어날 일보다는 도덕을 지키려는 마음이 더 중요하지 않겠어요?

④ ㉡: 당신의 선택의 목적과 결과를 고려해 행동하세요.

⑤ ㉡: 당신뿐 아니라 다른 사람도 같이 기쁠 수 있게 행동하세요.

● 친구와 관련된 한자 성어

간담상조
(간肝 쓸개膽 서로相 비출照)

간과 쓸개를 내놓고 서로에게 내보인다는 뜻으로, 서로 속마음을 털어놓고 친하게 사귀는 것을 이르는 말

예 세상을 살아가는 데 있어 단 한 명이라도 간담상조할 수 있는 친구가 있다는 게 내게 얼마나 위안이 되는지 모른다.

경개여구
(기울傾 덮을蓋 같을如 옛舊)

처음 만나 잠깐 사귄 것이 마치 오랜 친구 사이처럼 친함을 이르는 말

예 스치듯 맺은 인연일 뿐인데, 경개여구하더라.

💬 경개여고(傾蓋如故)

관포지교
(피리管 절인 물고기鮑 갈之 사귈交)

관중과 포숙의 사귐이란 뜻으로, 우정이 아주 돈독한 친구 관계를 이르는 말

예 그는 나에게 있어서 관포지교만큼은 아니더라도 마음을 비춰 볼 수 있는 유일한 친구이다.

💬 **어려울 때 친구가 진짜 친구다:** 어렵고 힘든 일을 당했을 때 나를 위로해 주고 진심으로 격정해 주는 친구가 진정한 친구라는 의미임

낙월옥량
(떨어질落 달月 집屋 들보梁)

밤에 벗의 꿈을 꾸고 깨 보니 지는 달이 지붕을 비추고 있다는 뜻으로, 벗을 생각하는 마음이 간절함을 이르는 말

예 친구를 영영 못 만난다고 생각하니, 낙월옥량이 그지없다.

막역지우
(없을莫 거스를逆 갈之 벗友)

서로 거스름이 없는 친구라는 뜻으로, 허물이 없이 아주 친한 친구를 이르는 말

예 그와는 의견이 달라 말싸움도 많이 하였지만 나와 뜻이 맞는 유일한 막역지우였다.

백아절현
(맏伯 어금니牙 끊을絶 줄絃)

백아가 거문고 줄을 끊어 버렸다는 뜻으로, 자기를 알아주는 참다운 벗의 죽음을 슬퍼함을 이르는 말

예 나이가 들수록 친한 친구의 죽음을 경험할 때마다 백아절현의 슬픔과 절망감을 느낀다.

💬 **고산유수(高山流水):** 자기 마음속과 가치를 잘 알아주는 참다운 친구를 비유적으로 이르는 말

붕우책선
(벗朋 벗友 꾸짖을責 착할善)

벗끼리 서로 좋은 일을 하도록 권함

예 붕우책선을 하는 친구가 좋은 친구이다.

| 빈천지교
(가난할貧 천할賤 갈之
사귈交) | 가난하고 천할 때 사귄 사이. 또는 그런 벗
예 자고로 빈천지교는 내가 부귀하게 된 뒤에도 잊어서는 안 된다. | |

| 송무백열
(소나무松 우거질茂
나무 이름柏 기쁠悅) | 소나무가 무성하면 잣나무가 기뻐한다는 뜻으로, 벗이 잘되는 것을 기뻐함을 비유적으로 이르는 말
예 아버지께서는 오랜 벗의 꿈을 응원하며 송무백열을 기대하셨다. | 반 **사촌이 땅을 사면 배가 아프다**: 남이 잘되는 것을 기뻐해 주지는 않고 오히려 질투하고 시기하는 경우를 비유적으로 이르는 말 |

| 수어지교
(물水 물고기魚 갈之 사귈交) | 물이 없으면 살 수 없는 물고기와 물의 관계라는 뜻으로, 아주 친밀하여 떨어질 수 없는 사이를 비유적으로 이르는 말
예 유비와 제갈량은 수어지교를 맺은 사이이다. | 유 **문경지교(刎頸之交)**: 서로를 위해서라면 목이 잘린다 해도 후회하지 않을 정도의 사이라는 뜻으로, 생사를 같이할 수 있는 아주 가까운 사이를 이르는 말 |

| 죽마고우
(대竹 말馬 옛故 벗友) | 대말을 타고 놀던 벗이라는 뜻으로, 어릴 때부터 같이 놀며 자란 벗
예 죽마고우인 그 둘은 이제 식성까지 서로 닮아 간다. | 유 **십년지기(十年知己)**: 오래전부터 친히 사귀어 잘 아는 사람 |

| 지란지교
(지초芝 난초蘭 갈之 사귈交) | 지초(芝草)와 난초(蘭草)의 교제라는 뜻으로, 벗 사이의 맑고도 고귀한 사귐을 이르는 말
예 나는 그를 만나면서 지란지교를 꿈꾸게 되었다. | 유 **금란지계(金蘭之契)**: 친구 사이의 매우 두터운 정을 이르는 말 |

유래로 보는 한자 성어

백아절현(伯牙絶絃)

중국 춘추 시대. 백아(伯牙)는 거문고를 매우 잘 연주했고 그의 벗 종자기(鍾子期)는 백아의 연주를 즐겨 감상했다. 백아가 거문고를 탈 때 그 뜻이 높은 산에 있으면 종자기는 "훌륭하다. 우뚝 솟은 그 느낌이 태산 같구나."라고 했고, 그 뜻이 흐르는 물에 있으면 종자기는 "멋있다. 넘칠 듯이 흘러가는 그 느낌은 마치 강과 같군."이라고 했다. 이처럼 백아가 뜻하는 바를 종자기는 다 알아맞혔다.

종자기가 죽자, 백아는 더 이상 세상에 자기를 알아주는 사람[知音]이 없다고 말하며 거문고를 부수고 줄을 끊어 평생 연주를 하지 않았다. 이 이야기는 『열자(列子)』의 「탕문(湯問)」에 나오는데, 종자기가 죽은 후 백아가 거문고를 부수고 줄을 끊은 데서 '백아절현'이 유래했다. 그리고 여기에서 '서로 마음을 알아주는 막역한 친구'를 뜻하는 '지음(知音)'도 유래했다.

[01~06] 다음 뜻에 해당하는 한자 성어를 찾아 가로, 세로, 대각선으로 표시해 보자.

대	기	만	성	형	설	지	공	태
배	수	지	진	빈	왕	호	풍	평
청	출	어	람	천	고	마	비	성
반	탐	함	지	지	래	막	박	대
면	관	포	지	교	미	역	산	수
교	오	고	부	파	죽	지	세	리
사	리	복	진	유	붕	우	책	선
경	개	여	구	가	화	만	사	성
전	광	석	화	사	후	약	방	문

01 벗끼리 서로 좋은 일을 하도록 권함

02 관중과 포숙의 사귐이란 뜻으로, 우정이 아주 돈독한 친구 관계를 이르는 말

03 처음 만나 잠깐 사귄 것이 마치 오랜 친구 사이처럼 친함을 이르는 말

04 가난하고 천할 때 사귄 사이. 또는 그런 벗

05 서로 거스름이 없는 친구라는 뜻으로, 허물이 없이 아주 친한 친구를 이르는 말

06 물이 없으면 살 수 없는 물고기와 물의 관계라는 뜻으로, 아주 친밀하여 떨어질 수 없는 사이를 비유적으로 이르는 말

● 정답과 해설 20쪽

[07~11] 다음 한자 성어의 뜻을 찾아 바르게 연결해 보자.

07 송무백열(松茂柏悅) •

• ㉠ 지초와 난초의 교제라는 뜻으로, 벗 사이의 맑고도 고귀한 사귐을 이르는 말

08 간담상조(肝膽相照) •

• ㉡ 소나무가 무성하면 잣나무가 기뻐한다는 뜻으로, 벗이 잘되는 것을 기뻐함을 이르는 말

09 낙월옥량(落月屋梁) •

• ㉢ 백아가 거문고 줄을 끊어 버렸다는 뜻으로, 자기를 알아주는 참다운 벗의 죽음을 슬퍼함을 이르는 말

10 백아절현(伯牙絕絃) •

• ㉣ 간과 쓸개를 서로에게 내보인다는 뜻으로, 서로 속마음을 털어놓고 친하게 사귀는 것을 이르는 말

11 지란지교(芝蘭之交) •

• ㉤ 벗의 꿈을 꾸고 깨 보니 지는 달이 지붕을 비춘다는 뜻으로, 벗을 생각하는 마음이 간절함을 이르는 말

12 다음 문자 메시지 대화를 읽고, 빈칸에 알맞은 한자 성어를 써 보자.

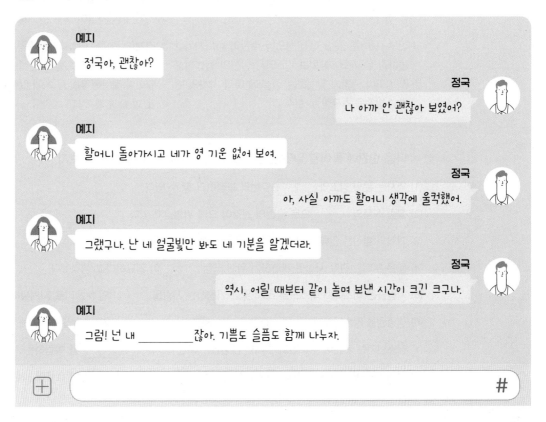

예지
정국아, 괜찮아?

정국
나 아까 안 괜찮아 보였어?

예지
할머니 돌아가시고 네가 영 기운 없어 보여.

정국
아, 사실 아까도 할머니 생각에 울컥했어.

예지
그랬구나. 난 네 얼굴빛만 봐도 네 기분을 알겠더라.

정국
역시, 어릴 때부터 같이 놀며 보낸 시간이 크긴 크구나.

예지
그럼! 넌 내 _____잖아. 기쁨도 슬픔도 함께 나누자.

#

01 인문 주제어_사상

1단계 문맥으로 어휘 확인하기

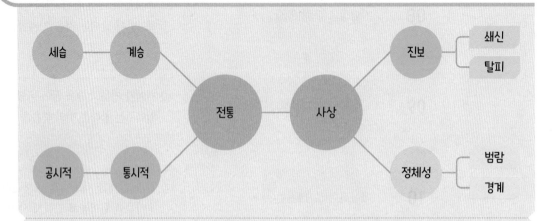

계승(이을繼 받들承) ① 조상의 전통이나 문화유산, 업적 따위를 물려받아 이어 나감 ❸ 수계, 전승 ❹ 단절 ② 선임자의 뒤를 이어받음 ❸ 승계

세습(세대世 엄습할襲) 한집안의 재산이나 신분, 직업 따위를 대대로 물려주고 물려받음

통시적(통할通 때時 과녁的) 시간의 경과에 따라 나타나는 사물의 변화와 관련되는 것

공시적(함께共 때時 과녁的) 어떤 특정 시기에 일어나는 것

진보(나아갈進 걸음步) ① 정도나 수준이 나아지거나 높아짐 ❸ 개화 ❹ 퇴보 ② 역사 발전의 합법칙성(법령이나 규범에 일치하는 성질)에 따라 사회의 변화나 발전을 추구함 ❹ 보수

쇄신(쓸刷 새로울新) 그릇된 것이나 묵은 것을 버리고 새롭게 함 ❸ 유신, 혁신, 개혁, 갱신

탈피(벗을脫 가죽皮) ① 껍질이나 가죽을 벗김 ② 낡은 습관이나 양식, 사고방식에서 벗어나서 새로운 방향으로 나감

정체성(바를正 몸體 성품性) 어떤 존재가 본질적으로 가지고 있는 특성. 또는 그 특성을 가진 독립적 존재

범람(넘칠氾 넘칠濫) ① 큰물이 흘러넘침 ② 바람직하지 못한 것들이 마구 쏟아져 돌아다님

경계(경계할警 경계할戒) ① 뜻밖의 사고가 생기지 않도록 조심하여 단속함 ❸ 단속, 감시 ② 옳지 않은 일이나 잘못된 일들을 하지 않도록 타일러서 주의하게 함 ❸ 훈계, 경고

● **다음 빈칸에 들어갈 알맞은 단어를 위에서 찾아 문맥에 맞게 써 보자.**

(1) 역사는 문화 창조와 ☐☐·발전의 과정이라 할 수 있다.

(2) 불량 식품의 ☐☐으로 국민의 건강이 크게 위협받고 있다.

(3) 과학의 발전은 인류 문명의 비약적 ☐☐에 큰 영향을 끼쳤다.

(4) 왕은 부패한 관료 사회를 개혁하기 위해 국정 ☐☐이 필요하다고 생각했다.

(5) 사람들은 버스에서 마스크를 쓰지 않고 기침하는 사람을 ☐☐의 눈초리로 지켜봤다.

(6) 경영권을 자손들에게 ☐☐해야 한다는 사고방식에서 ☐☐해야 기업이 건강해진다.

(7) 청소년기는 자신이 누구인지에 대한 끊임없는 고민을 거쳐 ☐☐☐을 확립하는 시기이다.

(8) 언어 연구에는 특정 시기의 언어를 살펴보는 ☐☐☐ 연구와 시간의 흐름에 따른 언어의 변화를 살펴보는 ☐☐☐ 연구가 있다.

2단계 문제로 어휘 익히기

1 다음 단어의 의미를 찾아 바르게 연결해 보자.

(1) 계승 •

(2) 세습 •

(3) 정체성 •

• ㉠ 어떤 존재가 본질적으로 가지고 있는 특성

• ㉡ 조상의 전통이나 문화유산, 업적 따위를 물려받아 이어 나감

• ㉢ 한집안의 재산이나 신분, 직업 따위를 대대로 물려주고 물려받음

2 다음 문장에 들어갈 알맞은 단어를 〈보기〉에서 찾아 써 보자.

보기

경계   범람   쇄신   진보   탈피

(1) 우리나라는 개발 도상국에서 (   )하여 선진국 대열로 들어섰다.

(2) 개혁을 위해서는 간부들의 세대교체와 지도력의 (   )이/가 필요하다.

(3) 겨울철에는 특히 교통사고 예방을 위한 (   )을/를 게을리해서는 안 된다.

(4) 언어는 그 의사 전달 기능이나 문화 저장의 수단으로써 인류의 (   )에 결정적인 역할을 수행해 왔다.

3 다음 문장의 괄호 안에 들어갈 알맞은 단어를 골라 보자.

(1) 외래문화가 (범람 / 유람)하자 민족 문화의 정체성 회복을 강조하는 분위기가 확산되고 있다.

(2) 어떤 시기를 종적으로 바라보는 것, 즉 시간의 경과에 따라 나타나는 사물의 변화와 관련되는 것을 (공시적 / 통시적)이라고 한다.

4 다음 빈칸에 들어갈 가장 적절한 단어를 찾아보자.

그 나라에서 발생하여 과거로부터 현재까지 전해 내려오는 그 나라 고유한 문화를 전통문화라고 한다. 전통문화는 오랜 세월을 걸쳐 이어져 내려와 우리의 고유한 가치로 인정받은 것으로, 민족의 과거와 현재 그리고 미래를 연결하는 역할을 한다. 또한 우리 민족과 국가의 대외적인 이미지를 높이는 데 도움이 될 수 있고, 전통문화를 바탕으로 문화 콘텐츠를 만들어 국가 경제를 발전시킬 수도 있다. 따라서 전통문화를 _____하고 창조적으로 발전시켜 나가는 일은 매우 중요하다.

① 답습   ② 쇄신   ③ 인습   ④ 세습   ⑤ 계승

02 인문 주제어_역사

1단계 문맥으로 어휘 확인하기

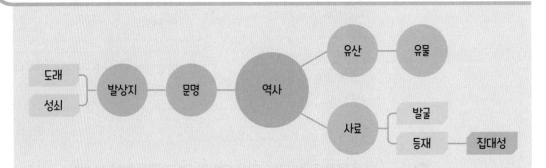

문명(글월文 밝을明) 사회의 여러 가지 물질적, 기술적인 측면의 발전에 의해 이루어진 결과물. 또는 그렇게 하여 인간 생활이 발전된 상태 ⊕ 문화, 문물, 물질문명, 물질문화 ⊕ 야만, 미개 ⊕ 문명의 이기: 현대 기술 문명에 의하여 만들어진 편리한 생활 수단이나 기구

발상지(필發 상서로울祥 땅地) 역사적으로 큰 가치가 있는 어떤 일이나 사물이 처음 나타난 곳 ⊕ 발원지

도래(다다를到 올來) 어떤 시기나 기회가 닥쳐옴

성쇠(성할盛 쇠할衰) 성하고 쇠퇴함 ⊕ 흥체, 흥망

유산(남길遺 낳을産) ① 죽은 사람이 남겨 놓은 재산 ② 앞 세대가 물려준 사물 또는 문화 ③ 상속에 의하여 상속인이 피상속인으로부터 물려받는 재산

유물(남길遺 만물物) ① 앞선 세대의 인류가 후세에 남긴 물건 ② 죽은 사람이 남긴 물건 ⊕ 유품 ③ 후세에 남아 있는 과거의 쓸모없는 제도나 생활 양식 등을 비유적으로 이르는 말

사료(역사史 되질할料) 역사 연구에 필요한 문헌이나 유물. 문서, 기록, 건축, 조각 따위를 이름

발굴(필發 팔掘) ① 땅속이나 큰 덩치의 흙, 돌 더미 따위에 묻혀 있는 것을 찾아서 파냄 ② 세상에 널리 알려지지 않거나 뛰어난 것을 찾아 밝혀냄

등재(오를登 실을載) ① 일정한 사항을 장부나 대장에 올림 ② 서적이나 잡지 따위에 실음

집대성(모을集 큰大 이룰成) 여러 가지를 모아 하나의 체계를 이루어 완성함

● **다음 빈칸에 들어갈 알맞은 단어를 위에서 찾아 문맥에 맞게 써 보자.**

(1) 성리학은 남송의 주희에 의해 ☐☐☐되었다.

(2) 이념적 대립의 시대가 가고 화합의 시대가 ☐☐하였다.

(3) 그 작가는 주로 실록과 같은 ☐☐에 근거한 역사 소설을 쓴다.

(4) 우리나라의 수려한 자연 경관은 조상 대대로 물려받은 값진 ☐☐이다.

(5) 유적 발굴대는 활발한 활동을 통해 다수의 백제 초기 ☐☐을 ☐☐하였다.

(6) 사회 속에 사는 개인들은 덧없는 생사를 겪지만, 사회 자체는 ☐☐를 반복하며 죽지 않는 생명체로 이어져 나간다.

(7) 세계 문화유산으로 ☐☐ 신청을 하려면 한 나라에 머물지 않는, 인류 전체를 위하여 보호해야 할 보편적 가치가 있는 것이어야 한다.

(8) 인류의 ☐☐은 큰 강 유역에서 발달하였는데, '황하, 인더스강, 나일강, 티그리스·유프라테스강' 유역이 인류의 4대 문명의 ☐☐☐이다.

2단계 문제로 어휘 익히기

1 다음 단어에 대한 설명이 맞으면 ○, 틀리면 × 표시를 해 보자.

(1) 여러 가지를 모아 하나의 체계를 이루어 완성하는 것을 '집대성'이라고 한다. (○, ×)

(2) 역사적으로 큰 가치가 있는 어떤 일이나 사물이 처음 나타난 곳을 '발상지'라고 한다.
(○, ×)

(3) 사회의 여러 가지 물질적, 기술적인 측면의 발전에 의해 이루어진 결과물을 '유물'이라고 한다. (○, ×)

2 다음 문장에 들어갈 알맞은 단어를 〈보기〉에서 찾아 써 보자.

보기

| 도래 | 등재 | 문명 | 발굴 | 집대성 |

(1) 이곳에서 고려청자 가마터가 (　　　　)되었다.

(2) 서구 문물의 (　　　　)은/는 우리의 생활 습관을 크게 바꾸어 놓았다.

(3) 자동차라는 (　　　　)의 이기가 항상 인류를 편하게만 하는 것은 아니다.

(4) 초기에 발간된 족보에는 외손들까지도 빠짐없이 수록하여 특정 조상의 모든 자손을
(　　　　)하였다고 한다.

3 다음 문장의 괄호 안에 들어갈 알맞은 단어를 골라 보자.

(1) 학문은 문화의 (쇠잔 / 성쇠)을/를 좌우하는 매우 중요한 요인이 된다.

(2) 빗살무늬 토기는 신석기 시대를 특징짓는 대표적인 (유물 / 유형)이다.

(3) 일본은 자신들의 문화적 우위를 앞세우기 위해 고대사 연구에 관한 (사초 / 사료)를
속이기까지 하였다.

4 다음 빈칸에 공통적으로 들어갈 가장 적절한 단어를 찾아보자.

┌───┐
│ ㉠ 그들의 그림은 훌륭한 민족 문화의 _____으로 남았다.
│ ㉡ 정신적인 _____은 보이지 않는 여러 경로를 통해 전승된다.
│ ㉢ 우리 국토의 곳곳에는 선조들의 귀중한 _____이 고스란히 남아 있다.
└───┘

① 상속　　② 문명　　③ 세습　　④ 유산　　⑤ 정체성

독해로 어휘 다지기

[1~3] 다음 글을 읽고 물음에 답하시오.　2011학년도 9월 고1 전국연합

1 신화는 본래 국가라는 체제를 갖추지 않은 사회에서 발생하여 발달해 왔다. 신화에서는 신과 인간 그리고 동물 사이에 뛰어넘을 수 없는 벽은 없었다. 신과 동물은 인간처럼 행동했고, 인간의 말을 사용했으며, 그들은 서로 결혼할 수도 있었다. 즉 신화에는 세계를 구성하는 존재들 사이에 '대칭'적인 관계가 구축되어 있었다. 따라서 이러한 신화를 지닌 사회에서는 인간이 동물에 비해 일방적인 우위에 있거나, 절대적 권력 같은 것이 인간에게 강압적으로 힘을 휘두르거나 하는 일은 일어나지 않았다.

2 신화를 가지고 있는 대칭성 사회에서 인간은 '문화'를 가지고 살아가며 동물은 '자연' 상태 그대로 살아가는 것으로 생각되었다. '문화' 덕택에 인간은 욕망을 억누르고 절제된 행동을 하며, 사회의 합리적인 운행을 위한 규칙을 지키면서 살 수 있었다. 하지만 그렇다고 해서 '문화'가 '자연'의 우위에 있다고 생각하지 않았다. 인간은 동물이 '자연' 상태 그대로 살고 있어서, 그 덕분에 인간이 쉽게 접할 수도, 손에 넣을 수도 없는 '자연의 힘'의 비밀을 쥐고 있다고 생각했다. 즉 이 세계의 진정한 권력을 쥐고 있는 것은 오히려 동물이라 생각했던 것이다. 왜냐하면 인간은 생존을 위해서 동물과 더불어 살아야 했고, 자연에서 생존하는 그들의 삶을 배워야 했기 때문이다. 그래서 인간은 신화나 제의를 통해서 동물과의 유대 관계를 회복·유지하면서 '자연의 힘'의 비밀에 접근하고자 했다. 또한 이런 대칭성의 관계가 깨어지는 것을 ㉠경계하기 위해 신화를 이용하기도 했다.

3 그런데 국가가 형성되면서 대칭성의 관계가 깨지고 만다. 국가라는 체제 속에서 살게 된 인간은 자신들이 가진 '문화'를 과시하면서 동시에 원래는 동물의 소유였던 '자연의 힘'의 비밀마저도 자신의 수중에 넣으려고 했다. '자연'과 대칭적인 관계에서 가치를 지니던 '문화'는 이제 균형을 ㉡상실한 '문명'으로 변하고 말았다. 그러면서 '문명'과 '야만'을 차별적으로 인식하게 되었다. 인간은 상대가 동물이든 인간이든, 그 상대에 대해 야만스럽다고 비난하기도 하고, 그에 비해 자신들이 문명적이라며 우쭐대기도 한다. '비대칭'과 '차별'이 인류의 '문명'을 가져왔다고 여기면서, 신화로부터 ㉢탈피하는 것이 진보라는 식으로 떠들어대다가 결국 동물에 대한 인간의 지배를 자연의 ㉣섭리인 것처럼 생각하게 되었다. 이런 비대칭성 사회는 '문명'과 '야만'이라는 이분법적 사고로 차별을 정당화하며, 권력이나 부의 불균형을 가져왔다.

4 현대 사회가 가져온 여러 문제들에 직면한 오늘날, 신화적 사고는 이런 비대칭적 사고에서 벗어나 새로운 사고로의 인식 전환을 위한 계기를 마련해 준다. 인간과 인간, 인간과 동물이 더 이상 힘의 우위를 따지면서 경쟁 관계에 있는 것이 아니라, 서로의 존재로 인하여 더욱 조화로운 삶과 사회를 만들 수 있는 대칭적인 관계가 되어야 함을 ㉤역설하는 것이다.

독해 체크

1. 이 글의 핵심어는?
☐☐☐

2. 문단별 중심 내용은?
1 인간과 동물이 ☐☐☐인 관계에 있었던 신화를 지닌 사회
2 신화를 가지고 있는 대칭성 사회에서 유대 관계를 유지했던 인간과 ☐☐
3 ☐☐의 형성으로 대칭성이 깨지며 등장한 비대칭성 사회
4 조화로운 삶과 사회를 만들기 위해 필요한 ☐☐ ☐☐☐☐

3. 이 글의 주제는?
대칭성 사회와 ☐☐☐ ☐☐☐의 특징 및 신화적 사고로의 인식 전환이 필요한 이유

어휘 체크

🔑 **구축되어:** 체제, 체계 따위의 기초가 닦아 세워져
🔑 **우위:** 남보다 나은 위치나 수준
🔑 **제의:** 제사의 의식
🔑 **유대:** 끈과 띠라는 뜻으로, 둘 이상을 서로 연결하거나 결합하게 하는 것. 또는 그런 관계
🔑 **과시하면서:** 자랑하여 보이면서
🔑 **이분법적 사고:** 여러 가지 가능성이 있음에도 불구하고 두 가지의 가능성에 한정하여 사고하는 오류

● 정답과 해설 21쪽

1 문맥상 ㉠~㉤과 바꾸어 쓴 것으로 가장 적절한 것은?

① ㉠: 알아보기

② ㉡: 달리한

③ ㉢: 다가가는

④ ㉣: 이치인

⑤ ㉤: 반대로 말하는

2 윗글을 통해 알 수 있는 내용으로 적절하지 <u>않은</u> 것은?

① 신화를 지닌 사회에서는 신과 인간, 동물이 대칭적 관계에 있었다.

② 비대칭성 사회에서 인간은 신화에서 벗어나는 것을 진보라고 여겼다.

③ 대칭성 사회에서 인간은 자신의 욕망을 억누르고 절제된 행동을 하였다.

④ 비대칭성 사회에서 인간은 문명을 야만의 우위에 있는 것으로 인식하였다.

⑤ 대칭성 사회에서 인간은 자연의 힘을 지닌 동물의 권력을 가지려고 하였다.

기출 문제

3 윗글을 바탕으로 〈보기〉를 이해한다고 할 때, 적절한 것은?

> ─ 보기 ─
>
> 환인의 아들 환웅이 세상에 관심을 가져 땅으로 내려왔다. 이때 곰과 호랑이가 사람이 되고 싶어 하자 환웅은 쑥과 마늘을 주고, 햇빛을 보지 않으면 사람이 될 수 있다고 하였다. 곰은 금기를 지켜 여자가 되고, 환웅과 결혼하여 아들을 낳았다.

① 곰과 호랑이의 대립을 통해 동물 간의 비대칭적 구조를 보여 주는군.

② 곰이 금기를 지켜 인간이 됨으로써 자연에서 진정한 권력을 획득하게 되는군.

③ 곰과의 결혼은 세계를 구성하는 존재들 사이의 대칭적 관계를 보여 주는 것이군.

④ 환인은 신이라는 점에서 인간과 동물의 위에 존재하는 초월적 권력을 지닌 인물이군.

⑤ 환웅과 곰 사이에서 아들이 태어난 것은 대칭성 사회에서 비대칭성 사회로 이행하는 과정의 혼란을 보여 준 것이군.

❥ **초월적**: 어떠한 한계나 표준, 이해나 자연 따위를 뛰어넘거나 경험과 인식의 범위를 벗어나는 것

01 사회 주제어 _ 사회 문화

일차

1단계 문맥으로 어휘 확인하기

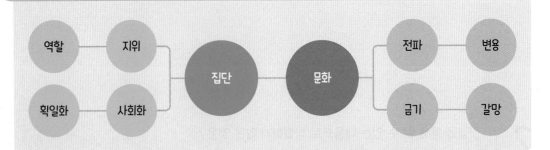

집단(모을集 둥글團) 여럿이 모여 이룬 모임 ⊕ 군집, 군락 ⊖ 개인

지위(땅地 자리位) ① 개인의 사회적 신분에 따르는 위치나 자리 ② 어떤 사물이 차지하는 자리나 위치 ❀ 지위가 높을수록 마음은 낮추어 먹어야: 높은 자리에 앉게 될수록 겸손해야 한다는 말

역할(부릴役 나눌割) 자기가 마땅히 하여야 할 맡은 바 직책이나 임무

사회화(모일社 모일會 될化) ① 인간의 상호 작용 과정 ② 인간이 사회의 한 구성원으로 생활하도록 기성 세대(현재 사회를 이끌어 가는 나이가 든 세대)의 양식이나 사상을 자기 것으로 받아들임. 또는 그런 일

획일화(새길劃 하나─ 될化) 모두가 한결같아서 다름이 없게 됨. 또는 모두가 한결같아서 다름이 없게 함

문화(글월文 될化) 자연 상태에서 벗어나 일정한 목적 또는 생활 이상을 실현하고자 사회 구성원에 의하여 습득, 공유, 전달되는 행동 양식이나 생활 양식의 과정 및 그 과정에서 이룩하여 낸 물질적·정신적 소득을 통틀어 이르는 말. 의식주를 비롯하여 언어, 풍습, 종교, 학문, 예술, 제도 따위를 모두 포함함

전파(전할傳 뿌릴播) ① 전하여 널리 퍼뜨림 ⊕ 보급 ② 파동이 매질 속을 퍼져 가는 일

변용(변할變 얼굴容) 사물의 모습이나 형태가 바뀜. 또는 그 바뀐 모습이나 형태 ⊕ 변모, 변형

금기(금할禁 꺼릴忌) ① 마음에 꺼려서 하지 않거나 피함 ⊕ 터부 ② 어떤 약이나 치료법이 특정 환자에게 나쁜 영향이 있는 경우에 그 사용을 금지하는 일

갈망(목마를渴 바랄望) 간절히 바람 ⊕ 갈구, 열망

● **다음 빈칸에 들어갈 알맞은 단어를 위에서 찾아 문맥에 맞게 써 보자.**

(1) 개미나 벌과 같은 곤충은 [ ][ ]을 이루고 산다.

(2) 교육은 개인을 [ ][ ][ ]하는 중요한 기능을 한다.

(3) 그 시인은 억압된 사회에서 자유에 대한 [ ][ ]을 노래하였다.

(4) 집에서는 돌아가신 어머니에 대해 언급하는 것을 [ ][ ]로 여기고 있다.

(5) 조미료를 지나치게 사용하다 보면 모든 음식 맛이 [ ][ ][ ]되는 문제가 생길 수 있다.

(6) 중세 시대에 교황은 로마 교회의 최고 [ ][ ]에 있는 성직자로서 당시 유럽인들의 정신적 지주 [ ][ ]을 하였다.

(7) 한글과 같은 우리의 우수한 [ ][ ]가 세계로 [ ][ ]되어 한글을 배우려는 외국인들이 매년 늘어나고 있는 추세이다.

(8) 문화 [ ][ ]은 둘 이상의 서로 다른 문화가 접촉하였을 때, 한쪽 또는 양쪽의 문화 형태에 변화가 일어나는 현상을 말한다.

2단계 문제로 어휘 익히기

1 다음 단어에 대한 설명이 맞으면 ○, 틀리면 × 표시를 해 보자.

(1) '획일화'는 모두가 한결같아서 다름이 없게 되는 것을 의미한다. (○, ×)

(2) '문화'는 인간이 사회의 한 구성원으로 생활하도록 기성세대의 사상을 자기 것으로 받아들이는 것을 의미한다. (○, ×)

(3) '변용'은 사물의 모습이나 형태가 바뀜. 또는 그 바뀐 모습이나 형태를 의미하며, '변모' 또는 '변형'과 바꿔 쓸 수 있다. (○, ×)

2 다음 문장에 들어갈 알맞은 단어를 〈보기〉에서 찾아 써 보자.

┌─────── 보기 ───────┐

금기   문화   사회화   획일화

└────────────────────┘

(1) 유아기의 (   ) 과정은 아동의 성격을 형성하는 데 중요한 영향을 미친다.

(2) 인간에게만 있는 생각과 행동 방식 중 사회 구성원들로부터 배우고 전달받은 모든 것들을 (   )라고 한다.

(3) 케이크는 설탕, 버터 등이 많이 들어 있어 열량이 높기 때문에 체중을 줄이려는 사람들에게 (   ) 음식이다.

3 다음 문장의 괄호 안에 들어갈 알맞은 단어를 골라 보자.

(1) 아내는 그 회사에서 경리뿐만 아니라 비서의 (역할 / 지위)까지 수행하고 있다.

(2) 다른 나라에서 우리나라 사람들이 (개인 / 집단)으로 사는 곳을 한인촌이라고 한다.

(3) 몇 달 동안의 배낭여행은 나에게 미지의 세상을 향한 (갈등 / 갈망)을 충족시켜 주었다.

4 다음 빈칸에 공통적으로 들어갈 가장 적절한 단어를 찾아보자.

┌───┐

　　2011년, 한국문화재재단은 백제 사비성터의 유적 발굴 조사에서 한 목간(木簡)을 발견했다. 목간이란 종이가 없던 시대에 사용된 글을 적은 나뭇조각을 말하는데, 전문가들이 정밀하게 판독한 결과 목간 한 점에 적힌 숫자 기록이 구구단임을 확인했다. 그리고 이 목간이 이전에 중국과 일본에서 발견된 것과는 달리 매우 체계적이면서도 실용적인 방식으로 기록되었다는 의견을 제시했다. 이에 대한 근거로 구구단을 그냥 적은 것이 아니라, 2단부터 9단까지 각 단 사이에 가로 선을 그어 구분을 명확히 하고 있는 점을 들었다. 따라서 이번 목간의 발견으로 구구단이 중국에서 곧바로 일본에 _____되어 영향을 주었다고 보는 주장이 신빙성을 잃게 되었다. 즉 이 목간은 그보다 시기가 앞서는, 백제의 구구단이 그대로 일본에 _____되었을 가능성을 입증하는 자료인 셈이다.

└───┘

① 변모　　　② 변용　　　③ 금기　　　④ 전파　　　⑤ 이동

02 사회 주제어_사회 일반

1단계 문맥으로 어휘 확인하기

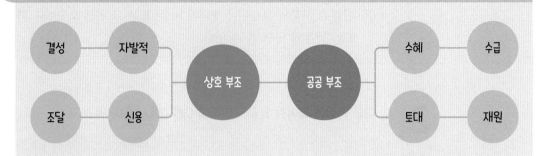

상호 부조(서로相 서로互 도울扶 도울助) 공동생활에서 개인들끼리 서로 돕는 일. 사회 진화의 근본적 동력이 됨

자발적(스스로自 필發 과녁的) 남이 시키거나 요청하지 아니하여도 자기 스스로 나아가 행하는 것 ⑲ 수동적, 피동적

결성(맺을結 이룰成) 조직이나 단체 따위를 짜서 만듦

신용(믿을信 쓸用) ① 사람이나 사물이 틀림없다고 믿어 의심하지 아니함. 또는 그런 믿음성의 정도 ② 거래한 재화의 대가를 앞으로 치를 수 있음을 보이는 능력. 외상값, 빚 따위를 감당할 수 있는 지급 능력으로 소유 재산의 화폐적 기능을 이름

조달(고를調 통할達) 자금이나 물자 따위를 대어 줌 ㉤ 변통, 공급

공공 부조(공변될公 함께共 도울扶 도울助) 국가나 지방 공공 단체가 생활 능력이 없는 사람에게 최저 한도의 생활 수준을 보장하기 위하여 보호 또는 원조를 행하는 일. 현대 선진 국가에서는 사회 보험 제도와 함께 사회 보장의 일환으로 이 사업을 활발히 진행하고 있음 ㉤ 공적 부조, 국가 부조, 사회 부조 ㉰ 사회 보장

수혜(받을受 은혜惠) 은혜를 입음. 또는 혜택을 받음

수급(받을受 줄給) 급여나 연금, 배급 등을 받음

토대(흙土 돈대臺) 어떤 사물이나 사업의 밑바탕이 되는 기초와 밑천을 비유적으로 이르는 말 ㉤ 기초, 기반, 밑바탕

재원(재물財 근원源) 재화(사람이 바라는 바를 충족시켜 주는 모든 물건)나 자금이 나올 원천 ㉤ 재본

● **다음 빈칸에 들어갈 알맞은 단어를 위에서 찾아 문맥에 맞게 써 보자.**

(1) 그녀는 이번 학기에 장학금 ☐☐ 대상자로 선정되었다.

(2) 우리 조는 시장 조사 결과를 ☐☐로 보고문을 작성하였다.

(3) 그가 뒷돈을 받은 일이 들통나 거래 회사에 ☐☐을 잃게 되었다.

(4) 그 회사는 현재 자금의 ☐☐이 원활하지 못해 부도 위기에 처해 있다.

(5) 전국 각지의 시민들은 환경 보호를 위한 환경 운동 단체를 ☐☐하였다.

(6) 학생들이 ☐☐☐으로 독서 모임을 만들어 책을 읽고 서로 느낀 점을 공유했다.

(7) 기초 생활 ☐☐ 대상자인 옆집 할머니는 병든 남편과 함께 근근이 생활하고 있다.

(8) 국가는 일반적으로 국민으로부터 세금을 거두어 국가 재정의 바탕이 되는 ☐☐을 마련한다.

(9) ☐☐☐☐ 사업은 극빈자나 각종 재해로 생긴 이재민을 구제하기 위해 벌이는 사업을 말한다.

(10) 전통 사회에서 계는 경제적인 도움을 주고받거나 친목을 도모하기 위해 만든 ☐☐☐☐의 일종이다.

2단계 문제로 어휘 익히기

1 다음 단어의 의미를 찾아 바르게 연결해 보자.

(1) 조달 •

(2) 공공 부조 •

(3) 상호 부조 •

• ㉠ 자금이나 물자 따위를 대어 줌

• ㉡ 공동생활에서 개인들끼리 서로 돕는 일

• ㉢ 국가나 지방 공공 단체가 생활 능력이 없는 사람에게 최저 한도의 생활 수준을 보장하기 위하여 보호 또는 원조를 행하는 일

2 제시된 뜻과 예문을 참고하여 다음 초성에 해당하는 단어를 빈칸에 써 보자.

(1) ㅅㄱ : 급여나 연금, 배급 등을 받음

예 일할 능력이 있는 기초 생활 수급자들은 일을 통해 (   )에서 벗어날 수 있도록 해야 한다.

(2) ㄱㅅ : 조직이나 단체 따위를 짜서 만듦

예 심장병 어린이를 돕기 위한 후원회가 (   )되었다.

(3) ㅅㅇ : 사람이나 사물이 틀림없다고 믿어 의심하지 아니함. 또는 그런 믿음성의 정도

예 장사는 이익을 남기는 일이지만 무엇보다 (   )이 생명이다.

3 다음 문장의 괄호 안에 들어갈 알맞은 단어를 골라 보자.

(1) 사회 보장 제도가 발달된 나라일수록 무료로 치료를 받을 수 있는 (수급 / 수혜)의 범위가 넓다.

(2) 우리나라가 전쟁에서 열세라는 소식을 들은 청년들은 (자발적 / 수동적)으로 의용군에 참여하였다.

(3) 이 연구 단지를 건설하는 데 필요한 (기원 / 재원)은 입주할 각 기업체로부터 지원받아 채우기로 하였다.

4 다음 빈칸에 들어가기에 적절하지 <u>않은</u> 단어를 찾아보자.

이제 어엿한 건설 회사의 최고 경영자가 된 그는 직접 현장으로 뛰어들어 쌓은 경험이 성공의 _____이/가 되었다고 하였다.

① 기반　　② 기초　　③ 재원　　④ 토대　　⑤ 밑바탕

독해로 어휘 다지기

2012학년도 11월 고2 전국연합

[1~3] 다음 글을 읽고 물음에 답하시오.

1 사회 복지 제도는 그 기능과 ㉠역할을 달리하여 다양한 방식으로 운영되고 있는데, 일반적으로 급여 전달 형식에 따라 공공 부조, 사회 보험, 사회 수당, 사회 서비스로 구분된다.

2 이 중, 공공 부조와 사회 보험은 이미 널리 알려진 제도이다. 공공 부조는 국민 혹은 시민의 기초 생활을 ˚보장하기 위하여 국가가 최저 ˚생계가 불가능한 사람들을 대상으로 생계비, 생필품 혹은 기본 서비스를 제공하는 것을 가리킨다. 이때 공공 부조의 ㉡재원은 일반 ˚조세를 통해 마련되며, 수급자는 ㉢수혜받은 것에 ˚상응하는 의무를 지지 않는다. 그런데 공공 부조의 경우 국가가 ㉣수급 대상자를 선별하기 위해 대상자의 소득이나 자산을 조사하는 과정에서 수급자의 자존감을 떨어뜨려 이들에게 사회적 소외감을 안겨 줄 가능성이 있다. 이와 달리 사회 보험은 기본적으로 수급자의 ˚기여를 토대로 이루어지는 복지 제도라고 할 수 있다. 현재 대부분의 복지 국가는 미래의 불확실성과 불안정성에 대비해서 일정한 소득과 재산이 있는 시민들과 관련 기업에 보험금을 납부하도록 강제하는 법의 제정을 통해 사회 보험 제도를 시행하고 있다.

3 사회 수당은 재산이나 소득, 그리고 보험료 지불 여부와 관계없이 일정한 사회적 범주에 해당하는 사람에게 무료로 급여를 제공하는 제도로, 사회의 ˚총체적 위협 요인을 사전에 예방하거나 시민 전체의 삶의 질을 높이기 위한 목적으로 운영된다. 선진 복지 국가의 노인 수당(old age benefits)과 같이 국가나 자치 단체는 법률이 정한 대로 일정한 나이를 넘어선 사람들에게 그가 처해 있는 재산이나 ㉤지위와 상관없이 ˚소정의 급여를 지급하는 것이 대표적인 경우라고 할 수 있다. 이럴 경우 수당을 받는 사람들은 자기 자신을 수혜의 대상으로 간주하기보다는 권리의 주체로 인식할 가능성이 높다.

4 한편 사회 서비스는 급여의 지급이 현금이 아니라 '돌봄'의 가치를 가진 특정한 서비스를 통해 이루어지는 제도이다. 사회 서비스에는 국가가 서비스 기관을 운영하면서 직접 서비스를 제공하는 방식도 있지만, 서비스를 받을 수 있는 증서를 제공함으로써 수혜자가 공적 기관뿐만 아니라 민간단체가 운영하는 사적 기관의 서비스를 자신의 선호도에 따라 선택할 수 있게 하는 방식도 있다. 최근 들어서 많은 나라들은 서비스 증서를 제공하는, 일명 바우처(voucher) 제도를 도입하여 후자 방식을 강화하는 경향을 보이고 있다. 이와 같이 사회 서비스는 소득의 재분배보다는 시민들의 삶의 질을 향상시키는 것에 기여하는 제도라고 할 수 있다.

독해 체크

1. 이 글의 핵심어는?

□□□□□, 사회 보험, 사회 수당, 사회 서비스

2. 문단별 중심 내용은?

1 □□ □□ 전달 형식에 따른 사회 복지 제도의 종류

2 공공 부조와 □□ □□의 개념 및 운영 방식

3 □□ □□의 개념 및 운영 방식

4 □□ □□□의 개념 및 운영 방식

3. 이 글의 주제는?

□□ □□ □□ 제도의 종류별 개념 및 운영 방식

어휘 체크

☞ **보장하기:** 어떤 일이 어려움 없이 이루어지도록 조건을 마련하여 보증하거나 보호하기

☞ **생계:** 현재 살림을 살아가고 있는 형편

☞ **조세:** 국가 또는 지방 공공 단체가 필요한 경비로 사용하기 위하여 국민이나 주민으로부터 강제로 거두어들이는 금전

☞ **상응하는:** 서로 응하거나 어울리는

☞ **기여:** 도움이 되도록 이바지함

☞ **총체적:** 있는 것들을 모두 하나로 합치거나 묶은

☞ **소정:** 정해진 바

● 정답과 해설 22쪽

1 ㉠~㉤의 사전적 의미로 적절하지 <u>않은</u> 것은?

① ㉠: 자기가 마땅히 하여야 할 맡은 바 직책이나 임무

② ㉡: 재화나 자금이 나올 원천

③ ㉢: 혜택을 받음

④ ㉣: 돈이나 물품 따위를 줌

⑤ ㉤: 개인의 사회적 신분에 따르는 위치나 자리

2 윗글을 이해한 내용으로 가장 적절한 것은?

① 사회 복지 제도는 일반적으로 개인의 재산 정도를 기준으로 구분된다.

② 사회 수당은 공공 부조와 달리 권리적 성격보다 수혜적 성격이 강하다.

③ 공공 부조는 사회 보험과 달리 일반 조세를 토대로 이루어지는 복지 제도이다.

④ 노인 수당은 법률에 관계없이 수급자의 선호도에 따라 선택할 수 있는 제도이다.

⑤ 바우처 제도는 경제적 보호가 필요한 사람들을 대상으로 기본 서비스를 제공하는 제도이다.

기출 문제

3 윗글을 바탕으로 〈보기〉를 이해한 것으로 적절하지 <u>않은</u> 것은?

보기

　최근의 사회 서비스는 새로운 일자리를 창출하는 역할도 한다. 특히 사회 복지의 대상이었던 수혜자들이 사회 복지 서비스 기관이나 사회적 기업 등에 취업함으로써 사회 복지 서비스를 역으로 제공하면서 임금을 받기도 하고, 나아가 자아실현의 기회를 갖기도 한다.

○ **자아실현**: 개인이 지니고 있는 소질과 역량을 <u>스스로</u> 찾아내 그것을 충분히 발휘하고 계발함으로써 자신의 이상을 완전히 실현하는 일

① 사회 복지의 대상이었던 사람들을 삶의 능동적인 주체로 변화시킬 수 있을 것이다.

② 사회 복지 제도의 수혜자들은 일자리를 갖게 됨으로써 보다 안정적인 생활을 할 수 있게 될 것이다.

③ 사회 복지 서비스 제도가 활성화되어 서비스 제공 주체가 민간 부문에서 공공 부문으로 전환될 것이다.

④ 사회 서비스는 복지 서비스 제공이라는 본래의 역할 이외에 일자리 창출이라는 추가적인 역할을 할 수 있을 것이다.

⑤ 사회 복지 제도의 수혜자들이 사회 복지 서비스를 제공하는 데 종사하게 됨으로써 개인의 자아실현에도 도움이 될 수 있을 것이다.

● 우정과 관련된 속담

간에 가 붙고 쓸개에 가 붙는다

자기에게 조금이라도 이익이 되면 지조 없이 이편에 붙었다 저편에 붙었다 함을 비유적으로 이르는 말

예 그는 자기 필요에 따라 <u>간에 가 붙고 쓸개에 가 붙는</u> 사람이니 가까이하지 않는 것이 좋겠다.

⊕ **박쥐구실**: 자기 이익만을 위하여 이리 붙고 저리 붙고 하는 줏대 없는 행동을 비유적으로 이르는 말

같은 깃의 새는 같이 모인다

같은 무리끼리 서로 잘 어울리게 됨을 비유적으로 이르는 말

예 끼리끼리 어울려 다니는 걸 보니, <u>같은 깃의 새는 같이 모인다</u>는 말이 맞네.

고슴도치도 살 친구가 있다

아무리 괴팍하고 몹쓸 사람이라도 뜻이 맞는 짝이나 친구가 있음을 비유적으로 이르는 말

예 <u>고슴도치도 살 친구가 있다</u>는데, 나는 왜 아무도 없이 혼자일까?

도토리 키 재기

정도가 고만고만한 사람끼리 서로 다툼을 이르는 말

예 네가 크면 얼마나 크다고, 너나 나나 <u>도토리 키 재기</u>지.

⊕ **대동소이(大同小異)**: 큰 차이가 없이 거의 같음

먹을 가까이하면 검어진다

좋지 못한 사람과 사귀게 되면, 그를 닮아 악에 물들게 됨을 비유적으로 이르는 말

예 어머니는 어렸을 적부터 <u>먹을 가까이하면 검어진다</u>며 좋은 친구들과 사귀어야 한다고 늘 말씀하셨다.

⊕ **근묵자흑(近墨者黑)**: 먹을 가까이하는 사람은 검어진다는 뜻으로, 나쁜 사람과 가까이 지내면 나쁜 버릇에 물들기 쉬움을 비유적으로 이르는 말

물이 깊어야 고기가 모인다

자기에게 덕망이 있어야 사람들이 따르게 됨을 비유적으로 이르는 말

예 <u>물이 깊어야 고기가 모인다</u>고 했거늘, 마음이 인색하니 그의 주변에는 사람이 없지.

⊕ **숲이 깊어야 도깨비가 나온다**

물이 너무 맑으면 고기가 아니 모인다

사람이 지나치게 결백하면 남이 따르지 않음을 비유적으로 이르는 말

예 <u>물이 너무 맑으면 고기가 안 모인다</u>더니 몹시 올곧은 성품을 가진 민혁이는 어딜 가건 친구가 별로 없었다.

물이 아니면 건너지 말고 인정이 아니면 사귀지 말라

인정에 의한 사귐이 있어야만 참된 사귐이라는 말

예 <u>물이 아니면 건너지 말고 인정이 아니면 사귀지 말라</u>고 했는데, 넌 벌써부터 네 이득만 좇아 조건을 보고 사람을 사귀니 큰일이로구나.

바늘 가는 데 실 간다	바늘이 가는 데 실이 항상 뒤따른다는 뜻으로, 사람의 긴밀한 관계를 비유적으로 이르는 말 예 바늘 가는 데 실 간다더니 너희 둘은 항상 붙어 다니는구나.

🐰 용 가는 데 구름 가고 범 가는 데 바람 간다: 반드시 같이 다녀서 둘이 서로 떠나지 아니할 경우를 비유적으로 이르는 말

새도 가지를 가려서 앉는다	새조차도 앉을 때 가지를 고르고 가려서 앉는다는 뜻으로, 친구를 사귀거나 직업을 택하는 데에도 신중하게 잘 가려서 택해야 한다는 말 예 새도 가지를 가려서 앉는다고 했거늘, 아무나 만나고 다니지 마라.

의가 좋으면 천하도 반분한다	사이가 좋으면 무엇이나 나누어 가진다는 말 예 의가 좋으면 천하도 반분한다고 했는데, 너는 나에게 주는 이 빵 한 조각이 아깝니?

초록은 동색	풀색과 녹색은 같은 색이라는 뜻으로, 처지가 같은 사람들끼리 함께 함을 비유적으로 이르는 말 예 초록은 동색이라고 당신이나 나나 힘든 마당에 힘을 합쳐 보는 게 어떻습니까?

🐰 가재는 게 편: 모양이나 형편이 서로 비슷하고 인연이 있는 것끼리 서로 잘 어울리고, 사정을 보아주며 감싸 주기 쉬움을 비유적으로 이르는 말

🐰 유유상종(類類相從): 같은 무리끼리 서로 사귐

친구 따라 강남 간다	자기는 하고 싶지 아니하나 남에게 끌려서 덩달아 하게 됨을 이르는 말 예 너는 국어를 좋아하지도 않으면서 친한 친구를 따라 국문과에 지원한다니, 친구 따라 강남 가는 꼴이구나.

친구는 옛 친구가 좋고 옷은 새 옷이 좋다	친구는 오래 사귄 친구일수록 정이 두텁고 깊어서 좋다는 말 예 친구는 옛 친구가 좋고 옷은 새 옷이 좋다고 했어. 우리가 만난 지 십 년이 넘었는데 네 부탁이라면 당연히 들어줘야지.

🐰 죽마고우(竹馬故友): 대말을 타고 놀던 벗이라는 뜻으로, 어릴 때부터 같이 놀며 자란 벗

상황으로 보는 속담

바늘 가는 데 실 간다

바늘 가는 데 실 간다더니 너희는 항상 붙어 다니는구나.

01 다음 빈칸에 들어갈 속담의 뜻을 〈보기〉에서 골라 기호를 써 보자.

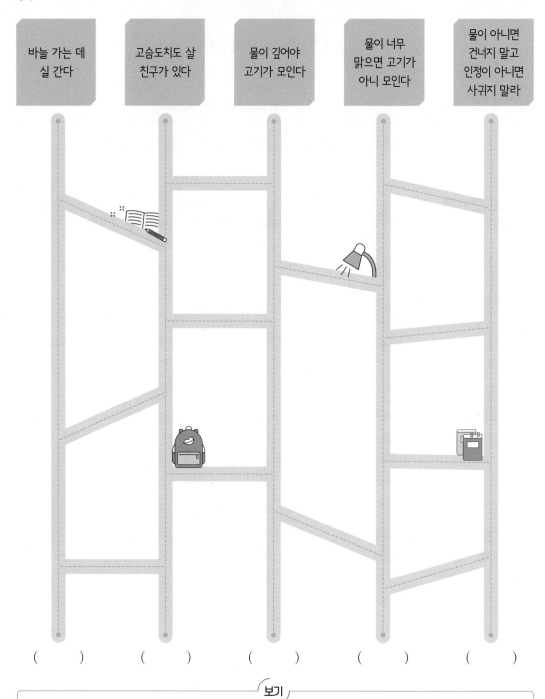

| 바늘 가는 데 실 간다 | 고슴도치도 살 친구가 있다 | 물이 깊어야 고기가 모인다 | 물이 너무 맑으면 고기가 아니 모인다 | 물이 아니면 건너지 말고 인정이 아니면 사귀지 말라 |

( )　　( )　　( )　　( )　　( )

┌─── 보기 ───┐

㉠ 인정에 의한 사귐이 있어야만 참된 사귐이라는 말

㉡ 자기에게 덕망이 있어야 사람들이 따르게 됨을 비유적으로 이르는 말

㉢ 사람이 지나치게 결백하면 남이 따르지 않음을 비유적으로 이르는 말

㉣ 아무리 괴팍하고 몹쓸 사람이라도 뜻이 맞는 짝이나 친구가 있음을 비유적으로 이르는 말

㉤ 바늘이 가는 데 실이 항상 뒤따른다는 뜻으로, 사람의 긴밀한 관계를 비유적으로 이르는 말

[02~05] 다음 빈칸에 알맞은 단어를 〈보기〉에서 찾아 써 보자.

┌─────────────── 보기 ───────────────┐

　　　먹　　　　강남　　　　동색　　　　천하

└────────────────────────────────────┘

02 의가 좋으면 _____도 반분한다: 사이가 좋으면 무엇이나 나누어 가진다는 말

03 친구 따라 _____ 간다: 자기는 하고 싶지 아니하나 남에게 끌려서 덩달아 하게 됨을 이르는 말

04 초록은 _____: 풀색과 녹색은 같은 색이라는 뜻으로, 처지가 같은 사람들끼리 함께함을 이르는 말

05 _____을 가까이하면 검어진다: 좋지 못한 사람과 사귀게 되면, 그를 닮아 악에 물들게 됨을 비유적으로 이르는 말

[06~09] 다음 빈칸에 알맞은 단어를 쓰고, 속담의 뜻을 찾아 바르게 연결해 보자.

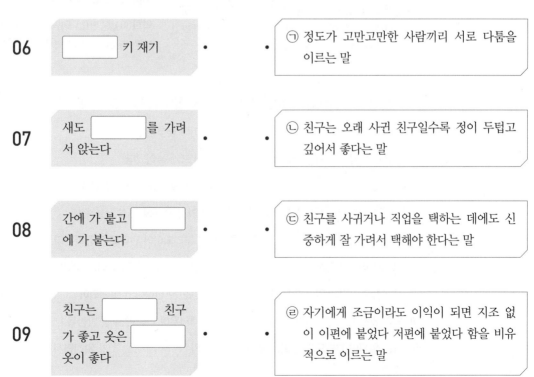

06 [　　　] 키 재기 ・

・㉠ 정도가 고만고만한 사람끼리 서로 다툼을 이르는 말

07 새도 [　　　]를 가려서 앉는다 ・

・㉡ 친구는 오래 사귄 친구일수록 정이 두텁고 깊어서 좋다는 말

08 간에 가 붙고 [　　　]에 가 붙는다 ・

・㉢ 친구를 사귀거나 직업을 택하는 데에도 신중하게 잘 가려서 택해야 한다는 말

09 친구는 [　　　] 친구가 좋고 옷은 [　　　] 옷이 좋다 ・

・㉣ 자기에게 조금이라도 이익이 되면 지조 없이 이편에 붙었다 저편에 붙었다 함을 비유적으로 이르는 말

일차

01 사회 주제어 _경제

1단계 문맥으로 어휘 확인하기

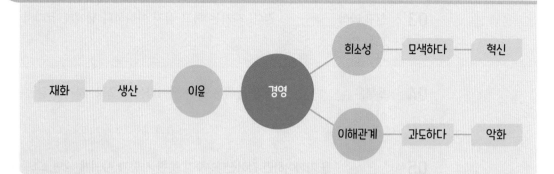

경영(경서經 경영할營) 기업이나 사업 따위를 관리하고 운영함 ⊕ 사업, 운영

이윤(이로울利 윤택할潤) ① 장사하여 남긴 돈 ⊕ 이익금, 이문, 영리 ② 기업의 총수입에서 생산에 들어가는 비용들인 임대, 지대, 이자 따위를 빼고 남는 순이익 ⊕ 이익

생산(날生 낳을産) 인간이 생활하는 데 필요한 각종 물건을 만들어 냄 ⊕ 소비: 욕망을 충족하기 위하여 재화나 용역을 소모하는 일

재화(재물財 재화貨) 사람이 바라는 바를 충족시켜 주는 모든 물건으로, 쌀, 옷, 책과 같이 만질 수 있는 것을 말함. 이것을 획득하는 데에 대가가 필요한 것을 경제재라고 하며, 필요하지 않은 것을 자유재라고 하는데, 보통 재화를 일컬을 때는 경제재를 의미함

희소성(드물稀 적을少 성품性) 인간의 물질적 욕구에 비하여 그 충족 수단이 질적·양적으로 제한되어 있거나 부족한 상태

모색(본뜰摸 찾을索)**하다** 일이나 사건 따위를 해결할 수 있는 방법이나 실마리를 더듬어 찾다.

혁신(가죽革 새로울新) 묵은 풍속, 관습, 조직, 방법 따위를 완전히 바꾸어서 새롭게 함 ⊕ 쇄신, 유신

이해관계(이로울利 해로울害 빗장關 걸릴係) 서로의 이익이나 손해에 영향을 미치는 관계

과도(지날過 법도度)**하다** 정도에 지나치다. ⊕ 지나치다, 심하다, 무리하다

악화(악할惡 될化) 어떤 일이나 관계가 나쁜 쪽으로 바뀜 ⊕ 호전: 일의 형세가 좋은 쪽으로 바뀜

● **다음 빈칸에 들어갈 알맞은 단어를 위에서 찾아 문맥에 맞게 써 보자.**

(1) 기상 ☐☐로 비행기 출발 시간이 한 시간이나 늦추어졌다.

(2) 새로운 농업 기술의 보급으로 농업 ☐☐이 크게 늘어났다.

(3) 그는 한정된 ☐☐의 재분배를 통해 빈부 격차를 줄이겠다고 밝혔다.

(4) 무엇보다 ☐☐한 사교육비 지출이야말로 가정 경제에 큰 부담을 준다.

(5) 그녀는 기업의 소유와 ☐☐은 원칙적으로 분리되어야 한다고 주장하였다.

(6) 그들은 싸게 팔면서 ☐☐을 높이기 위한 방법을 찾기 위해 회의를 하였다.

(7) 세계적으로 인기 있는 그룹인 ☆☆☆의 특별 음반은 한정량만 발매되어 ☐☐☐이 높다.

(8) 요즘 많은 대기업들이 변화 내지 ☐☐을 내세우며 다양한 발전 방향을 ☐☐하고 있다.

(9) 그는 일찍이 한반도의 통일은 주변 강대국들의 ☐☐☐☐가 얽히면서 점점 더 늦어질 것이라고 주장하였다.

2단계 문제로 어휘 익히기

1 다음 단어에 대한 설명이 맞으면 ○, 틀리면 × 표시를 해 보자.

(1) '악화'의 반대말로는 '일의 형세가 좋은 쪽으로 바뀜'을 뜻하는 '호전'을 들 수 있다.

(○, ×)

(2) '과도한 욕심', '과도한 경쟁'과 같은 데에 쓰인 '과도하다'라는 말은 '무리하다', '심하다'로 바꿔 쓸 수 있다.

(○, ×)

(3) '희소성'이란 인간의 물질적 욕구에 비하여 그 충족 수단이 질적·양적으로 제한되어 있지 않거나 넘치는 상태를 말한다.

(○, ×)

2 제시된 뜻과 예문을 참고하여 다음 초성에 해당하는 단어를 빈칸에 써 보자.

(1) ㄱ ㅇ : 기업이나 사업 따위를 관리하고 운영함

예 ○○회사는 부실한 (   )으로 결국 파산에 이르렀다.

(2) ㅎ ㅅ : 묵은 풍속, 관습, 조직, 방법 따위를 완전히 바꾸어서 새롭게 함

예 정보 통신 분야의 비약적 기술 (   )은 우리의 생활을 바꾸고 있다.

(3) ㅁ ㅅ : 일이나 사건 따위를 해결할 수 있는 방법이나 실마리를 더듬어 찾음

예 당국은 이번 파업 사태가 심상치 않음을 알리며 해결책을 적극 (   )해야 한다고 했다.

3 다음 단어를 활용하기에 적절한 문장을 찾아 바르게 연결해 보자.

(1) 재화 •

(2) 이윤 •

(3) 생산 •

• ㉠ 중동은 세계적인 석유 [   ] 지역이다.

• ㉡ 인간의 생활에 필요한 [   ](이)나 용역을 생산·분배·소비하는 모든 활동을 '경제'라고 한다.

• ㉢ 이 일이 당장에 [   ]이/가 크게 남지는 않지만, 수입이 꾸준해서 안정적이고 발전 가능성이 있다.

4 다음 빈칸에 공통적으로 들어갈 가장 적절한 단어를 찾아보자.

㉠ 두 나라 간의 (   )가 서로 어긋나면 전쟁이 일어나기도 한다.
㉡ 그는 자식에게도 차용증을 받을 만큼 (   )가 철저한 사람이다.
㉢ 나는 동업자와 배당금을 둘러싼 (   ) 때문에 완전히 뒤돌아서게 되었다.

① 사회관계   ② 이해관계   ③ 공생 관계   ④ 공동 관계   ⑤ 적대 관계

15 일차

02 사회 주제어 _사회 일반

1단계 문맥으로 어휘 확인하기

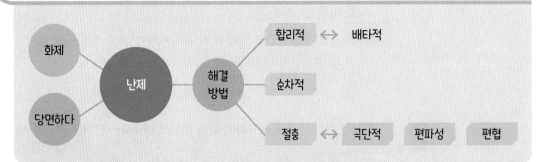

난제(어려울難 제목題) 해결하기 어려운 일이나 사건 ⊕ 골칫거리, 난문제

화제(말할話 제목題) ① 이야기할 만한 재료나 소재 ② 남의 입에 오르내리며 이야기의 대상이 되는 문제 ⊕ 이야깃거리

당면(마땅할當 낯面)**하다** 어떤 일이 바로 눈앞에 당하거나 닥치다. ⊕ 처하다, 직면하다, 봉착하다, 당전하다

합리적(합할合 다스릴理 과녁的) 이론이나 이치에 꼭 알맞은 ⊕ 불합리적, 비합리적

배타적(물리칠排 다를他 과녁的) 한 개인이나 집단의 입장에 서서 그외의 사람이나 집단을 제외하거나 배척하는 것 ⊕ 의타적: 남에게 의지하거나 도움을 받는 것

순차적(순할順 버금次 과녁的) 순서를 따라 차례대로 하는 것

절충(꺾을折 속마음衷) 서로 다른 사물이나 의견, 관점 따위를 알맞게 조절하여 서로 잘 어울리게 함

극단적(지극할極 바를端 과녁的) ① 길이나 일의 진행이 끝까지 미쳐 더 나아갈 데가 없는 것 ② 생각이나 행동이 균형을 잃고 한쪽으로 크게 치우치는 것

편파성(치우칠偏 자못頗 성품性) 어느 한쪽으로 치우쳐 공정성을 잃는 성질

편협(치우칠偏 좁을狹 / 좁을褊 좁을狹) 한쪽에 치우쳐 도량이 좁고 너그럽지 못함 ⊕ 편향(偏向): 한쪽으로 치우침

● **다음 빈칸에 들어갈 알맞은 단어를 위에서 찾아 문맥에 맞게 써 보자.**

(1) 위급한 일에 ☐☐하였을 때 신중하게 대처해야 한다.

(2) 외래문화의 수용을 무조건 반대하는 것은 ☐☐한 생각이다.

(3) 이 작품은 시간의 흐름에 따라 사건이 ☐☐☐으로 전개된다.

(4) 내 머릿속에는 아직도 해결하지 못한 ☐☐가 수북이 쌓여 있다.

(5) 이번 일을 해결하기 위해 ☐☐☐인 해결 방안을 함께 찾아보자.

(6) 두 사람의 대립적인 견해가 어떤 식으로 ☐☐될 것인지 궁금하다.

(7) 그는 방송 사상 최고의 시청률로 ☐☐가 되었던 드라마 작가이다.

(8) 회원들이 자기들끼리만 ☐☐☐으로 몰려다니면 위화감을 조성하기 쉽다.

(9) 보도의 ☐☐☐을 비난하는 시청자들의 항의 전화가 방송국으로 빗발쳤다.

(10) 그들의 제안은 ☐☐☐인 대립을 중단하고 타협을 원하는 것이라고 해석될 수도 있다.

2단계 | 문제로 어휘 익히기

1 다음 단어의 의미를 찾아 바르게 연결해 보자.

(1) 난제 •

(2) 화제 •

(3) 절충 •

• ㉠ 해결하기 어려운 일이나 사건

• ㉡ 서로 다른 사물이나 의견, 관점 따위를 알맞게 조절하여 서로 잘 어울리게 함

• ㉢ 이야기할 만한 재료나 소재. 남의 입에 오르내리며 이야기의 대상이 되는 문제

2 다음 문장에 들어갈 알맞은 단어를 〈보기〉에서 찾아 써 보자.

〈보기〉

극단적   배타적   순차적   합리적

(1) 그의 주장은 얼핏 보기에는 (   )인 것 같지만 사실은 아주 비합리적이다.

(2) 그녀의 가장 큰 문제는 자신과 다른 신앙을 가진 이에게 무조건 (   )인 태도를 취한다는 것이다.

(3) 그 사진들은 수컷 뻐꾸기가 암컷에게 구애하는 단계에서부터 새끼를 낳기까지의 과정을 (   )으로 촬영한 것이다.

3 다음 문장의 괄호 안에 들어갈 알맞은 단어를 골라 보자.

(1) 사람들은 갑작스러운 위기에 (방면 / 당면)하게 될 때 자신의 본성을 드러내기 마련이다.

(2) 선생님의 제안은 학생 양쪽의 의견을 (선택 / 절충)한 것으로 모두를 만족시킬 만한 것이었다.

(3) 그는 성급하게 사직서를 제출함으로써 자신의 불만을 (극단적 / 일반적)으로 표출하고자 하였다.

4 문맥상 밑줄 친 단어와 바꾸어 쓰기에 적절하지 <u>않은</u> 것을 찾아보자.

어떤 문제를 대할 때 <u>편협한</u> 사고방식에서 벗어나 다양한 시각에서 바라보는 태도가 필요하다.

① 편향된   ② 치우친   ③ 옹졸한   ④ 유연한   ⑤ 협소한

2008학년도 6월 고1 전국연합

[1~3] 다음 글을 읽고 물음에 답하시오.

1 신문이나 잡지는 대부분 유료로 판매된다. 반면에 인터넷 뉴스 사이트는 신문이나 잡지의 기사와 같거나 비슷한 내용을 무료로 제공한다. 왜 이런 현상이 발생하는 것일까?

2 이 현상 속에는 경제학적 배경이 숨어 있다. 대체로 상품의 가격은 그 상품을 ㉠생산하는 데 드는 비용의 °언저리에서 결정된다. 생산 비용이 많이 들면 들수록 상품의 가격이 상승하는 것이다. 그런데 인터넷에 ㉡게재되는 기사를 생산하는 데 드는 비용은 0에 가깝다. 기자가 컴퓨터로 작성한 기사를 신문사 편집실로 보내 종이 신문에 게재하고, 그 기사를 그대로 재활용하여 인터넷 뉴스 사이트에 올리기 때문이다. 또한 인터넷 뉴스 사이트 방문자 수가 증가하면 사이트에 걸어 놓은 광고에 대한 수입도 증가하게 된다. 이러한 이유로 신문사들은 경쟁적으로 인터넷 뉴스 사이트를 개설하여 무료로 운영했던 것이다.

3 그런데 무료 인터넷 뉴스 사이트를 이용하는 사람들이 폭발적으로 늘어나면서 돈을 지불하고 신문이나 잡지를 °구독하는 사람들이 점점 줄어들기 시작했다. 그 결과 언론사들의 수익률이 감소하여 재정이 ㉢악화되었다. 문제는 여기서 그치지 않는다. 언론사들의 재정적 악화는 깊이 있고 정확한 뉴스를 생산하는 그들의 능력을 저하시키거나 사라지게 할 수도 있다. 결국 그로 인한 피해는 뉴스를 이용하는 소비자에게로 되돌아올 것이다.

4 그래서 언론사들, 특히 신문사들의 재정 악화 개선을 위해 인터넷 뉴스를 유료화해야 한다는 의견이 있다. 하지만 그러한 주장을 현실화하는 것은 그리 간단하지 않다. 소비자들은 어떤 상품을 구매할 때 그 상품의 가격이 얼마 정도면 구입할 것이고, 얼마 이상이면 구입하지 않겠다는 마음의 선을 긋는다. 이 선의 최대치가 바로 최대지불의사(willingness to pay)이다. 소비자들의 머릿속에 한 번 ㉣각인된 최대지불의사는 좀처럼 변하지 않는 특성이 있다. 인터넷 뉴스의 경우 오랫동안 소비자에게 무료로 제공되었고, 그러는 사이 인터넷 뉴스에 대한 소비자들의 최대지불의사도 0으로 굳어진 것이다. 그런데 이제 와서 무료로 이용하던 정보를 유료화한다면 소비자들은 여러 이유를 들어 불만을 ㉤토로할 것이다.

5 해외 신문 중 일부 경제 전문지는 이러한 문제를 성공적으로 해결했다. 그들은 매우 전문화되고 깊이 있는 기사를 작성하여 소비자에게 제공하는 대신 인터넷 뉴스 사이트를 유료화했다. 그럼에도 불구하고 많은 소비자들이 기꺼이 돈을 지불하고 이들 사이트의 기사를 이용하고 있다. 전문화되고 맞춤화된 뉴스일수록 유료화 °잠재력이 높은 것이다. 이처럼 제대로 된 뉴스를 만드는 공급자와 제값을 내고 제대로 된 뉴스를 소비하는 수요자가 만나는 순간 문제 해결의 실마리를 찾을 수 있을 것이다.

독해 체크

1. 이 글의 핵심어는?

인터넷 ☐☐ 사이트의 무료 운영 문제

2. 문단별 중심 내용은?

1 인터넷 뉴스 사이트가 기사를 ☐☐로 제공하는 현상 제시

2 인터넷 뉴스 사이트의 무료 ☐☐이 가능한 이유

3 무료 인터넷 뉴스 사이트 이용 ☐☐로 생기는 문제점

4 인터넷 뉴스의 ☐☐☐가 어려운 이유

5 해외 ☐☐를 통해 본 인터넷 뉴스 사이트의 유료화 가능성

3. 이 글의 주제는?

☐☐☐☐ ☐☐의 무료 제공에 대한 문제 및 해결 방안

어휘 체크

● **언저리:** 어떤 수준이나 정도의 위아래

● **구독하는:** 책이나 신문, 잡지 따위를 구입하여 읽는

● **잠재력:** 겉으로 드러나지 않고 속에 숨어 있는 힘

● 정답과 해설 24쪽

1 문맥상 ㉠~㉤과 바꾸어 쓰기에 적절하지 <u>않은</u> 것은?

① ㉠: 만드는
② ㉡: 실리는
③ ㉢: 나빠졌다
④ ㉣: 기억된
⑤ ㉤: 은폐할

2 윗글에 대한 이해로 가장 적절한 것은?

① 생산자의 이익과 소비자의 권익은 반비례한다.
② 상품의 가격이 상승할수록 소비자의 수요가 증가한다.
③ 상품의 가격 결정은 상품의 생산 비용에 영향을 받는다.
④ 소비자의 최대지불의사는 상황에 따라 즉각적으로 변한다.
⑤ 생산자의 재정 악화로 인한 경제적 부담은 모두 소비자에게 전가된다.

◑ **전가된다:** 잘못이나 책임이 다른 사람에게 넘겨씌워진다.

3 윗글을 읽은 학생들의 반응으로 적절하지 <u>않은</u> 것은?

① 정보를 이용할 때 정보의 가치에 상응하는 이용료를 지불하는 것은 당연한 거라고 생각해.
② 현재 무료인 인터넷 뉴스 사이트를 유료화하려면 먼저 전문적이고 깊이 있는 기사를 제공해야만 해.
③ 인터넷 뉴스가 광고를 통해 수익을 내는 경우도 있으니, 신문사의 재정을 악화시키는 것만은 아니야.
④ 인터넷 뉴스 사이트 유료화가 정확하고 공정한 기사를 양산하는 결과에 직결되는 것은 아니라고 생각해.
⑤ 인터넷 뉴스만 보는 독자들의 행위가 질 나쁜 뉴스를 생산하게 만드는 근본적인 원인이니까, 종이 신문을 많이 구독해야겠어.

◑ **상응하는:** 서로 응하거나 어울리는

◑ **양산하는:** 많이 만들어 내는

01 사회 주제어 _경제

16 일차

1단계 문맥으로 어휘 확인하기

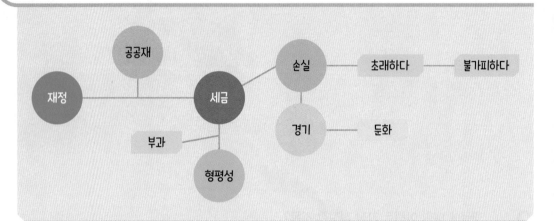

재정(재물財 정사政) ① 돈에 관한 여러 가지 일 ② 국가 또는 공공 단체가 행정 활동이나 공공 정책의 시행을 위해 자금을 만들어 관리하고 이용하는 경제 활동 ③ 개인이나 가정, 단체 등의 경제 상태

공공재(공변될公 함께共 재물財) 공공의 이익을 목적으로 하는 기관으로부터 공급되어 모든 사람이 공동으로 누리는 재화. 도로, 하천, 항만 등 일반 대중이 공동으로 사용하는 물건이나 시설을 이름 ⑫ 사유재

세금(세금稅 쇠金) 국가 또는 지방 공공 단체가 필요한 경비로 사용하기 위하여 국민이나 주민으로부터 강제로 거두어들이는 돈

형평성(저울대衡 평평할平 성품性) 균형을 이루는 성질

부과(구실賦 시험할課) ① 세금이나 부담금 따위를 매기어 부담하게 함 ② 일정한 책임이나 일을 부담하여 맡게 함

손실(덜損 잃을失) 잃어버리거나 축나서 손해를 봄. 또는 그 손해 ⑪ 손해 ⑫ 수익, 이득

초래(부를招 올來)**하다** 일의 결과로서 어떤 현상을 생겨나게 하다. ⑪ 불러오다, 빚다

불가피(아닐不 옳을可 피할避)**하다** 피할 수 없다.

경기(경치景 기운氣) 매매나 거래 따위에 나타난 경제 활동의 상황

둔화(무딜鈍 될化) 느리고 무디어짐

● 다음 빈칸에 들어갈 알맞은 단어를 위에서 찾아 문맥에 맞게 써 보자.

(1) ☐☐가 회복되어 수출이 활기를 띠고 있다.

(2) 해외 수출이 막혀서 우리 회사의 ☐☐이 매우 크다.

(3) 환경 오염이 계속되면 지구의 멸망을 ☐☐할지도 모른다.

(4) 정부는 생필품의 수출입에는 관세의 ☐☐를 없앨 예정이다.

(5) 정부의 개방화 조치로 우리의 농산물과 외국의 농산물 경쟁이 ☐☐☐하다.

(6) 나라의 ☐☐이 어려워지자, 정부는 재산이 많은 사람들에게 더 많은 ☐☐을 걷었다.

(7) 지난해 매우 높았던 우리나라의 경제 성장세가 올해에는 크게 ☐☐되어 대책이 필요하다.

(8) 선생님은 합창 대회 참가를 이유로 우리 반만 학교 대청소에서 빠지는 것은 ☐☐☐에 어긋난다고 하셨다.

(9) 하천은 ☐☐☐라는 인식이 생겨 사람들이 하천에 쓰레기를 버리지 않는다면 맑은 하천을 만들 수 있을 것이다.

2단계 문제로 어휘 익히기

1 다음 단어의 의미를 찾아 바르게 연결해 보자.

(1) 경기 •

(2) 재정 •

(3) 세금 •

• ㉠ 매매나 거래 따위에 나타난 경제 활동의 상황

• ㉡ 국가 또는 지방 공공 단체가 필요한 경비로 사용하기 위하여 국민이나 주민으로부터 강제로 거두어들이는 돈

• ㉢ 국가 또는 공공 단체가 행정 활동이나 공공 정책의 시행을 위해 자금을 만들어 관리하고 이용하는 경제 활동

2 다음 문장에 들어갈 알맞은 단어를 〈보기〉에서 찾아 써 보자.

┌─────── 보기 ───────┐

둔화   부과   손실   초래

(1) 우리나라의 경제가 침체되자 경제 성장 속도가 (   )되었다.

(2) 삼촌은 월급을 주식에 투자했다가 큰 (   )을/를 보아서 오히려 빚을 얻게 되었다.

(3) 운전을 하다가 잠시 멈춘 그의 행동은 뒤따라오던 차들이 줄줄이 부딪치는 교통사고를 (   )하였다.

3 다음 문장의 괄호 안에 들어갈 알맞은 단어를 골라 보자.

(1) 그 나라는 불법 주차 차량에 대한 과태료를 무겁게 (부과 / 부가)한다.

(2) 특정 후보에 대한 기사만을 내보내는 언론의 태도는 (형식성 / 형평성)에 어긋난다.

(3) 극적 긴장감을 높이기 위해서는 전투 장면의 재촬영이 (불가피한 / 부득의한) 상황이다.

4 다음 빈칸에 공통적으로 들어갈 가장 적절한 단어를 찾아보자.

(   )는 정부의 재정에 의해 공급되어 모든 사람이 공동으로 이용할 수 있는 재화 또는 서비스를 말하는 것으로, 국방, 치안, 소방, 도로나 항만 등이 그 예이다. 공공재는 생산 비용이 많이 들어가는 데다가, 그 비용을 청구할 대상도 명확하지 않은 경우가 많아 민간 기업에서는 이에 대한 공급이나 운용을 기피한다. 따라서 (   )는 정부가 세금을 걷어 마련한 재원으로 공급하는 경우가 대부분이다.

① 공공재   ② 민간재   ③ 사유재   ④ 소비재   ⑤ 자본재

02 사회 주제어 _법률

1단계 문맥으로 어휘 확인하기

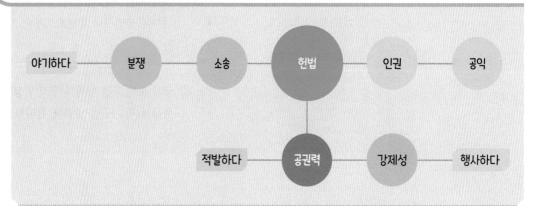

야기하다 — 분쟁 — 소송 — 헌법 — 인권 — 공익

적발하다 — 공권력 — 강제성 — 행사하다

헌법(법憲 법도法) 국가 통치 체제의 기초에 관한 각종 근본 법규의 총체로, 모든 법률의 기초가 되는 최고 법규. 국민의 기본권을 보장하고 국가의 통치 조직 및 작용에 대해 규정한 근본법

소송(하소연할訴 송사할訟) 재판에 의하여 원고와 피고 사이의 권리나 의무 따위의 법률관계를 확정해 줄 것을 법원에 요구함. 또는 그런 절차 ⑩ 송사

분쟁(어지러울紛 다툴爭) 말썽을 일으켜 시끄럽게 다툼

야기(이끌惹 일어날起)하다 일이나 사건 따위를 끌어 일으키다. ⑩ 일으키다

인권(사람人 권세權) 인종, 성별 등에 차별을 두지 않고 인간으로서 누구나 당연히 가지는 기본적 권리

공익(공변될公 더할益) 사회 전체의 이익 ⑨ 공리 ⑫ 사익

공권력(공변될公 권세權 힘力) 국가나 공공 단체가 우월한 의사의 주체로서 국민을 대상으로 명령하거나 강제할 수 있는 권력

적발(딸摘 필發)하다 숨겨져 있는 일이나 드러나지 아니한 것을 들추어내다. ⑨ 적출하다

강제성(강할強 억제할制 성품性) 본인의 의사와는 관계없이 권력이나 힘을 이용해 원하지 않는 일을 억지로 시키는 성질

행사(다닐行 부릴使)하다 ① 권리의 내용을 실현하다. ② 사람이 힘이나 권력을 부려서 쓰다.

● **다음 빈칸에 들어갈 알맞은 단어를 위에서 찾아 문맥에 맞게 써 보자.**

(1) 난방 기구에 대한 부주의는 화재를 [ ][ ]한다.

(2) 그는 부정행위가 [ ][ ]되어 시험에서 실격되었다.

(3) [ ][ ]은 국회의 의결을 거쳐 국민 투표로 개정된다.

(4) 그 민족은 오랜 세월 동안 [ ][ ]하다가 멸망하고 말았다.

(5) 어떤 나라에서는 아직도 인종 차별에 의한 [ ][ ] 탄압이 계속되고 있다.

(6) 시위가 거칠어지자 [ ][ ][ ]이 발동되어 경찰의 강제 진압이 이루어졌다.

(7) 환경 단체에서는 환경에 대한 사람들의 관심을 높이기 위해 [ ][ ] 광고를 제작하였다.

(8) 의료 사고가 많이 일어나는 병원을 상대로 [ ][ ]을 거는 일이 자주 일어났지만 승소하기는 어려웠다.

(9) 방학 동안 박물관 두 곳 이상을 견학하라는 과제가 있었지만 [ ][ ][ ]이 없어 아무도 과제를 하지 않았다.

(10) 마을의 길을 막아 버린 땅 주인에게 항의했더니 그는 자신의 권리를 [ ][ ]한 것일 뿐 잘못이 없다고 하였다.

2단계 문제로 어휘 익히기

1 다음 단어를 활용하기에 적절한 문장을 찾아 바르게 연결해 보자.

(1) 공권력 •

(2) 인권 •

(3) 헌법 •

• ㉠ [   ]에서는 집회의 자유가 있다고 하였다.

• ㉡ 학생도 한 인간으로서의 [   ]이 보장된다.

• ㉢ 우리 역사를 보면 [   ]에 의해 잘못이 없는 사람들이 희생된 사건들이 많이 있다.

2 제시된 뜻과 예문을 참고하여 다음 초성에 해당하는 단어를 빈칸에 써 보자.

(1) ㄱㅇ : 사회 전체의 이익

　예 마을 사람들은 마을의 (　　　　)을 위하여 서로 협조하기로 했다.

(2) ㄱㅈㅅ : 본인의 의사와는 관계없이 권력이나 힘을 이용해 원하지 않는 일을 억지로 시키는 성질

　예 불우 이웃 돕기는 (　　　　)이 없지만 마음이 따뜻한 사람들의 기부가 이어졌다.

(3) ㅅㅅ : 재판에 의하여 원고와 피고 사이의 권리나 의무 따위의 법률관계를 확정해 줄 것을 법원에 요구함

　예 그는 마을에 독성 폐기물을 묻어 마을 사람들의 건강을 해친 공장에 (　　　　)을 걸었다.

3 다음 문장의 괄호 안에 들어갈 알맞은 단어를 골라 보자.

(1) 전쟁은 많은 문화재의 소실을 (야기 / 이기)했다.

(2) 작가가 자신의 작품에 대해 저작권을 (사행 / 행사)하는 것은 당연한 권리이다.

(3) 아빠가 독도는 우리나라 영토이므로 일본과 (분쟁 / 전쟁)을 할 필요가 없다고 하셨다.

4 다음 빈칸에 공통적으로 들어갈 가장 적절한 단어를 찾아보자.

　　식품 의약품 안전처는 신종 바이러스의 확산에 따른 시민들의 불안감을 악용하여 무허가 손소독제를 제조하고 판매한 업체들과 손소독제를 질병 치료에 효능이 있는 것으로 거짓 표시한 업체들을 (　　　　)했다고 밝혔다. 이번에 (　　　　)된 업체들은 손소독제 원재료를 제조업체로부터 제공받아 불법으로 제조한 무허가 손소독제를 다른 나라에 수출하거나 국내 시중에 유통시킨 것으로 나타났다. 이어 식약처는 손소독제 불법 제조 및 유통 행위를 근절하고 생산에서 소비에 이르는 전 과정이 투명해질 수 있도록 엄격하게 대처해 나갈 것이라고 강조하였다.

① 분쟁　　　② 소송　　　③ 야기　　　④ 적발　　　⑤ 행사

[1~3] 다음 글을 읽고 물음에 답하시오.

2018학년도 3월 고1 전국연합

1 조세는 국가의 재정을 마련하기 위해 경제 주체인 기업과 국민들로부터 거두어들이는 돈이다. 그런데 국가가 조세를 강제로 ㉠부과하다 보니 경제 주체의 의욕을 떨어뜨려 경제적 순손실을 ㉡초래하거나 조세를 부과하는 방식이 공평하지 못해 불만을 ㉢야기하는 문제가 나타난다. 따라서 조세를 부과할 때는 조세의 효율성과 공평성을 고려해야 한다.

2 우선 ⓐ조세의 효율성에 대해서 알아보자. 상품에 소비세를 부과하면 상품의 가격 상승으로 소비자가 상품을 적게 구매하기 때문에 상품을 통해 얻는 소비자의 편익이 줄어들게 되고, 생산자가 상품을 팔아서 얻는 이윤도 줄어들게 된다. 소비자와 생산자가 얻는 편익이 줄어드는 것을 경제적 순손실이라고 하는데 조세로 인하여 경제적 순손실이 생기면 경기가 ㉣둔화될 수 있다. 이처럼 조세를 부과하게 되면 경제적 순손실이 ㉤불가피하게 발생하게 되므로, 이를 최소화하도록 조세를 부과해야 조세의 효율성을 높일 수 있다.

3 ⓑ조세의 공평성은 조세 부과의 형평성을 실현하는 것으로, 조세의 공평성이 확보되면 조세 부과의 형평성이 높아져서 조세 저항을 줄일 수 있다. 공평성을 확보하기 위한 기준으로는 편익 원칙과 능력 원칙이 있다. 편익 원칙은 조세를 통해 제공되는 도로나 가로등과 같은 공공재를 소비함으로써 얻는 편익이 클수록 더 많은 세금을 부담해야 한다는 원칙이다. 이는 공공재를 사용하는 만큼 세금을 내는 것이므로 납세자의 저항이 크지 않지만, 현실적으로 공공재의 사용량을 측정하기가 쉽지 않다는 문제가 있고 조세 부담자와 편익 수혜자가 달라지는 문제도 발생할 수 있다.

4 능력 원칙은 개인의 소득이나 재산 등을 고려한 세금 부담 능력에 따라 세금을 내야 한다는 원칙으로 조세를 통해 소득을 재분배하는 효과가 있다. 능력 원칙은 수직적 공평과 수평적 공평으로 나뉜다. 수직적 공평은 소득이 높거나 재산이 많을수록 세금을 많이 부담해야 한다는 원칙이다. 이를 실현하기 위해 특정 세금을 내야 하는 모든 납세자에게 같은 세율을 적용하는 비례세나 소득 수준이 올라감에 따라 점점 높은 세율을 적용하는 누진세를 시행하기도 한다.

5 수평적 공평은 소득이나 재산이 같을 경우 세금도 같게 부담해야 한다는 원칙이다. 그런데 수치상의 소득이나 재산이 동일하더라도 실질적인 조세 부담 능력이 달라, 내야 하는 세금에 차이가 생길 수 있다. 예를 들어 소득이 동일하더라도 부양가족의 수가 다르면 실질적인 조세 부담 능력에 차이가 생긴다. 이와 같은 문제를 해결하여 공평성을 높이기 위해 정부에서는 공제 제도를 통해 조세 부담 능력이 적은 사람의 세금을 감면해 주기도 한다.

독해 체크

1. 이 글의 핵심어는?

☐☐의 효율성과 공평성

2. 문단별 중심 내용은?

1 조세를 부과할 때 ☐☐과 공평성을 고려해야 하는 이유

2 조세의 효율성을 높이는 방법 – ☐☐☐☐☐을 최소화하도록 조세 부과

3 조세의 공평성 확보를 위한 기준인 ☐☐☐☐의 특징

4 조세의 공평성 확보를 위한 기준인 ☐☐☐ 중 수직적 공평의 특징

5 조세의 공평성 확보를 위한 기준인 능력 원칙 중 ☐☐☐☐☐☐의 특징

3. 이 글의 주제는?

조세의 효율성과 ☐☐☐을 확보하기 위한 방법

어휘 체크

◐ **순손실:** 총수익이 총비용보다 적은 만큼의 손실. 여러 가지 지급이 수입을 초과하였을 때 생김

◐ **편익:** 편리하고 유익함

◐ **수혜자:** 혜택을 받는 사람

◐ **공제:** 받을 몫에서 일정한 금액이나 수량을 뺌

◐ **감면해:** 매겨야 할 부담 따위를 덜어 주거나 면제해

• 정답과 해설 25쪽

1 **문맥상 ㉠~㉤과 바꾸어 쓰기에 적절하지 않은 것은?**

① ㉠: 매기다
② ㉡: 불러오거나
③ ㉢: 일으키는
④ ㉣: 부진해질
⑤ ㉤: 기피하게

2 **윗글에 대한 설명으로 가장 적절한 것은?**

① 두 개념을 비교하여 옳고 그름을 판단하고 있다.
② 대상의 가치와 효용을 비유적으로 제시하고 있다.
③ 대상을 기준에 따라 구분한 후 그 특성을 설명하고 있다.
④ 대상에 관한 다양한 이론을 제시하고 시사점을 도출하고 있다.
⑤ 문제 상황에 대한 해결 방법을 통시적 관점에서 설명하고 있다.

↪ **통시적**: 시간의 경과에 따라 나타나는 사물의 변화와 관련되는 것을 의미함. 따라서 시대의 흐름에 따라 대상을 살펴보거나 역사적 변화 과정을 살펴보는 것을 '통시적 관점'에서 설명한다고 함

기출 문제

3 **ⓐ와 ⓑ에 대한 설명으로 적절하지 않은 것은?**

① ⓐ는 조세가 경기에 미치는 영향과 관련되어 있다.
② ⓑ는 납세자의 조세 저항을 완화하는 데 도움이 된다.
③ ⓐ는 ⓑ와 달리 소득 재분배를 목적으로 한다.
④ ⓑ는 ⓐ와 달리 조세 부과의 형평성을 실현하는 것이다.
⑤ ⓐ와 ⓑ는 모두 조세를 부과할 때 고려해야 하는 요건이다.

● 인생과 관련된 한자 성어

거자필반
(갈去 놈者 반드시必 돌아올返)

떠난 사람은 반드시 돌아오게 된다는 뜻으로, 만남과 이별이 반복되는 세상의 이치를 들어 헤어짐에 대한 아쉬움을 달래는 말

예 그녀는 내 곁을 떠나며 거자필반을 말했다.

고진감래
(쓸苦 다할盡 달甘 올來)

쓴 것이 다하면 단 것이 온다는 뜻으로, 어렵고 힘든 일이 지나면 즐겁고 좋은 일이 옴을 이르는 말

예 고진감래라더니 살다 보니 이렇게 좋은 일도 생기는구나.

유 고생 끝에 낙이 온다

대기만성
(큰大 그릇器 늦을晩 이룰成)

큰 그릇을 만드는 데는 시간이 오래 걸린다는 뜻으로, 크게 될 사람은 늦게 이루어짐을 이르는 말

예 열심히 노력하면 언젠가는 대기만성할 거야.

참 개구리 주저앉은 뜻은 멀리 뛰자는 뜻이다: 아무리 급하더라도 큰일을 이루기 위해서는 준비할 시간이 필요하다는 말

등고자비
(오를登 높을高 스스로自 낮을卑)

높은 곳에 오르려면 낮은 곳에서부터 출발해야 한다는 뜻으로, 모든 일에는 순서가 있다는 말

예 누구나 바라는 높은 자리에 가려면 등고자비의 자세로 임해야 한다.

참 천 리 길도 한 걸음부터: 무슨 일이나 그 일의 시작이 중요하다는 말

새옹지마
(변방塞 늙은이翁 갈之 말馬)

인생의 길흉화복은 변화가 많아서 예측하기가 어렵다는 말

예 인간의 모든 일이 새옹지마라는 말이 있듯, 앞날은 모르는 거다.

생자필멸
(날生 놈者 반드시必 멸망할滅)

생명이 있는 것은 반드시 죽음. 존재의 무상(無常)을 이르는 말

예 죽은 사람은 가엾지만, 생자필멸이니 어쩔 수 없다.

참 성자필쇠(盛者必衰): 융성한 것은 결국 쇠퇴해짐

인생무상
(사람人 살生 없을無 항상常)

인생이 덧없음

예 동생의 죽음을 경험하며 인생무상을 느끼게 되었다.

유 설니홍조(雪泥鴻爪): 눈 위에 난 기러기의 발자국이 눈이 녹으면 없어진다는 뜻으로, 인생의 자취가 눈 녹듯이 사라져 무상함을 비유적으로 이르는 말

일장춘몽 (하나一 마당場 봄春 꿈夢)	한바탕의 봄꿈이라는 뜻으로, 헛된 영화나 덧없는 일을 비유적으로 이르는 말 ☞ 인생은 일장춘몽인데, 즐거움이 얼마나 있을까 싶다.	⊕ 한단지몽(邯鄲之夢), 호접지몽(胡蝶之夢)
전화위복 (구를轉 재앙禍 할爲 복福)	재앙과 근심, 걱정이 바뀌어 오히려 복이 됨 ☞ 현재의 고난을 전화위복의 계기로 삼으면 좋겠다.	⊕ 반화위복(反禍爲福), 화전위복(禍轉爲福)
호사다마 (좋을好 일事 많을多 마귀魔)	좋은 일에는 흔히 방해되는 일이 많음. 또는 그런 일이 많이 생김 ☞ 호사다마라고 아들이 잘 나가니 딸의 가세가 기울었다.	⊕ 시어다골(鰣魚多骨): 맛이 좋은 준치에 가시가 많다는 뜻으로, 좋은 면의 한편에는 좋지 못한 면이 있음을 이르는 말
회자정리 (모일會 놈者 정할定 떠날離)	만난 자는 반드시 헤어짐. 모든 것이 무상함을 나타내는 말 ☞ 회자정리를 모르는 바가 아니지만 이별은 언제나 슬프다.	
흥진비래 (일어날興 다할盡 슬플悲 올來)	즐거운 일이 다하면 슬픈 일이 닥쳐온다는 뜻으로, 세상일은 순환되는 것임을 이르는 말 ☞ 흥진비래라고 인생에 늘 좋은 일만 생길 순 없단다.	

유래로 보는 한자 성어

새옹지마(塞翁之馬)

'새옹지마'는 '새옹의 말'처럼 복이 화가 되기도 하고, 화가 복이 될 수도 있다는 뜻이다. 옛날 중국의 북쪽 변방에 한 노인이 살고 있었는데, 사람들은 이 노인을 '새옹'이라고 불렀다. 어느 날 이 노인이 기르던 말이 오랑캐 땅으로 달아났다. 마을 사람들이 노인을 위로하자, 노인은 "오히려 복이 될지 누가 알겠소?"라고 말했다. 몇 달이 지난 어느 날, 달아난 말이 한 필의 준마(駿馬)를 끌고 왔다. 이에 마을 사람들이 노인에게 축하의 말을 건네자, 노인은 "도리어 화가 될지 누가 알겠소?"라고 말하며 불안해했다. 그러던 어느 날 노인의 아들이 그 준마를 타다가 떨어져서 다리가 부러졌다. 마을 사람들이 이를 걱정하며 위로하자, 노인은 "이것이 또 복이 될지 누가 알겠소?"라며 태연하게 받아들이는 것이었다. 그로부터 얼마 후 전쟁이 일어나 마을 젊은이들이 전쟁터에서 싸우다 모두 죽고 말았으나, 다리가 부러진 노인의 아들은 전쟁에 끌려 나가지 않아 죽음을 면할 수 있었다.

[01~06] 다음 뜻에 해당하는 한자 성어를 찾아 가로, 세로, 대각선으로 표시해 보자.

반	면	교	사	배	백	년	가	약
명	회	생	무	은	수	고	오	선
등	고	자	비	망	흥	진	비	래
화	정	필	정	덕	금	감	이	각
가	신	멸	주	리	고	래	락	골
친	우	위	편	삼	절	구	말	통
일	편	심	자	강	불	식	반	한
성	공	자	거	자	필	반	포	화
타	산	지	석	류	타	산	지	석

01 만난 자는 반드시 헤어짐. 모든 것이 무상함을 나타내는 말

02 생명이 있는 것은 반드시 죽음. 존재의 무상(無常)을 이르는 말

03 높은 곳에 오르려면 낮은 곳에서부터 출발해야 한다는 뜻으로, 모든 일에는 순서가 있다는 말

04 쓴 것이 다하면 단 것이 온다는 뜻으로, 어렵고 힘든 일이 지나면 즐겁고 좋은 일이 옴을 이르는 말

05 즐거운 일이 다하면 슬픈 일이 닥쳐온다는 뜻으로, 세상일은 순환되는 것임을 이르는 말

06 떠난 사람은 반드시 돌아오게 된다는 뜻으로, 만남과 이별이 반복되는 세상의 이치를 들어 헤어짐에 대한 아쉬움을 달래는 말

[07~11] 다음 한자 성어의 뜻을 찾아 바르게 연결해 보자.

07   일장춘몽(一場春夢)   •

•   ㉠ 인생이 덧없음

08   새옹지마(塞翁之馬)   •

•   ㉡ 재앙과 근심, 걱정이 바뀌어 오히려 복이 됨

09   전화위복(轉禍爲福)   •

•   ㉢ 인생의 길흉화복은 변화가 많아서 예측하기가 어렵다는 말

10   인생무상(人生無常)   •

•   ㉣ 좋은 일에는 흔히 방해되는 일이 많음. 또는 그런 일이 많이 생김

11   호사다마(好事多魔)   •

•   ㉤ 한바탕의 봄꿈이라는 뜻으로, 헛된 영화나 덧없는 일을 비유적으로 이르는 말

12   다음 문자 메시지 대화를 읽고, 빈칸에 알맞은 한자 성어를 써 보자.

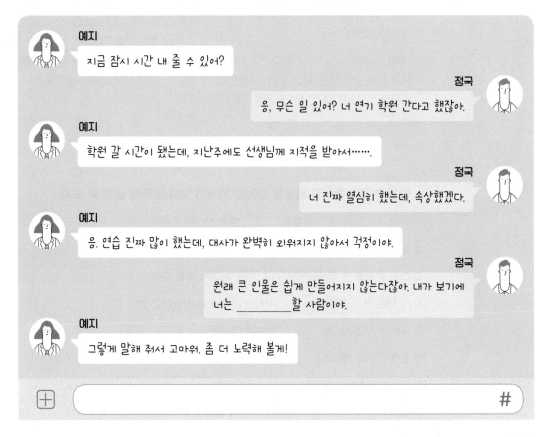

예지
지금 잠시 시간 내 줄 수 있어?

정국
응, 무슨 일 있어? 너 연기 학원 간다고 했잖아.

예지
학원 갈 시간이 됐는데, 지난주에도 선생님께 지적을 받아서……

정국
너 진짜 열심히 했는데, 속상했겠다.

예지
응. 연습 진짜 많이 했는데, 대사가 완벽히 외워지지 않아서 걱정이야.

정국
원래 큰 인물은 쉽게 만들어지지 않는다잖아. 내가 보기에 너는 _____할 사람이야.

예지
그렇게 말해 줘서 고마워. 좀 더 노력해 볼게!

01 과학 주제어_의학

1단계 문맥으로 어휘 확인하기

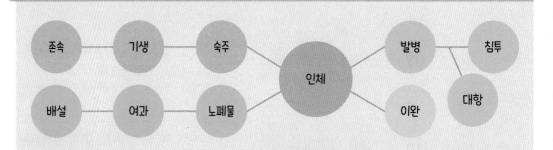

숙주(잠잘宿 주인主) ① 기생 생물에게 영양을 공급하는 생물 ② 전적으로 기대어 이익을 취하는 대상을 비유적으로 이르는 말

기생(부칠寄 날生) ① 서로 다른 종류의 생물이 함께 생활하며, 한쪽이 이익을 얻고 다른 쪽이 해를 입고 있는 일. 또는 그런 생활 형태 ② 스스로 생활하지 못하고 다른 사람을 의지하여 생활함 ⊕ 더부살이

존속(있을存 이을續) 어떤 대상이 그대로 있거나 어떤 현상이 계속됨

노폐물(늙을老 폐할廢 만물物) ① 낡아서 소용없는 물건 ② 생물체의 신진대사 과정에서 만들어지는 불필요한 찌꺼기

여과(거를濾 지날過) ① 거름종이나 여과기를 써서 액체 속에 들어 있는 물질을 걸러 내는 일 ② 주로 부정적인 요소를 걸러 내는 과정을 비유적으로 이르는 말

배설(물리칠排 샐泄) ① 안에서 밖으로 새어 나가게 함 ② 동물이 음식을 먹어 영양을 섭취하고 그 남은 찌꺼기나 부산물을 몸 밖으로 내보냄

발병(필發 병들病) 병이 남

침투(적실浸 통할透) ① 액체 따위가 스며들어 뱀 ② 세균이나 병균 따위가 몸속에 들어옴 ③ 어떤 사상이나 현상, 정책 따위가 깊이 스며들어 퍼짐 ④ 어떤 곳에 몰래 숨어 들어감

대항(대답할對 막을抗) 굽히거나 지지 않으려고 맞서서 버티거나 항거함 ⊕ 저항, 대립 ⊕ 굴복, 투항

이완(늦출弛 느릴緩) ① 바짝 조였던 정신이 풀려 늦추어짐 ⊕ 긴장 ② 잘 조성된 분위기 따위가 흐트러져 느슨해짐 ③ 굳어서 뻣뻣하게 된 근육 따위가 원래의 상태로 풀어짐 ⊕ 수축

● 다음 빈칸에 들어갈 알맞은 단어를 위에서 찾아 문맥에 맞게 써 보자.

(1) 집에서는 정수기로 수돗물을 ☐☐해서 마신다.

(2) 피부병은 종종 곰팡이의 ☐☐으로 인해 ☐☐한다.

(3) 그는 흉기를 든 강도들에게 ☐☐을 하다가 크게 다쳤다.

(4) 이 약은 뭉친 근육을 ☐☐시키는 데에 효과가 있다고 한다.

(5) 우리는 사형 제도의 ☐☐ 여부에 대하여 열띤 토론을 벌였다.

(6) 손톱 사이로 세균이 ☐☐하여 손톱 주위가 빨갛게 부어올랐다.

(7) 겨우살이 식물은 참나무나 버드나무 따위를 ☐☐로 하여 영양을 얻는다.

(8) 핏속의 ☐☐☐은 대부분 신장에서 걸러진 후 오줌의 형태로 몸 밖으로 ☐☐된다.

2단계 문제로 어휘 익히기

1 다음 단어의 의미를 찾아 바르게 연결해 보자.

(1) 기생 •

(2) 여과 •

(3) 이완 •

• ㉠ 스스로 생활하지 못하고 다른 사람을 의지하여 생활함

• ㉡ 굳어서 뻣뻣하게 된 근육 따위가 원래의 상태로 풀어짐

• ㉢ 거름종이나 여과기를 써서 액체 속에 들어 있는 물질을 걸러 내는 일

2 다음 문장에 들어갈 알맞은 단어를 〈보기〉에서 찾아 써 보자.

보기

대항   발병   배설   이완

(1) 일제 강점자들에게 (   )한 많은 사람이 죽임을 당했다.

(2) 과일과 채소에 다량 함유된 식이 섬유는 (   )을 원활하게 한다.

(3) 전염병의 (   )이 제때에 보고되지 않아서 적절한 방역 대책을 세우지 못했다.

3 다음 문장의 괄호 안에 들어갈 알맞은 단어를 골라 보자.

(1) 민족이 쇠퇴하느냐 (비속 / 존속)하느냐 하는 갈림길에 서 있다.

(2) 운동을 지나치게 하면 근육에 (노폐물 / 혼합물)이 쌓여 피로를 느끼게 된다.

(3) 기생 또는 공생을 하는 생명체에게 영양분과 서식지를 제공하는 동식물 개체를 (숙주 / 숙고)라고 한다.

4 〈보기〉는 '침투'의 뜻을 적은 것이다. 다음 중 〈보기〉의 뜻과 사용된 문장이 바르게 짝지어지지 <u>않은</u> 것을 찾아보자.

보기

㉠ 액체 따위가 스며들어 뱀

㉡ 어떤 곳에 몰래 숨어 들어감

㉢ 세균이나 병균 따위가 몸속에 들어옴

㉣ 어떤 사상이나 현상, 정책 따위가 깊이 스며들어 퍼짐

① ㉠: 운동화 속으로 빗물이 <u>침투</u>되어 양말이 모두 젖었다.

② ㉡: 파수꾼이 조는 사이에 적군이 <u>침투</u>했다.

③ ㉡: 벼멸구가 벼 속에 <u>침투</u>해 벼농사에 많은 해를 입혔다.

④ ㉢: 세균의 <u>침투</u>를 막으려면 손과 발을 깨끗이 씻어야 한다.

⑤ ㉣: 물질주의가 청소년 사회로 <u>침투</u>하는 것을 적극적으로 막아야 한다.

17 일차

O2 과학 주제어_생물

1단계 문맥으로 어휘 확인하기

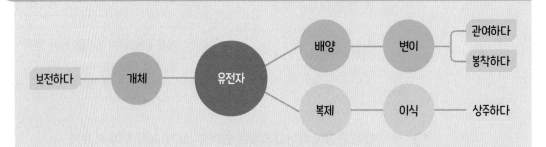

유전자(남길遺 전할傳 아들子) 부모로부터 자식에게 물려지는 특징, 즉 형질을 만들어 내는 유전 정보의 기본 단위로, 본체는 생물 세포의 핵 속에 들어 있는 디엔에이(DNA)임

개체(낱個 몸體) ① 전체나 집단에 상대하여 하나하나의 낱개를 이르는 말 ② 하나의 독립된 생물체로 살아가는 데 필요한 독립적인 기능을 갖고 있음 ③ 단일하고 독립적인 통일적 존재

보전(보전할保 온전할全)**하다** 온전하게 보호하여 유지하다.

배양(북돋울培 기를養) ① 식물을 북돋아 기름 ② 인격, 역량, 사상 따위가 발전하도록 가르쳐 기름 ⑨ 양성 ③ 인공적인 환경을 만들어 동식물 세포와 조직의 일부나 미생물 따위를 가꾸어 기름

변이(변할變 다를異) ① 같은 종류의 개체 사이에서 형질이 달라짐. 또는 그러한 현상. 환경 변이, 돌연변이 등이 있음 ② 일정한 범위 내에서 모양이나 성질이 달라짐 ③ 전혀 예상하지 못한 사태

관여(빗장關 더불與)**하다** 어떤 일에 관계하여 참여하다.

봉착(만날逢 붙을着)**하다** 어떤 처지나 상태에 부닥치다.

복제(겹옷複 지을製) 본디의 것과 똑같은 것을 만듦. 또는 그렇게 만든 것

이식(옮길移 심을植) ① 식물 따위를 옮겨 심음 ② 살아 있는 조직이나 장기를 생체로부터 떼어 내어, 같은 개체의 다른 부분 또는 다른 개체에 옮겨 붙이는 일

상주(항상常 살住)**하다** 어떤 지역에 항상 머물러 있다.

● **다음 빈칸에 들어갈 알맞은 단어를 위에서 찾아 문맥에 맞게 써 보자.**

(1) 그는 평생을 생태계 ☐☐에 힘썼다.

(2) 남의 일에 더 이상 ☐☐하지 마시오.

(3) 안구 ☐☐에 성공하여 그 환자는 시력을 되찾았다.

(4) 인간을 ☐☐하는 것은 신의 섭리를 거역하는 일이다.

(5) 바이러스들은 자신을 복제할 때마다 ☐☐를 일으킨다.

(6) 그 부부는 친아들을 찾기 위해 ☐☐☐ 감식을 의뢰했다.

(7) 인간은 자신을 독립된 ☐☐로서 인식할 수 있는 존재이다.

(8) 그는 서울에 ☐☐하면서 한 달에 한 번씩 고향에 내려간다.

(9) 투쟁을 하다 보면 죽마저 먹기 어려운 상황에 ☐☐할 수도 있다.

(10) 이번에 우리가 ☐☐한 조직이 성공을 거두면 인류에게 큰 보탬이 되는 약이 생산될 것이다.

2단계 문제로 어휘 익히기

1 다음 단어에 대한 설명이 맞으면 ○, 틀리면 ✕ 표시를 해 보자.

(1) 원래의 것과 비슷한 듯 다르게 만들어 내는 것을 '복제'라고 한다. (○ , ✕)

(2) 같은 종류의 개체 사이에서 형질이 달라지는 현상을 '변이'라고 한다. (○ , ✕)

(3) '유전자'란 부모로부터 자식에게 물려지는 특징을 만들어 내는 개체 정보의 기본 단위로, 본체는 아르엔에이(RNA)이다. (○ , ✕)

2 다음 단어의 의미를 찾아 바르게 연결해 보자.

(1) 개체 • • ㉠ 어떤 지역에 항상 머물러 있음

(2) 배양 • • ㉡ 하나의 독립된 생물체로 살아가는 데 필요한 독립적인 기능을 갖고 있음

(3) 상주 • • ㉢ 인공적인 환경을 만들어 동식물 세포와 조직의 일부나 미생물 따위를 가꾸어 기름

3 다음 문장의 괄호 안에 들어갈 알맞은 단어를 골라 보자.

(1) 우리 민족의 전통문화 (보전 / 보수)에 최선을 다하자.

(2) 운영 위원회와의 협상이 난관에 (안착 / 봉착)했다는 소식을 들었다.

(3) 아버지께서는 나의 진로 문제에 더 이상 (관여 / 부여)하지 않겠다고 하셨다.

4 〈보기〉는 '이식'의 뜻을 적은 것이다. 다음 중 〈보기〉의 뜻과 사용된 문장이 바르게 짝지어지지 <u>않은</u> 것을 찾아보자.

┌─ 보기 ─┐

㉠ 식물 따위를 옮겨 심음
㉡ 살아 있는 조직이나 장기를 생체로부터 떼어 내어, 같은 개체의 다른 부분 또는 다른 개체에 옮겨 붙이는 일

① ㉠: 이 나무는 풍토가 다른 지역에는 <u>이식</u>이 불가능하다.

② ㉠: 그는 산에서 묘목 몇 그루를 자기 집 정원으로 <u>이식</u>하였다.

③ ㉡: <u>이식</u>이 잘된 나무같이 그는 도시 생활에 뿌리를 잘 내리고 있었다.

④ ㉡: 의사는 손상된 피부의 가장 좋은 치료법은 자기 피부의 <u>이식</u>이라고 말했다.

⑤ ㉡: 뇌사 상태에 빠진 사람의 신장이 오랫동안 신부전증으로 고생하던 환자에게 <u>이식</u>되었다.

독해 체크

1. 이 글의 핵심어는?

☐☐☐☐☐☐

2. 문단별 중심 내용은?

1 ☐☐☐☐의 개념과 특징

2 박테리오파지의 ☐☐과 그 뜻

3 박테리오파지의 ☐☐과 각 부분의 기능

4 박테리오파지의 ☐☐과정

5 박테리오파지의 종류인 ☐☐파지와 ☐☐☐파지

3. 이 글의 주제는?

박테리오파지의 구성과 역할 및 ☐☐을 위한 복제 과정

[1~3] 다음 글을 읽고 물음에 답하시오. 2016학년도 3월 고1 전국연합

1 바이러스란 스스로는 ˚증식할 수 없고 ㉠숙주 세포에 기생해야만 증식할 수 있는 감염성 병원체를 일컫는다. 바이러스는 자신의 ㉡존속을 위한 최소한의 물질만을 가지고 있기 때문에 거의 모든 생명 활동에서 숙주 세포를 이용한다. 바이러스를 ㉢구성하는 기본 물질은 유전 정보를 담은 유전 물질과 이를 둘러싼 단백질 껍질이다.

2 1915년 영국의 세균학자 트워트는 포도상 구균을 연구하던 중, 세균 덩어리가 녹는 것처럼 투명하게 변하는 현상을 관찰했다. 뒤이어 1917년 프랑스에서 활동하던 데렐은 ˚이질을 연구하던 중 환자의 ˚분변에 이질균을 녹이는 물질이 포함되어 있다는 것을 발견하고, 이 ˚미지의 존재를 '박테리오파지'라고 불렀다. 박테리오파지는 바이러스의 일종으로 '세균을 잡아먹는 존재'라는 뜻이다.

3 박테리오파지는 머리와 꼬리, 꼬리 섬유로 구성되어 있다. 머리는 다면체로 되어 있고, 그 밑에는 길쭉한 꼬리가, 꼬리 밑에는 갈고리 모양의 꼬리 섬유가 붙어 있다. 머리에는 박테리오파지의 핵심이라 할 수 있는 유전 물질이 있는데, 이 유전 물질은 단백질 껍질로 보호되어 있다. 꼬리는 머릿속의 유전 물질이 세균으로 이동하는 통로 역할을 하며, 꼬리 섬유는 세균에 단단히 달라붙는 기능을 한다.

머리
꼬리
꼬리 섬유

4 박테리오파지는 증식을 위해 세균을 이용한다. 박테리오파지가 세균을 만나면 우선 꼬리 섬유가 세균의 세포막 표면에 존재하는 특정한 단백질, 다당류 등을 인식하여 ㉣복제를 위해 이용할 수 있는 세균인지의 여부를 확인한다. 그리고 이용이 가능한 세균일 경우 갈고리 모양의 꼬리 섬유로 세균의 표면에 단단히 달라붙는다. 세균 표면에 자리를 잡은 박테리오파지는 머리에 들어 있는 유전 물질만을 세균 내부로 ㉤침투시킨다. 세균 내부로 침투한 박테리오파지의 유전 물질은 세균 내부의 DNA를 분해한다. 그리고 세균의 내부 물질과 여러 효소 등을 이용하여 새로운 박테리오파지를 형성할 유전 물질과 단백질을 만들어 낸다. 이렇게 만들어진 유전 물질과 단백질이 조립되면 새로운 박테리오파지가 복제되는 것이다.

5 박테리오파지에는 '독성 파지'와 '용원성 파지'가 있다. '독성 파지'는 충분한 양의 박테리오파지가 복제되면 복제를 중단하고 세균의 세포벽을 파괴하는 효소를 만든다. 그리고 그 효소로 세균의 세포벽을 터뜨리고 외부로 쏟아져 나온다. 이와 달리 '용원성 파지'는 세균을 이용하는 것은 독성 파지와 같지만 세균을 파괴하지는 않는다. 대신 세균 속에서 계속 기생하여 세균이 ˚분열함에 따라 같이 늘어난다.

어휘 체크

❍ **증식할**: 생물이나 조직 세포 따위가 세포 분열을 하여 그 수가 늘어날

❍ **이질**: 이질균 감염에 의해 급성 염증성 장염을 일으키는 질환

❍ **분변**: 대변

❍ **미지**: 아직 알지 못함

❍ **분열함**: 둘 이상으로 나뉘어서 불어남

• 정답과 해설 27쪽

1

문맥상 ㉠~㉤의 의미와 가장 유사하게 쓰인 것은?

① ㉠: 끓는 물에 숙주를 데칠 때 뚜껑을 열면 비린내가 난다.
② ㉡: 존속 살인과 같은 반인륜적인 사건에 대한 처벌이 강화되고 있다.
③ ㉢: 이 그림은 파격적인 구성과 원색의 색채가 매우 특징적이다.
④ ㉣: 이 렘브란트의 풍경화는 물론 복제일 것이지만 화폭이 꽤 크고 장중하다.
⑤ ㉤: 어젯밤 무장 공비의 침투로 비상근무 명령이 내려졌다.

2

윗글에 나타난 '박테리오파지'에 대한 설명으로 적절하지 않은 것은?

① 독성 파지와 용원성 파지 두 종류가 있다.
② 머리에 있는 유전 물질은 단백질 껍질로 보호되어 있다.
③ 바이러스의 일종으로 머리, 꼬리, 꼬리 섬유로 구성되어 있다.
④ 갈고리 모양의 꼬리 섬유는 세균의 표면에 단단히 달라붙는 기능을 한다.
⑤ 세균의 세포막 표면에 존재하는 특정한 단백질을 분해하여 복제하는 방법으로 증식한다.

기출 문제

3

윗글을 바탕으로 〈보기〉의 [A]~[E]를 이해한 것으로 적절하지 않은 것은?

보기

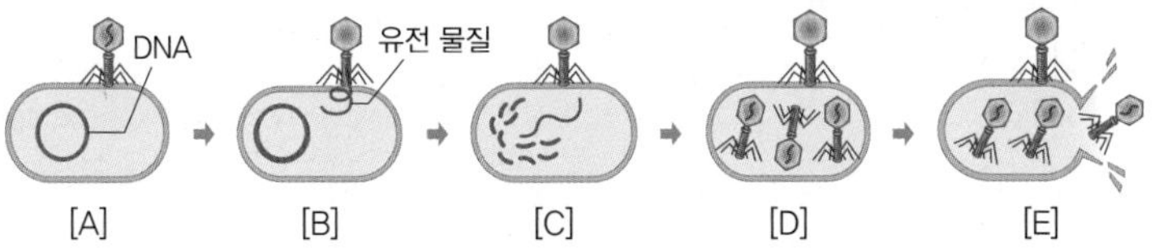

▲ 박테리오파지의 복제 과정

① [A]: 꼬리 섬유가 세포막 표면의 단백질, 다당류 등을 인식한 결과에 따라 유전 물질의 침투 여부가 결정되겠군.
② [B]: 박테리오파지의 머릿속에 있는 유전 물질은 꼬리를 통해 세균 안으로 유입되겠군.
③ [C]: 세균에 침투한 유전 물질은 세균의 내부 물질과 효소 등을 이용해 복제에 필요한 유전 물질과 단백질을 만들겠군.
④ [D]: 세균 속에서 기생하다 세균이 분열하는 과정에서 새로운 박테리오파지가 복제되겠군.
⑤ [E]: 복제된 박테리오파지가 세포 밖으로 터져 나오는 것을 보니 독성 파지가 증식된 것이겠군.

유입: 병원균 따위가 들어옴

01 과학 주제어 _화학

1단계 문맥으로 어휘 확인하기

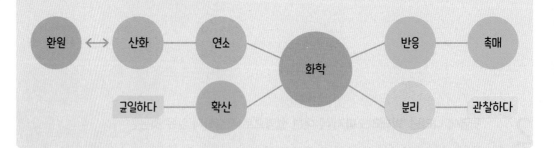

연소(사를燃 사를燒) 물질이 산소와 화합할 때 많은 빛과 열을 내는 현상

산화(초酸 될化) 어떤 물질이 산소와 결합하거나 수소를 잃는 화학 반응. 불에 타는 것이나 녹이 스는 것, 또는 알코올이 알데하이드로 변하는 반응을 이름

환원(돌아올還 으뜸元) ① 본디의 상태로 다시 돌아감. 또는 그렇게 되게 함 ② 어떤 물질이 산소를 잃거나 수소와 결합하는 작용 웹 산화 환원 반응: 화학 반응이 일어날 때 한 물질이 산소를 얻으면 다른 물질이 산소를 잃기에 산화와 환원은 동시에 일어남

확산(넓힐擴 흩을散) ① 흩어져 널리 퍼짐 ② 서로 농도가 다른 물질이 섞여 시간이 지나면서 차츰 같은 농도가 되는 현상 ⊕ 퍼짐

균일(고를均 하나一)**하다** 한결같이 고르다. ⊕ 고르다, 일정하다 ⊕ 불균일하다

반응(돌이킬反 응할應) ① 자극에 대응하여 어떤 현상이 일어남. 또는 그 현상 ② 물질 사이에 일어나는 화학적 변화. 물질의 성질이나 구조가 변함

촉매(닿을觸 중매媒) ① 화학 반응(물질이 가진 본래의 성질 자체가 변하는 반응)에서, 그 자신은 변하지 않으며 다른 물질의 화학 반응을 빠르게 하거나 늦추는 작용을 하는 물질 ② 어떤 일을 유도하거나 변화시키는 일 따위를 비유적으로 이르는 말

분리(나눌分 떠날離) ① 서로 나뉘어 떨어짐. 또는 그렇게 되게 함 ② 물질의 혼합물을 어떤 성분을 함유하는 부분과 함유하지 않는 부분으로 나누는 일

관찰(볼觀 살필察)**하다** 사물이나 현상을 주의하여 자세히 살펴보다. ⊕ 주시하다, 들여다보다

● 다음 빈칸에 들어갈 알맞은 단어를 위에서 찾아 문맥에 맞게 써 보자.

(1) 쓰레기 더미에서 재활용할 쓰레기를 ☐☐했다.

(2) 이 도자기는 형태가 일정하고 두께도 ☐☐하다.

(3) 이 약품은 액체를 고체화하는 ☐☐ 역할을 한다.

(4) 현미경으로 미세한 물체를 확대하여 ☐☐할 수 있다.

(5) 이 금속은 공기 중에 놓아두면 ☐☐하여 녹이 슬게 된다.

(6) 수영이나 달리기 같은 유산소 운동은 지방 ☐☐에 효과적이다.

(7) 알레르기 ☐☐으로는 코 막힘이나 피부 발진 등의 증상이 있다.

(8) 이번에 유행하는 새 독감 바이러스는 아이들 사이에 더 빠르게 ☐☐되고 있다고 한다.

(9) 나는 자신이 모은 전 재산을 사회에 ☐☐하기로 결심한 그가 매우 대단하다고 생각한다.

2단계 | 문제로 어휘 익히기

1 다음 단어의 의미를 찾아 바르게 연결해 보자.

(1) 반응 •

• ㉠ 물질이 산소와 화합할 때 많은 빛과 열을 내는 현상

(2) 연소 •

• ㉡ 물질 사이에 일어나는 화학적 변화. 물질의 성질이나 구조가 변함

(3) 촉매 •

• ㉢ 그 자신은 변하지 않으며 다른 물질의 화학 반응을 빠르게 하거나 늦추는 작용을 하는 물질

2 제시된 뜻과 예문을 참고하여 다음 초성에 해당하는 단어를 빈칸에 써 보자.

(1) ㄱ ㅇ : 한결같이 고름

　예 옥수수는 미지근한 물에 씨담그기를 하면 발아가 (　　　　)하게 이루어진다.

(2) ㄱ ㅊ : 사물이나 현상을 주의하여 자세히 살펴봄

　예 우리는 양파가 자라는 과정을 매일 (　　　　)해서 보고서를 작성하였다.

3 다음 문장의 괄호 안에 들어갈 알맞은 단어를 골라 보자.

(1) 거름종이는 물에 녹는 물질과 물에 녹지 않는 물질을 (분화 / 분리)할 때 사용된다.

(2) 물이 담긴 수조에 잉크를 떨어뜨렸더니 잉크가 서서히 (확산 / 확대)되기 시작했다.

(3) 어떤 물질이 산소와 화합하는 반응을 (산화 / 환원), 산소를 잃는 작용을 (산화 / 환원) (이)라고 한다.

4 다음 빈칸에 들어갈 가장 적절한 단어를 찾아보자.

　　불에 타기 전의 나무와 타고 난 후 남은 재는 같은 물질이라고 볼 수 없다. 나무가 산소에 반응하면서 열과 빛이 발생하였고 이 때문에 색이 변하고 성분도 변했기 때문이다. 이렇게 물질이 산소와 반응하면서 열과 빛을 발생시키는 것을 _____ 반응이라 하고, 물질의 성질이 바뀌는 이러한 반응을 화학 변화라고 한다.

① 연소　　　② 산화　　　③ 확산　　　④ 촉매　　　⑤ 분리

18 일차

02 과학 주제어 _물리

1단계　**문맥으로** 어휘 확인하기

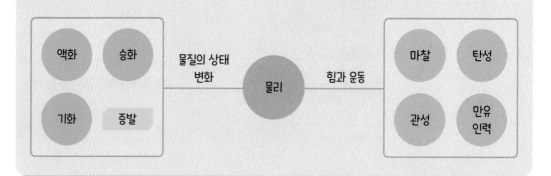

액화(진液 될化) 기체 상태의 물질이 냉각되거나 압축되어 액체 상태로 변하는 현상 ● 액체화, 응축, 응결 ● 기화

승화(오를昇 빛날華) 고체에 열을 가하면 액체 상태가 되는 일이 없이 곧바로 기체로 변하는 현상으로, 얼음이 증발하는 경우나 드라이아이스 따위에서 볼 수 있음. 또는 그 반대의 변화 과정을 이르기도 함 ● 융해: 고체에 열을 가했을 때 액체로 되는 현상

기화(기운氣 될化) 액체가 기체로 변하는 현상 ● 기체화 ● 비등: 액체에 기포가 발생하면서 기체로 변하는 현상(=끓음)

증발(찔蒸 필發) 어떤 물질이 액체 상태에서 기체 상태로 변하는 현상으로, 액체의 표면에서 일어나는 기화 현상을 이름 ● 휘발

마찰(갈摩 비빌擦) ① 두 물체가 서로 닿아 비벼짐. 또는 그렇게 함 ② 이해나 의견이 서로 다른 사람이나 집단이 충돌함 ③ 접촉하고 있는 두 물체가 상대 운동을 하려고 하거나 상대 운동을 하고 있을 때, 그 운동을 방해하는 방향으로 힘이 작용하는 현상

탄성(탄알彈 성품性) 물체에 외부에서 힘을 가하면 부피와 모양이 바뀌었다가, 그 힘을 제거하면 본디의 모양으로 되돌아가려고 하는 성질

관성(버릇慣 성품性) 물체가 밖의 힘을 받지 않는 한 처음의 운동 상태를 계속 유지하려는 성질

만유인력(일만萬 있을有 끌引 힘力) 질량을 가지고 있는 모든 물체가 서로 잡아당기는 힘

● 다음 빈칸에 들어갈 알맞은 단어를 위에서 찾아 문맥에 맞게 써 보자.

(1) 롤러코스터는 ☐☐을 이용한 놀이 기구이다.

(2) 이슬은 공기 중의 수증기가 ☐☐되어 생긴다.

(3) 이 크림은 피부 수분의 ☐☐을 막아 준다고 한다.

(4) 아이들은 알코올의 ☐☐ 과정을 실험을 통해 살펴보았다.

(5) 뉴턴은 떨어지는 사과를 보면서 ☐☐☐☐이라는 개념을 떠올렸다.

(6) 나프탈렌은 고체에서 기체로 ☐☐되면서 나쁜 냄새를 없애는 효과를 낸다.

(7) 화장품을 과다하게 사용하면 피부의 ☐☐이 없어지면서 노화 현상이 빨리 온다.

(8) 무거운 것을 운반하는 경우, 땅 위에 대고 그대로 밀면 ☐☐이 커지기 때문에 보조 기구가 필요하다.

2단계 문제로 어휘 익히기

1 다음 단어의 의미를 찾아 바르게 연결해 보자.

(1) 기화 •
(2) 승화 •
(3) 액화 •

• ㉠ 액체가 기체로 변하는 현상

• ㉡ 기체가 냉각·압축되어 액체로 변하는 현상

• ㉢ 고체에 열을 가하면 액체가 되는 일이 없이 곧바로 기체로 변하는 현상

2 다음 문장에 들어갈 적절한 단어를 〈보기〉에서 찾아 써 보자.

┌─────────── 보기 ───────────┐
관성   마찰   탄성   만유인력
└────────────────────────────┘

(1) 고무공을 바닥에 떨어뜨리면 튀어 올라오는데, 이는 고무공의 (   ) 때문이다.

(2) 손바닥을 마주 대고 비비면 따뜻해지는 이유는 (   ) 전기가 발생하기 때문이다.

(3) 버스가 갑자기 출발하면 승객과 버스 손잡이는 순간 뒤로 쏠린다. 승객과 손잡이는 (   )에 따라 계속 정지해 있으려 하지만 힘을 받은 버스는 앞으로 나아가기 때문이다.

3 다음 문장의 괄호 안에 들어갈 알맞은 단어를 골라 보자.

(1) 드라이아이스를 공기 중에 놓아두면 상온에서 (기화 / 승화)되어 안개처럼 보인다.

(2) 욕실에서 뜨거운 물을 틀어 놓으면 욕실 천장에 물방울이 맺히는데, 그 이유는 물이 수증기로 (기화 / 액화)되어 날아가다가 차가운 천장에서 (기화 / 액화)되기 때문이다.

4 다음 빈칸에 공통적으로 들어갈 가장 적절한 단어를 찾아보자.

┌──┐
│   들고 있던 공을 놓으면 공이 아래로 떨어지는데 이는 지구 중심에서 끌어당기는 힘이 작 │
│ 용하기 때문이다. 이와 같이 모든 물체와 물체 사이에는 서로 끌어당기는 힘이 있는데 이 │
│ 를 _____이라고 하고, 지구의 _____을 중력이라고 한다.   │
└──┘

① 마찰   ② 탄성   ③ 관성   ④ 증발   ⑤ 만유인력

독해 체크

1. 이 글의 핵심어는?
☐☐☐

2. 문단별 중심 내용은?
1 액체의 ☐☐☐에 대한 궁금증 제시
2 ☐☐☐☐의 발생 이유와 액체의 증기압에 대한 개념
3 용액의 농도, 온도, ☐☐의 종류에 따라 변하는 용액의 증기압
4 용액의 증기압 ☐☐에 따른 끓는점의 차이

3. 이 글의 주제는?
끓는점을 결정하는 액체의
☐☐☐

[1~3] 다음 글을 읽고 물음에 답하시오.   2015학년도 6월 고1 전국연합

1 라면을 끓일 때, 스프를 미리 넣으면 물만 끓일 때보다 끓는 데 더 오랜 시간이 걸린다. 이것은 스프가 물에 녹으면 물의 끓는점이 높아져서 더 많은 열을 가해야 하기 때문이다. 그렇다면 스프를 넣은 물의 끓는점이 순수한 물의 끓는점보다 높은 이유는 무엇일까?

2 밀폐된 용기 속에 물을 담아 두면 물 분자들은 표면에서 일정한 속도로 증발한다. 이 과정에서 ㉠액체 상태의 물이 기체 상태로 변하기 때문에 물의 양은 점점 줄어든다. 그렇지만 일정 시간이 지나면 물의 양은 더 이상 줄어들지 않는다. 그 이유는 물에서 증발하는 분자 수와 물로 돌아오는 분자 수가 같아지기 때문이다. ㉡기체 상태의 분자들이 액체로 돌아오는 과정을 응축이라 하는데, 밀폐된 용기 속에서 증발된 기체 분자 수가 많아질수록 응축 속도가 빨라져 결국 증발 속도와 같아진다. 증발 속도와 응축 속도가 같은 때를 평형 상태라고 하는데, 이때부터 물의 양은 더 이상 줄어들지 않는다. 평형 상태에서 증기가 나타내는 압력을 액체의 증기압이라고 한다.

3 라면 스프를 넣은 물은 일종의 용액인데, 용액의 증기압은 용액의 농도와 온도, 용매의 종류에 따라 변한다. 순수한 용매만 있을 때에는 용매의 표면 전체에서 증발이 일어난다. 그러나 용액은 표면에서 비휘발성 용질이 차지하는 부분만큼 증발이 일어나지 않아, 용액의 증기압은 순수한 용매의 증기압보다 낮아진다. 용액에 비휘발성 용질이 많이 녹아 있을수록, 즉 용액의 농도가 진할수록 표면에서 증발하는 용매 분자 수가 적어지기 때문에 용액의 증기압이 더 낮아진다. 한편 온도가 높아지면 분자의 운동이 활발해져서 증발하는 용매 분자 수가 많아지고, 이에 따라 용액의 증기압도 높아진다.

4 라면 스프를 넣은 물의 끓는점이 높아지는 이유는 용액의 증기압 변화를 통해 설명할 수 있다. '끓는다'는 것을 과학적으로 정의하면 액체의 증기압이 대기압과 같아져서 액체 내부에서 기체 상태로 변한 분자들(기포)이 액체의 표면 바깥으로 나오는 것이라고 할 수 있다. 그러므로 끓는점은 액체의 증기압이 대기압과 같아지는 온도로 정의할 수 있다. 비휘발성 용질을 녹인 용액은 순수한 용매보다 증기압이 낮기 때문에 더 높은 온도가 되어야 용액의 증기압과 대기압이 같아진다. 라면 스프를 넣은 물이 순수한 물에 비해 끓는점이 높은 이유는 이 때문이다. 반면 높은 산에 올라가면 대기압이 낮아지기 때문에 평지보다 액체의 증기압이 낮은 상태에서도 끓게 되는 것이다.

어휘 체크

● **밀폐된**: 샐 틈이 없이 꼭 막히거나 닫힌
● **용액**: 두 가지 이상의 물질이 균일하게 혼합된 액체
● **용매**: 어떤 액체에 물질을 녹여서 용액을 만들 때 그 액체를 가리키는 말
● **비휘발성**: 보통 온도에서 액체가 기체로 되어 날아 흩어지지 않는 성질
● **용질**: 용액에 녹아 있는 물질

● 정답과 해설 28쪽

1 ㉠과 ㉡을 설명할 수 있는 현상으로 바르게 짝지어진 것은?

	㉠	㉡
①	액화	승화
②	기화	액화
③	승화	액화
④	액화	기화
⑤	기화	승화

2 끓는점에 대한 설명으로 적절하지 않은 것은?

① 액체의 증기압이 대기압과 같아지는 온도이다.

② 액체의 내부에서 기포가 발생하면서 끓기 시작하는 온도이다.

③ 비휘발성 용질을 녹인 용액은 순수한 용매보다 끓는점이 낮다.

④ 똑같은 물을 높은 산에서 끓일 때 평지보다 끓는점이 낮아진다.

⑤ 액체에 따라 끓는점이 다른 이유는 용액의 증기압 변화 때문이다.

기출 문제

3 온도가 일정한 밀폐된 용기 속에 용액을 넣고 관찰한다고 할 때, 이에 대한 설명으로 적절하지 않은 것은?

① 증발이 계속되면 응축 속도는 느려진다.

② 용액의 증발 속도는 일정하게 유지된다.

③ 평형 상태에서 증발 속도는 응축 속도와 같다.

④ 증발 속도가 응축 속도보다 빠르면 용액이 줄어든다.

⑤ 용액의 농도가 진할수록 증발하는 용매 분자 수가 적어진다.

❏ 일정하게: 어떤 것의 양, 성질, 상태, 계획 따위가 달라지지 아니하고 한결같게

● 부자와 가난에 관련된 속담

가난 구제는 나라도 못한다

가난한 사람을 도와주기란 끝이 없는 일이어서 개인은 물론 나라의 힘으로도 구제하지 못한다는 말

예 가난 구제는 나라도 못한다더니 옆집은 식구들이 다 돈을 벌러 나가도 좀 처럼 사정이 나아지지 않더라.

가난도 스승이다

가난하면 그 상황을 극복하려는 의지와 노력이 생기므로 가난도 가르침을 주는 스승과 같은 역할을 한다는 말

예 가난도 스승이라고, 그는 남들보다 어려운 처지에 있었던 만큼 끈기와 의지력이 강한 사람이 되었다.

가난한 양반 씻나락 주무르듯

가난한 양반이 털어먹자니 앞날이 걱정스럽고 그냥 두자니 당장 굶는 일이 걱정되어서 볍씨만 한없이 주무르고 있다는 뜻으로, 어떤 일에 닥쳐 우물쭈물하기만 하면서 선뜻 결정을 내리지 못하고 있는 모양을 이르는 말

예 그는 갈피를 잡지 못하고 헤매기만 하는 것이 가난한 양반 씻나락 주무르 듯 하고 있다.

가난한 집 신주 굶듯

가난한 집에서는 산 사람도 배를 곯는 형편이므로 신주까지도 제사 음식을 제대로 받아 보지 못하게 된다는 뜻으로, 줄곧 굶기만 한다는 말

예 몇 년 전까지만 해도 대궐 같은 집에서 살던 그였지만, 단 한 번의 실수로 인하여 지금은 가난한 집 신주 굶듯 할 수밖에 없었다.

가난한 집 제사 돌아오듯 한다

괴로운 일이나 치르기 힘든 일이 자주 닥침을 비유적으로 이르는 말

예 여기저기 원고 청탁을 받아 놓고 보니 마감일이 가난한 집 제사 돌아오듯 한다.

가난한 집 족보 자랑하기다

가난한 양반은 내세울 것이 없기 때문에 자기 조상 자랑만 늘어놓는다는 뜻으로, 실속은 없으면서 허세만 부림을 비꼬아 이르는 말

예 그는 돈을 빌리러 왔으면서도, 틈만 나면 자기가 예전에 얼마나 잘 나갔는 지 얘기하는 것이 가난한 집 족보 자랑하는 격이었다.

똥구멍이 찢어지게 가난하다

몹시 가난함을 이르는 말

예 어머니는 똥구멍이 찢어지게 가난한 집으로 시집와서 고생을 많이 했다.

✚ **목구멍에 거미줄 쓴다:** 살림이 구차해서 며칠씩 끼니를 때우지 못한다는 말

✚ **삼순구식(三旬九食):** 삼십 일 동안 아홉 끼니밖에 먹지 못한다는 뜻으로 몹시 가난함을 이르는 말

✚ **가난할수록 기와집 짓는다:** 가난한 살림일수록 기와집을 짓는다는 뜻으로, 실상은 가난한 사람이 남에게 업신여김을 당하기 싫어서 허세를 부리려는 심리를 비유적으로 이르는 말

✚ **가랑이가 찢어지게 가난하다**

부자는 망해도 삼 년 먹을 것이 있다	본래 부자이던 사람은 망했다 하더라도 얼마 동안은 그럭저럭 살아 나갈 수 있음을 비유적으로 이르는 말 📖 부자는 망해도 삼 년 먹을 것이 있다고 하지 않았는가? 너무 걱정하지 말고 나만 믿고 기다리게.
부자도 한이 있다	부자도 한계가 있다는 뜻으로, 무엇이나 성하는 것도 한도가 있음을 이르는 말 📖 부자도 한이 있다고, 저 집의 재산이 언제까지나 늘어만 가지는 않을 것이다.
부지런한 부자는 하늘도 못 막는다	부지런하면 반드시 부자가 됨을 비유적으로 이르는 말 📖 부지런한 부자는 하늘도 못 막는다더니, 그의 성공은 평생 근면 성실하였던 노력의 결과이다.
사흘 굶어 도둑질 아니 할 놈 없다	아무리 착하고 순한 사람일지라도 몹시 궁하게 되면 옳지 못한 짓을 하게 된다는 말 📖 사흘 굶어 도둑질 아니 할 놈 없다고, 장발장이 빵을 훔친 건 잘못이지만 배고픈 조카들을 위해선 어쩔 수 없었을 거야.
인색한 부자가 손쓰는 가난뱅이보다 낫다	가난한 사람은 마음씨가 곱고 동정심이 많아도 남을 도와주기란 쉽지 않음에 비하여, 부자는 인색하여도 남는 것이 있어 없는 사람이 물질적 도움을 입을 수 있음을 이르는 말 📖 인색한 부자가 손쓰는 가난뱅이보다 낫다고 하니, 최부잣집에 가서 한번 사정이라도 해 봅시다.
재떨이와 부자는 모일수록 더럽다	사람은 재물이 많이 모이면 모일수록 재물에 대한 욕심이 더욱더 생기고 마음씨가 인색해짐을 비유적으로 이르는 말 📖 재떨이와 부자는 모일수록 더럽다더니, 김 사장은 사업이 번창할수록 더 인색해져 간다.

😊 **벋어 가는 칡도 한이 있다**: 칡이 기세 좋게 벋어 나가지만 그것도 한계가 있다는 뜻으로, 무엇이나 성하는 것도 한도가 있음을 이르는 말

😊 **사흘 굶으면 포도청의 담도 뛰어넘는다, 열흘 굶어 군자 없다, 목구멍이 포도청**: 먹고살기 위하여, 해서는 안 될 짓까지 하지 않을 수 없음을 이르는 말

😊 **다라운 부자가 활수한 빈자보다 낫다**: 마음은 자비롭지만 남에게 베풀 것이 없는 가난한 사람보다는 인색한 부자가 그래도 베푸는 것이 많다는 말

😊 **부자가 될수록 욕심이 늘어난다**: 탐욕에는 끝이 없음을 이르는 말

유래로 보는 속담

똥구멍이 찢어지게 가난하다

옛날에 음력 4~5월 무렵이면 지난해 가을에 추수를 해서 쌓아 놓았던 곡식이 다 떨어져 굶주릴 수밖에 없게 되었는데 이때를 가리켜 보릿고개라고 한다. 보릿고개가 되면 가난한 사람들은 풀뿌리와 소나무 껍질 등으로 끼니를 잇거나 굶어 죽는 경우도 많았다. 그런데 이 풀뿌리나 소나무 껍질은 소화가 잘 안 되기 때문에 변비에 걸리기 쉬워 화장실에서 변을 볼 때 항문이 찢어져 피가 나오는 등 어려움을 겪었다. '똥구멍이 찢어지게 가난하다'라는 속담은 여기서 나온 말이다.

01 다음 빈칸에 들어갈 속담의 뜻을 〈보기〉에서 골라 기호를 써 보자.

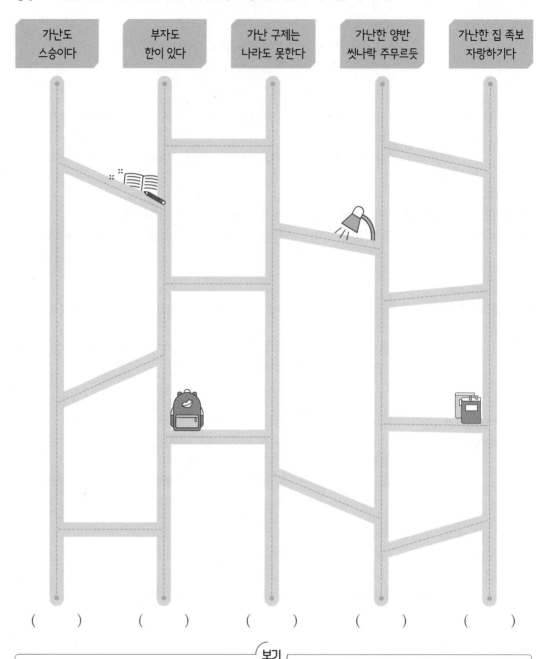

| 가난도 스승이다 | 부자도 한이 있다 | 가난 구제는 나라도 못한다 | 가난한 양반 씻나락 주무르듯 | 가난한 집 족보 자랑하기다 |

( ) ( ) ( ) ( ) ( )

〈보기〉

㉠ 부자도 한계가 있다는 뜻으로, 무엇이나 성하는 것도 한도가 있음을 이르는 말

㉡ 가난한 사람을 도와주기란 끝이 없는 일이어서 개인은 물론 나라의 힘으로도 구제하지 못한다는 말

㉢ 가난하면 그 상황을 극복하려는 의지와 노력이 생기므로 가난도 가르침을 주는 스승과 같은 역할을 한다는 말

㉣ 가난한 양반은 내세울 것이 없기 때문에 자기 조상 자랑만 늘어놓는다는 뜻으로, 실속은 없으면서 허세만 부림을 비꼬아 이르는 말

㉤ 가난한 양반이 털어먹자니 앞날이 걱정스럽고 그냥 두자니 당장 굶는 일이 걱정되어서 볍씨만 한없이 주무르고 있다는 뜻으로, 어떤 일에 닥쳐 우물쭈물하기만 하면서 선뜻 결정을 내리지 못하고 있는 모양을 이르는 말

[02~04] 다음 빈칸에 알맞은 단어를 쓰고, 속담의 뜻을 찾아 바르게 연결해 보자.

02 [   ]와 부자는 모일수록 더럽다 ·

· ㉠ 아무리 착하고 순한 사람일지라도 몹시 궁하게 되면 옳지 못한 짓을 하게 된다는 말

03 사흘 굶어 [   ] 아니 할 놈 없다 ·

· ㉡ 본래 부자이던 사람은 망했다 하더라도 얼마 동안은 그럭저럭 살아 나갈 수 있음을 비유적으로 이르는 말

04 [   ]는 망해도 삼 년 먹을 것이 있다 ·

· ㉢ 사람은 재물이 많이 모이면 모일수록 재물에 대한 욕심이 더욱더 생기고 마음씨가 인색해짐을 비유적으로 이르는 말

05 다음 문자 메시지 대화를 읽고, 빈칸에 알맞은 속담을 써 보자.

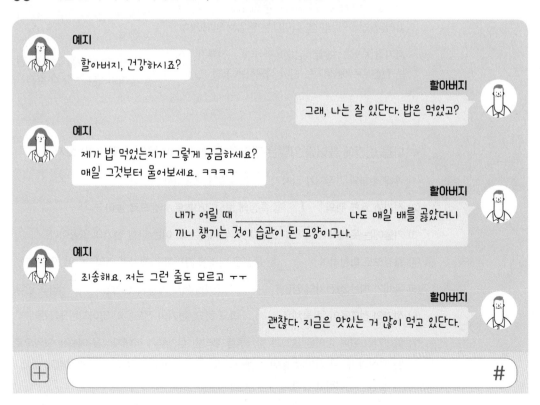

예지
할아버지, 건강하시죠?

할아버지
그래, 나는 잘 있단다. 밥은 먹었고?

예지
제가 밥 먹었는지가 그렇게 궁금하세요? 매일 그것부터 물어보세요. ㅋㅋㅋㅋ

할아버지
내가 어릴 때 _____ 나도 매일 배를 곯았더니 끼니 챙기는 것이 습관이 된 모양이구나.

예지
죄송해요. 저는 그런 줄도 모르고 ㅜㅜ

할아버지
괜찮다. 지금은 맛있는 거 많이 먹고 있단다.

01 기술 주제어 _전기/전자

1단계 문맥으로 어휘 확인하기

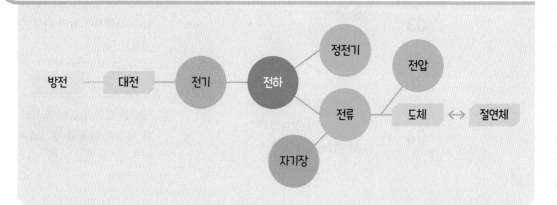

전하(번개電 연荷) 물체가 띠고 있는 정전기의 양. 같은 종류의 전하끼리는 서로를 밀어내고, 다른 종류의 전하끼리는 서로를 끌어당김

정전기(고요할靜 번개電 기운氣) 물체가 서로 마찰하면 전자가 이동하면서 전기를 띠게 되는데, 이를 정전기라고 함. 전하가 흐르지 않고 한곳에 정지해 있다고 하여 붙여진 이름임. 전기가 흐르는 경우는 전류라고 함

전류(번개電 흐를流) 도선을 따라 전하가 흐르는 현상으로, 전기를 띤 입자가 많은 쪽에서 적은 쪽으로 흘러감. 전류의 세기를 나타내는 단위는 암페어(A)

자기장(자석磁 기운氣 마당場) 자석이나 전류가 흐르는 전선 주위에 생기는 힘이 작용하는 공간

전압(번개電 누를壓) 도체 안에 있는 두 점 사이의 전기적인 위치 에너지의 차이로, 전기 회로에서 전류를 흐르게 하는 능력. 단위는 볼트(V)

도체(인도할導 몸體) 열이나 전기가 잘 통하는 물질로, 철, 구리, 은, 알루미늄 등과 같이 주로 금속으로 되어 있음 ⊕ 부도체, 절연체

절연체(끊을絕 인연緣 몸體) 열이나 전기를 잘 전달하지 않는 물체로, 전기의 절연체는 유리, 고무 따위이고, 열의 절연체는 솜, 석면 따위임 ⊕ 부도체

대전(띠帶 번개電) 어떤 물체가 전기를 띠게 되는 현상 ⊕ 하전

방전(놓을放 번개電) 전기를 띤 물체가 전기적 성질을 잃어버리는 현상 ⊕ 충전

● 다음 빈칸에 들어갈 알맞은 단어를 위에서 찾아 문맥에 맞게 써 보자.

(1) 휴대 전화의 건전지가 갑자기 ☐☐되어 작동되지 않았다.

(2) 전기가 흐른 뒤의 ☐☐을 측정해 보니 220볼트 이상으로 높아졌다.

(3) 겨울에는 옷에서 ☐☐☐가 자주 일어나는데, 이는 마찰 전기의 일종이다.

(4) 헝겊으로 마찰하여 ☐☐된 풍선을 머리에 가까이 가져가면 머리카락이 곤두선다.

(5) 물체가 띠는 정전기의 양인 ☐☐가 도선을 따라 흐르는 현상을 ☐☐라고 한다.

(6) 전기의 전도율이 큰 물체를 ☐☐라고 하고, 전기의 전도율이 떨어지는 물질을 ☐☐☐라고 한다.

(7) 막대자석 위에 종이를 올리고 철가루를 뿌리면 철가루가 막대자석을 에워싼 모양으로 늘어서 있는데, 그 이유는 자석의 두 극 사이에 힘이 작용하고 있기 때문이다. 이 힘을 자기력이라고 하고, 자기력이 미치는 공간을 ☐☐☐이라고 한다.

2단계 문제로 어휘 익히기

1 다음 단어의 의미를 찾아 바르게 연결해 보자.

(1) 전압 •

(2) 자기장 •

(3) 절연체 •

• ㉠ 열이나 전기를 잘 전달하지 않는 물체

• ㉡ 도체 안에 있는 두 점 사이의 전기적인 위치 에너지의 차이

• ㉢ 자석이나 전류가 흐르는 전선 주위에 생기는 힘이 작용하는 공간

2 다음 단어에 대한 설명이 맞으면 ○, 틀리면 × 표시를 해 보자.

(1) '정전기'는 전기가 계속 흐르는 현상을 의미한다. (○, ×)

(2) '전류'는 전하가 흐르는 현상으로, 전기를 띤 입자가 적은 쪽에서 많은 쪽으로 흘러간다.
(○, ×)

(3) '도체'는 열 또는 전기의 전도율이 큰 물체를 이르는 말로, 금속인 금, 구리, 철 등이 이에 해당한다. (○, ×)

3 제시된 뜻과 예문을 참고하여 다음 초성에 해당하는 단어를 빈칸에 써 보자.

(1) ㄷ ㅈ : 어떤 물체가 전기를 띠게 되는 현상

예 물체를 서로 문질러서 (−)전기가 이동하게 되는 것을 ( )이라고 하며, 이렇게 해서 전기를 띠게 된 물체를 대전체라고 한다.

(2) ㅂ ㅈ : 전기를 띤 물체가 전기적 성질을 잃어버리는 현상

예 자동차의 배터리가 ( )되어 서비스 업체를 불렀다.

4 다음 빈칸에 공통적으로 들어갈 가장 적절한 단어를 찾아보자.

자석이 만들어 내는 공간인 _____ 이/가 자석 주위에 있는지 눈으로 확인하기 위해서는, 자석 주위에 철가루를 뿌려 보거나 나침반을 놓아 보면 된다. 그러면 철가루는 일정한 모양으로 배열되고, 나침반의 바늘도 _____의 방향에 따라서 정렬한다.

① 방전 ② 도체 ③ 자기장 ④ 절연체 ⑤ 정전기

02 기술 주제어 _ 화학 기술

1단계 문맥으로 어휘 확인하기

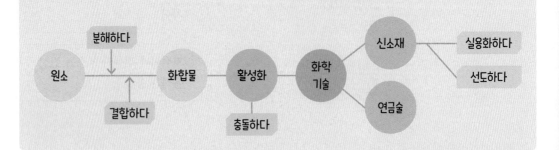

원소(으뜸元 본디素) 모든 물질을 구성하는 기본적 요소로, 화학적인 방법으로 더 이상 다른 물질로 분해되지 않는 성분임. 한 종류의 원자로만 구성됨

분해(나눌分 풀解)**하다** ① 여러 부분이 결합되어 이루어진 것을 그 낱낱으로 나누다. ② 한 종류의 화합물이 두 가지 이상의 간단한 화합물로 변화하다.

결합(맺을結 합할合)**하다** 둘 이상의 사물이나 사람이 서로 관계를 맺어 하나가 되다. 또는 그렇게 되게 하다.

화합물(될化 합할合 만물物) 두 종류 이상의 원소로 이루어진 물질. 두 종류 이상의 물질이 일정한 비율로 결합하여 만들어진 순수한 화학 물질로, 물리적인 방식으로는 각각의 성분으로 분리할 수 없음

활성화(살活 성품性 될化) ① 원자나 분자가 높은 에너지 상태로 되어 물질의 반응성이 높아짐 ② 사회나 조직 등이 활발하게 됨

충돌(찌를衝 갑자기突)**하다** ① 서로 맞부딪치거나 맞서다. ② 움직이는 두 물체가 접촉하여 짧은 시간 내에 서로 힘을 미치다.

신소재(새로울新 본디素 재목材) 지금까지는 없었던 새로운 소재나 새로운 기술과 결합한 소재를 통틀어 이르는 말

실용화(열매實 쓸用 될化)**하다** 실제로 쓰거나 쓰게 하다.

선도(먼저先 이끌導)**하다** 앞장서서 이끌거나 안내하다. ⑪ 따라가다

연금술(불릴鍊 쇠金 꾀術) 철이나 구리, 납 따위의 비금속을 금이나 은 같은 귀금속으로 바꾸려 한 원시적 화학 기술. 근대 화학이 성립하기 이전까지 천 년 이상 계속되었으나 결국 모두 실패함. 그러나 그 과정에서 이루어진 여러 가지 물질의 발견과 각종 실험 기구의 개발 등은 화학의 발전에 지대한 공헌을 함

● **다음 빈칸에 들어갈 알맞은 단어를 위에서 찾아 문맥에 맞게 써 보자.**

(1) 신약이나 ☐☐☐를 개발하려면 수천수만 번의 실험을 해야 한다.

(2) 소금은 나트륨과 염소가 화학적으로 결합하여 이루어진 ☐☐☐이다.

(3) 오늘날 대학은 미래를 ☐☐해 나가야 할 막중한 책임과 의무를 지고 있다.

(4) 인공 지능 연구에 힘입어 자동 로봇을 ☐☐☐하려는 움직임이 활발해지고 있다.

(5) 탄수화물, 단백질과 함께 3대 영양소인 지방은 탄소, 수소, 산소라는 세 가지 ☐☐로 구성되어 있다.

(6) 생물은 호흡을 통해 얻는 질소와 산소를 ☐☐☐하여 화합물을 생산·분해하면서 영양분을 만든다.

(7) 화학 반응이 일어나려면 반응 물질의 분자들이 반응이 일어나기에 적합한 방향으로 서로 ☐☐해야 한다.

(8) 물 분자를 ☐☐하면 산소 원자 둘에 수소 원자 하나가 되고, 반대로 이 원자들을 ☐☐하면 물이 된다.

(9) 중세 유럽에서는 구리, 납 같은 싼 금속을 금, 은 같은 값비싼 금속으로 바꾸려는 ☐☐☐이 유행하였다.

2단계 | 문제로 어휘 익히기

1 다음 단어에 대한 설명이 맞으면 ○, 틀리면 × 표시를 해 보자.

(1) '원소'는 화학적인 방법으로 더 이상 분해되지 않는, 모든 물질을 구성하는 기본적인 요소를 의미한다.　　　　　　　　　　　　　　　　　　　　　　　(○, ×)

(2) '화합물'은 두 종류 이상의 물질이 일정한 비율로 결합하여 만들어진 새로운 물질로, 물리적인 방식으로 각각의 성분을 분리할 수 있다.　　　　　　　　　　(○, ×)

(3) '연금술'은 금이나 은을 납이나 구리로 바꾸려는 기술로, 고대로부터 중세에 이르기까지 연구가 계속되었다가 뉴턴에 의해 성공을 거두었다.　　　　　　　(○, ×)

2 다음 문장에 들어갈 알맞은 단어를 〈보기〉에서 찾아 써 보자.

보기

원소　　　　신소재　　　　화합물　　　　활성화

(1) 지방은 탄소, 수소, 산소의 세 (　　　　)로 구성되어 있다.

(2) 냉동식품 속에 들어 있는 고농도의 설탕은 효소의 (　　　　)을/를 지연한다.

(3) 메테인은 탄소 하나와 수소 네 개로 이루어진 (　　　　)로 화학식은 CH_4이다.

3 다음 단어를 활용하기에 적절한 문장을 찾아 바르게 연결해 보자.

(1) 분해　　　•

(2) 충돌　　　•

(3) 결합　　　•

• ㉠ 물은 산소와 수소의 [　　　](으)로 만들어진다.

• ㉡ 화학 반응은 두 물질이 [　　　]하여 생기는 에너지를 사용하여 일어난다.

• ㉢ 이 미생물은 유해한 오염 물질을 [　　　]하여 자연 정화에 도움을 줄 것이다.

4 다음 단어에 해당하는 예문으로 적절하지 <u>않은</u> 것을 찾아보자.

㉠ 선도(先到): 남보다 먼저 도착함
㉡ 선도(先導): 앞장서서 이끌거나 안내함
㉢ 선도(善導): 올바르고 좋은 길로 이끎

① ㉠: 선발대는 이미 베이스캠프에 <u>선도</u>했다.
② ㉡: 방송 매체들은 건전한 사회를 <u>선도</u>해야 한다.
③ ㉡: 그는 참가자들을 <u>선도</u>하여 교육장으로 향했다.
④ ㉢: 청소년 <u>선도</u>에는 처벌보다는 순화가 앞서야 한다.
⑤ ㉢: 연예인들은 다양한 옷을 입으면서 종종 패션을 <u>선도</u>한다.

[1~3] 다음 글을 읽고 물음에 답하시오. 2019학년도 9월 고1 전국연합

1 전기레인지는 용기를 ㉠가열하는 방식에 따라 하이라이트 레인지와 인덕션 레인지로 나눌 수 있다. 하이라이트 레인지는 상판 자체를 가열해서 열을 발생시키는 직접 가열 방식이고, 인덕션 레인지는 상판을 가열하지 않고 전자기 유도 현상을 통해 용기에 자체적으로 열을 발생시키는 유도 가열 방식이다.

2 하이라이트 레인지는 주로 니크롬으로 만들어진 열선을 원형으로 배치하고 열선의 열을 통해 그 위의 세라믹글라스 판을 직접 가열한다. 이렇게 발생한 열이 용기에 전달되어 음식을 조리할 수 있게 된다. 하이라이트 레인지는 비교적 다양한 소재의 용기를 쓸 수 있지만 에너지 효율이 낮아 조리 속도가 느리고 상판의 잔열로 인한 화상의 우려가 있다.

3 인덕션 레인지는 표면이 세라믹글라스 판으로 되어 있고 그 밑에 나선형 코일이 설치되어 있다. 전원이 켜지면 코일에 2만Hz 이상의 고주파 교류 ㉡전류가 흐르면서 그 주변으로 1초에 2만 번 이상 방향이 바뀌는 교류 ㉢자기장이 발생하게 되고, 그 위에 ㉣도체인 냄비를 놓으면 교류 자기장에 의해 냄비 바닥에는 수많은 폐회로가 생겨나며 그 회로 속에 소용돌이 형태의 유도 전류인 맴돌이 전류가 발생한다. 이때 흐르는 맴돌이 전류가 냄비 소재의 ㉤저항에 부딪혀 줄열 효과가 나타나게 되고 이에 의해 냄비에 열이 발생하게 되는데, 이때 맴돌이 전류의 세기는 나선형 코일에 흐르는 전류의 세기에 비례한다.

4 인덕션 레인지의 가열 원리는 강자성체의 자기 이력 현상과도 관련이 있다. 일반적으로 물체는 자기장의 영향을 받으면 자석의 성질을 갖게 되는데 이것을 자화라고 하며, 자화된 물체를 자성체라고 한다. 자성체의 자화 세기는 물체에 가해 준 자기장의 세기에 비례하여 커지다가 일정값 이상으로는 더 이상 커지지 않는데, 이를 자기 포화 상태라고 한다. 이때 물체에 가해 준 자기장의 세기를 줄이면 자화의 세기도 줄어들기 시작하며, 외부의 자기장이 사라지면 자석의 성질도 사라진다. 그런데 강자성체의 경우에는 외부 자기장의 세기가 줄어들어도 자화의 세기가 상대적으로 천천히 줄어들게 되고 외부 자기장이 사라져도 어느 정도 자화된 상태를 유지하게 되는데, 이를 자기 이력 현상이라고 하며 자성체에 남아 있는 자화의 세기를 잔류 자기라고 한다. 그리고 처음에 가해 준 외부 자기장의 역방향으로 일정 세기의 자기장을 가해 주면 자화의 세기가 0이 되고, 자기장을 더 세게 가해 주면 반대쪽으로 커져 자기 포화 상태가 된다. 이러한 과정을 반복하면 자기장의 세기에 따른 자화의 세기는 일정한 곡선을 그리게 되는데 이를 자기 이력 곡선이라고 한다. 이 과정에서 자기 에너지는 열에너지로 전환되어 자성체의 온도를 높이는데, 이때 발생하는 열에너지는 자기 이력 곡선의 내부 면적과 비례한다. 만약 인덕션에 사용하는 냄비의 소재가 강자성체인 경우, 자기 이력 현상으로 인해 냄비에 추가로 열이 발생하게 된다.

독해 체크

1. 이 글의 핵심어는?

☐☐ 레인지

2. 문단별 중심 내용은?

1 가열 방식에 따른 ☐☐☐☐☐의 종류

2 ☐☐☐☐☐ 레인지의 가열 원리 및 장단점

3 인덕션 레인지의 가열 원리 ①: ☐☐☐로 냄비에 열 발생

4 인덕션 레인지의 가열 원리 ②: ☐☐☐☐☐으로 냄비에 추가로 열 발생

5 ☐☐☐ 레인지의 장단점

3. 이 글의 주제는?

하이라이트 레인지와 인덕션 레인지의 ☐☐☐에 따른 차이점

어휘 체크

❥ **니크롬:** 니켈과 크롬을 주성분으로 하는 전기 저항이 높은 합금. 전기다리미나 전기풍로 따위의 발열 재료, 높은 온도에서 작업하는 기구나 전기 저항선에 씀

❥ **폐회로:** 전류가 흐를 수 있도록 구성된 회로

❥ **줄열 효과:** 도체에 전류를 흐르게 했을 때 도체의 저항 때문에 열에너지가 증가하는 현상

❥ **강자성체:** 물체가 외부의 자기장에 의하여 강하게 자기화(磁氣化)되어, 자기장을 없애도 자기화가 그대로 남아 있는 성질을 가지는 물질

❥ **포화:** 일정한 조건하에 있는 어떤 상태 함수의 변화에 따라서 다른 양의 증가가 나타날 경우에, 앞의 것을 아무리 크게 변화시켜도 뒤의 것이 일정 한도에서 머무르는 일

5 이러한 가열 방식 때문에 인덕션 레인지는 음식 조리에 필요한 열을 낼 수 있도록 소재의 저항이 크면서 강자성체인 용기를 사용해야 한다는 제약이 있다. 또한 고주파 전류를 사용하기 때문에 조리 시 전자파에 대한 우려도 있다. 하지만 직접 가열 방식보다 에너지 효율이 높아 순식간에 용기가 가열되기 때문에 상대적으로 빠르게 음식을 조리할 수 있다. 그리고 무엇보다 상판이 직접 가열되지 않기 때문에 발화에 의한 화재의 가능성이 매우 낮고, 뜨거운 상판에 의한 화상 등의 피해로부터 비교적 안전하다는 장점이 있다.

---

1 ㉠~㉤의 의미로 적절하지 <u>않은</u> 것은?

① ㉠: 어떤 물질에 열을 가함
② ㉡: 도선을 따라 전하가 흐르는 현상
③ ㉢: 자석이나 전류가 흐르는 전선 주위에 생기는 힘이 작용하는 공간
④ ㉣: 열이나 전기를 잘 전달하지 않는 물체
⑤ ㉤: 도체에 전류가 흐르는 것을 방해하는 작용

2 인덕션 레인지 에 대한 설명으로 적절하지 <u>않은</u> 것은?

① 상판 자체를 가열해서 열을 발생시킨다.
② 발화에 의한 화재의 가능성이 매우 낮다.
③ 에너지 효율이 높아 음식을 빠르게 조리할 수 있다.
④ 소재의 저항이 크면서 강자성체인 용기를 사용해야 한다.
⑤ 전자기 유도 현상을 통해 용기에 자체적으로 열을 발생시킨다.

> ↻ **전자기 유도 현상**: 자기의 시간적 변화에 의해 전기적 성질이 발현되는 현상

기출 문제

3 윗글을 바탕으로 〈보기〉의 '전기레인지'를 이해한 내용으로 적절하지 <u>않은</u> 것은?

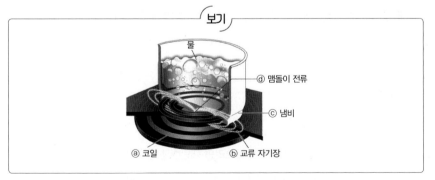

① ⓐ에 고주파 교류 전류가 흐르면 ⓑ가 만들어지는군.
② ⓑ의 영향을 받으면 ⓒ의 바닥에 ⓓ가 발생하는군.
③ ⓒ 소재의 저항이 커지면 ⓑ의 세기도 커지겠군.
④ ⓓ의 세기는 ⓐ에 흐르는 전류의 세기에 비례하겠군.
⑤ ⓓ가 흐르면 ⓒ 소재의 저항에 의해 열이 발생하는군.

01 예술 주제어 _음악

1단계 문맥으로 어휘 확인하기

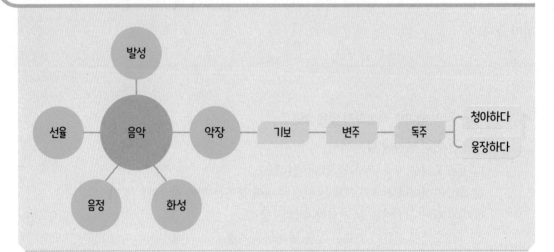

발성(필發 소리聲) 목소리를 냄. 또는 그 목소리

선율(돌旋 법칙律) 소리의 높낮이가 길이나 리듬과 어울려 나타나는 음의 흐름 ⓤ 가락, 멜로디

음정(소리音 한도程) 높이가 다른 두 음 사이의 간격

화성(화할和 소리聲) 일정한 법칙에 따른 화음의 연결 ⓤ 하모니

악장(노래樂 글章) 소나타·교향곡·협주곡 따위에서, 여러 개의 독립된 소곡(小曲)들이 모여서 큰 악곡이 되는 경우 그 하나하나의 소곡

기보(기록할記 악보譜) 악보를 기록함

변주(변할變 아뢸奏) 어떤 주제를 바탕으로, 선율·리듬·화성 따위를 여러 가지로 변형하여 연주함

독주(홀로獨 아뢸奏) 한 사람이 악기를 연주하는 것. 반주가 있을 때도 있고 없을 때도 있음

청아(맑을淸 맑을雅)**하다** 속된 티가 없이 맑고 아름답다. ⓤ 맑다

웅장(수컷雄 장할壯)**하다** 규모 따위가 거대하고 성대하다. ⓤ 웅대하다, 거대하다

● **다음 빈칸에 들어갈 알맞은 단어를 위에서 찾아 문맥에 맞게 써 보자.**

(1) 이 피아노 소나타는 세 개의 ☐☐으로 이루어져 있다.

(2) 숲에서 들려오는 꾀꼬리의 노랫소리가 ☐☐☐☐ 들렸다.

(3) 소녀는 높은음을 내기 위해 큰 목소리로 ☐☐ 연습을 하고 있었다.

(4) 그 피아니스트의 연주는 원곡을 약간 ☐☐한 것으로 색다른 느낌을 주었다.

(5) 그의 노래는 ☐☐이 매우 불안해서 끝까지 들으려면 대단한 참을성이 필요했다.

(6) 군악대가 연주하는 애국가가 공연장 안에서 화려하고 ☐☐☐☐ 울려 퍼졌다.

(7) 그의 피아노 ☐☐를 듣기 위해 모인 사람들은 장중하면서도 격렬한 피아노의 ☐☐에 감탄했다.

(8) 일정한 법칙에 따른 화음의 연결을 의미하는 ☐☐은 리듬, 선율과 함께 흔히 음악의 3요소라고 말한다.

(9) 정간보는 세종 때에 소리의 길이와 높이를 정확히 표시하기 위하여 만든 악보로, 우물 정(井)자처럼 생긴 칸에 음의 높낮이를 ☐☐하였다.

2단계 문제로 어휘 익히기

1 다음 단어의 의미를 찾아 바르게 연결해 보자.

(1) 선율 • • ㉠ 목소리를 냄. 또는 그 목소리

(2) 발성 • • ㉡ 일정한 법칙에 따른 화음의 연결

(3) 화성 • • ㉢ 소리의 높낮이가 길이나 리듬과 어울려 나타나는 음의 흐름

2 제시된 뜻과 예문을 참고하여 다음 초성에 해당하는 단어를 빈칸에 써 보자.

(1) ㄱㅂ : 악보를 기록함

예 9세기경 사람들은 성가 선율을 기억하기 위해 작은 기호들을 적기 시작하였는데, 이후 이것은 네 개의 가로선에 음높이를 (   )하는 4선보로 발전하였다.

(2) ㄷㅈ : 한 사람이 악기를 연주하는 것

예 이번 연주회의 백미는 단연 바이올린 (   )였다.

(3) ㅇㅈ : 소나타·교향곡·협주곡 따위에서, 여러 개의 독립된 소곡(小曲)들이 모여서 큰 악곡이 되는 경우 그 하나하나의 소곡

예 바이올린 협주곡인 비발디의 사계는 사계절의 풍경과 변화를 묘사한 곡으로, 1번부터 4번까지 모두 표제가 붙어 있고, 각 3(   )으로 구성되어 있다.

3 다음 문장의 괄호 안에 들어갈 알맞은 단어를 골라 보자.

(1) 그가 마지막 붓질을 끝내자 화선지 위에 백두산의 거대하고 (왜소한 / 웅장한) 모습이 드러났다.

(2) 산바람에 산들산들 흔들리며 (애처롭게 / 청아하게) 울리는 풍경 소리를 들으니 마음이 편안해졌다.

(3) 파헬벨의 카논과 지그 D장조는 오늘날 여러 연주가들에게 다양하게 (변주 / 독주)되어 대중들에게 많은 사랑을 받고 있다.

4 다음 빈칸에 들어갈 가장 적절한 단어를 찾아보자.

서바이벌 오디션 프로그램에 참가한 그는 발라드를 댄스곡으로 편곡하였는데, 격한 안무를 추며 노래를 부르면서도 모든 (   )을/를 완벽하게 소화하여 심사위원들에게 높은 평가를 받았다.

① 발음　　② 음정　　③ 발성　　④ 하모니　　⑤ 멜로디

02 예술 주제어 _미술

1단계 문맥으로 어휘 확인하기

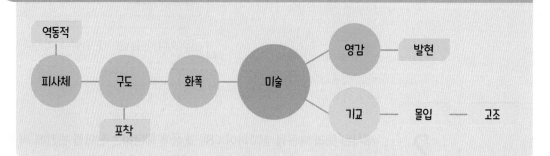

화폭(그림畫 폭幅) 그림을 그려 놓은 천이나 종이의 조각 ⊕ 캔버스

구도(얽을構 그림圖) 그림에서 모양, 색깔, 위치 따위의 짜임새 ⊕ 구성

피사체(입을被 베낄寫 몸體) 사진을 찍는 대상이 되는 물체

포착(사로잡을捕 잡을捉) ① 꼭 붙잡음 ② 요점이나 요령을 얻음 ③ 어떤 기회나 정세를 알아차림

역동적(힘力 움직일動 과녁的) 힘차고 활발하게 움직이는 것

영감(신령靈 느낄感) 창조적인 일의 계기가 되는 기발한 착상이나 자극

발현(필發 나타날現) 속에 있거나 숨은 것이 밖으로 나타나거나 그렇게 나타나게 함. 또는 그런 결과

기교(재주技 교묘할巧) 기술이나 솜씨가 아주 교묘함. 또는 그런 기술이나 솜씨 ⊕ 재주, 솜씨

몰입(빠질沒 들入) 깊이 파고들거나 빠짐

고조(높을高 고를調) ① 음 따위의 가락을 높임. 또는 그 높은 가락 ② 사상이나 감정, 세력 따위가 한창 무르익거나 높아짐. 또는 그런 상태

● **다음 빈칸에 들어갈 알맞은 단어를 위에서 찾아 문맥에 맞게 써 보자.**

(1) 신라인들의 낭만과 사랑은 향가를 통해 ☐☐되었다.

(2) 이 자동카메라는 ☐☐☐와의 거리를 자유자재로 움직일 수 있다.

(3) 사진사는 아이의 웃는 표정을 ☐☐하기 위해 끊임없이 셔터를 눌렀다.

(4) 그 피아니스트는 오늘 독주회에서 고난도의 ☐☐를 발휘하여 연주하였다.

(5) 이중섭의 「흰 소」를 보면 굳세면서도 ☐☐☐인 한국인의 정서가 느껴진다.

(6) 나는 피카소의 작품을 대할 때마다 그 속에 번뜩이는 ☐☐에 사로잡히게 된다.

(7) 이 그림에 대해 한 심사위원이 대칭적인 ☐☐가 매우 잘 잡혀 있다고 평가하였다.

(8) 인상주의 화가들은 시시각각으로 변하는 대상의 순간적인 색채를 ☐☐에 그리고자 하였다.

(9) 그 배우는 너무 연기에 ☐☐한 나머지 자신의 연기가 끝나고 나서도 한동안 울음을 그치지 못했다.

(10) 우리 팀 선수의 연속된 실책으로 상대팀이 계속 득점을 하자 ☐☐되었던 열기가 순식간에 사그라졌다.

2단계 문제로 어휘 익히기

1 다음 단어를 활용하기에 적절한 문장을 찾아 바르게 연결해 보자.

(1) 화폭 •

(2) 기교 •

(3) 피사체 •

• ㉠ 사진과 달리 영화 속의 [ ]은/는 움직인다.

• ㉡ 해돋이를 [ ]에 담기 위해 그는 새벽에 산에 올랐다.

• ㉢ 그는 뛰어난 [ ](으)로 바이올린을 연주하여 관객들에게 큰 박수를 받았다.

2 다음 문장에 들어갈 알맞은 단어를 〈보기〉에서 찾아 써 보자.

보기

고조   몰입   발현   포착

(1) 그의 인간에 대한 사랑은 인권 운동으로 ( )되었다.

(2) 작품을 올바로 이해하기 위해서는 밑바탕의 갈등 구조를 ( )할 수 있어야 한다.

(3) 공연의 시작을 알리는 종소리가 울리자 관객들의 함성소리와 함께 공연장의 열기는 점점 ( )되었다.

3 다음 문장의 괄호 안에 들어갈 알맞은 단어를 골라 보자.

(1) 피사체에 대한 파격적인 (구도 / 형상)(으)로 유명한 화가인 드가는 일상의 소재를 주로 스냅 사진처럼 처리했다.

(2) 최근 한 기업은 자연에서 (예감 / 영감)을 받아 자연의 흙빛을 연상시키는 갈색의 제품을 출시하였다고 발표하였다.

(3) 이번 신인 아이돌 그룹은 화려하고 (정적 / 역동적)인 군무와 개성 넘치는 목소리로 관객들에게 강렬한 인상을 남겼다.

4 다음 빈칸에 들어갈 가장 적절한 단어를 찾아보자.

뮤지컬 「레 미제라블」에서 장발장을 연기한 배우는 빵 한 조각을 훔친 죄로 19년간 감옥살이를 하며 사회에 대한 원망과 증오심을 키우지만, 출옥을 한 후 한 사제의 자비로 선악에 눈뜨고 사회적 약자에게 헌신하는 모습을 완벽하게 연기하여 관객들이 작품에 완전히 ( )할 수 있었다.

① 영감   ② 고조   ③ 몰입   ④ 발현   ⑤ 포착

[1~3] 다음 글을 읽고 물음에 답하시오.   2020학년도 3월 고1 전국연합

1 미래주의는 20세기 초 이탈리아 시인 마리네티의 '미래주의 선언'을 시작으로, 화가 발라, 조각가 보치오니, 건축가 상텔리아, 음악가 루솔로 등이 참여한 전위 예술 운동이다. 당시 산업화에 뒤처진 이탈리아는 산업화에 대한 열망과 민족적 자존감을 고양시킬 수 있는 새로운 예술을 필요로 하였다. 이에 산업화의 특성인 속도와 운동에 주목하고 이를 예술적으로 표현하려는 미래주의가 등장하게 되었다.

2 특히 미래주의 화가들은 질주하는 자동차, 사람들로 북적이는 기차역, 광란의 댄스홀, 노동자들이 일하는 공장 등 활기찬 움직임을 보여 주는 모습을 주요 소재로 삼아 산업 사회의 (㉠)인 모습을 표현하였다. 그들은 대상의 움직임의 추이를 화폭에 담아냄으로써 대상을 생동감 있게 형상화하려 하였다. 이를 위해 미래주의 화가들은, 시간의 흐름에 따른 대상의 움직임을 하나의 화면에 표현하는 분할주의 기법을 사용하였다. '질주하고 있는 말의 다리는 4개가 아니라 20개다.'라는 미래주의 선언의 내용은, 분할주의 기법을 통해 대상의 역동성을 지향하고자 했던 미래주의 화가들의 생각을 잘 드러내고 있다.

3 분할주의 기법은 19세기 사진작가 머레이의 연속 사진 촬영 기법에 영향을 받은 것으로, 이미지의 겹침, 역선(力線), 상호 침투를 통해 대상의 연속적인 움직임을 효과적으로 표현하였다. 먼저 이미지의 겹침은 화면에 하나의 대상을 여러 개의 이미지로 중첩시켜서 표현하는 방법이다. 마치 연속 사진처럼 화가는 움직이는 대상의 잔상을 바탕으로 시간의 흐름에 따른 대상의 움직임을 겹쳐서 나타내었다. 다음으로 힘의 선을 나타내는 역선은, 대상의 움직임의 궤적을 여러 개의 선으로 구현하는 방법이다. 미래주의 화가들은 사물이 각기 특징적인 움직임을 갖고 있다고 보고, 이를 역선을 통해 표현함으로써 사물에 대한 화가의 느낌을 드러내었다. 마지막으로 상호 침투는 대상과 대상이 겹쳐서 보이게 하는 방법이다. 역선을 사용하여 대상의 모습을 나타내면 대상이 다른 대상이나 배경과 구분이 모호해지는 상호 침투가 발생해 대상이 사실적인 형태보다는 왜곡된 형태로 표현된다. 이러한 방식으로 미래주의 화가들은 움직이는 대상의 속도와 운동을 효과적으로 나타낼 수 있었다.

4 기존의 전통적인 서양 회화가 대상의 고정적인 모습에 주목하여 비례, 통일, 조화 등을 아름다움의 요소로 보았다면, 미래주의 회화는 움직이는 대상의 속도와 운동이라는 미적 가치에 주목하여 새로운 미의식을 제시했다는 점에서 의의를 찾을 수 있다. 이러한 미래주의 회화는 이후 모빌과 같이 나무나 금속으로 만들어 입체적 조형물의 운동을 보여 주는 키네틱 아트가 등장하는 데 ㉡영감을 제공한 것으로 평가되고 있다.

독해 체크

1. 이 글의 핵심어는?

미래주의 회화의 □□ □□ 기법

2. 문단별 중심 내용은?

1 □□와 운동에 주목한 미래주의의 개념 및 등장 배경
2 대상의 □□□을 지향한 미래주의 회화의 표현 대상 및 표현 방법
3 분할주의 기법의 세 가지 표현 방법: 이미지의 겹침, □□, 상호 침투
4 미래주의 □□의 의의 및 영향

3. 이 글의 주제는?

□□□□□ 회화의 특징과 의의

어휘 체크

● **전위 예술:** 기존의 표현 예술 형식을 부정하고 새로운 표현을 추구하는 예술 경향

● **고양시킬:** 정신이나 기분 따위를 북돋워서 높일

● **추이:** 일이나 형편이 시간의 경과에 따라 변하여 나감

● **잔상:** 영상이 지나간 뒤에도 지속적으로 떠오르는 이미지

● **궤적:** 수레바퀴가 지나간 자국이라는 뜻으로, 물체가 움직이면서 남긴 움직임을 알 수 있는 자국이나 자취를 이르는 말

● **왜곡된:** 사실과 다르게 해석하거나 그릇되게 한

1 문맥상 ㉠에 들어갈 말로 가장 적절한 것은?

① 감성적   ② 낭만적   ③ 역동적
④ 예술적   ⑤ 행동적

기출 문제

2 ㉡의 구체적 내용으로 가장 적절한 것은?

① 전통 회화 양식에서 벗어나 움직이는 대상이 주는 아름다움을 최초로 작품
   화하려는 생각
② 기존의 방식과 달리 미적 가치를 3차원에서 실제로 움직이는 대상을 통해
   구현하려는 생각
③ 사진의 촬영 기법을 회화에 접목시켜 비례와 조화에서 오는 조형물의 예술
   성을 높이려는 생각
④ 산업 사회의 역동적인 모습에서 벗어나 인류가 추구해야 할 미래상을 화폭
   에 담아내려는 생각
⑤ 예술적 대상의 범위를 구체적인 대상에서 추상적인 대상으로 확대하여 작품
   을 창작하려는 생각

◑ **접목**: 둘 이상의 다른 현상
따위를 알맞게 조화하게 함을
비유적으로 이르는 말

3 윗글에 대한 내용으로 적절하지 <u>않은</u> 것은?

① 미래주의는 산업화에 대한 열망에서 생겨난 예술 운동이다.
② 분할주의 기법 중 하나인 역선은 대상과 대상을 겹쳐 보이게 하는 표현 방법
   이다.
③ 미래주의 화가들은 시간의 흐름에 따른 대상의 움직임을 화폭에 표현하고자
   하였다.
④ 미래주의 회화에서는 움직이는 대상의 속도와 운동이라는 미적 가치에 주목
   하였다.
⑤ 전통적인 서양 회화에서는 대상의 비례, 통일, 조화 등을 아름다움의 미적
   요소로 보았다.

● 먹거리와 관련된 관용 표현

국수를 먹다

결혼식 피로연에서 흔히 국수를 대접하는 데서, 결혼식을 올리는 일을 비유적으로 이르는 말

예 오랜만에 만난 친척 어르신들은 명절 때마다 내게 언제 국수를 먹게 해 줄 건지를 물으신다.

깨가 쏟아지다

오붓하거나 몹시 아기자기하여 재미가 나다.

예 그들 부부는 지금 신혼살림에 깨가 쏟아진다.

떡 먹듯

예사로 쉽게

예 그렇게 거짓말을 떡 먹듯 하다가 큰코다친다.

> **식은 죽 먹듯:** 거리낌 없이 아주 쉽게 예사로 하는 모양

떡국을 먹다

설을 쇠어서 나이를 한 살 더 먹다.

예 네가 떡국을 먹으면 올해 몇 살이 되는 거지?

떡이 생기다

뜻밖의 이익이 생기다.

예 힘들어도 올바른 길을 걷다 보면 떡이 생기기 마련이다.

미역국을 먹다

① 시험에서 떨어지다.

예 올해 처음으로 국가 고시에 지원해 봤는데 미역국을 먹었다.

② 직위에서 떨려 나가다.

예 이번 인사 평가 결과에 미역국을 먹고 퇴사한 직원들이 많다.

③ 퇴짜를 맞다.

예 마음에 드는 친구에게 용기 내어 데이트를 신청했지만 미역국을 먹었다.

> **물을 먹다:** 퇴짜를 맞다.

밥맛이 떨어지다

상대방의 말, 행동 따위가 불쾌하고 역겹다.

예 자기만 잘난 줄 알고 떠드는 걸 보니 정말 밥맛이 떨어지네.

밥숟가락이나 뜨다

사는 형편이 웬만하여 먹고사는 데에 신경 쓰지 않아도 될 만큼 어지간히 산다.

예 어머니는 아들이 요즘 밥숟가락이나 뜨고 지내는지 걱정하셨다.

생각이 꿀떡 같다

무엇을 하고 싶은 생각이 매우 간절하다.

예 늦잠을 자서 아침을 못 먹고 등교하였더니 점심시간이 한참 남았는데도 밥 생각이 꿀떡 같다.

> **마음이 굴뚝같다:** 무엇을 간절히 하고 싶거나 원하다.

엿장수 마음대로	엿장수가 엿을 마음대로 늘이듯이 무슨 일을 자기 마음대로 이랬다저랬다 하는 모양을 비유적으로 이르는 말 예 감투만 쓰면 엿장수 마음대로 해도 되는 건가?
죽도 밥도 안 되다	진행이 어중간하여 이것도 저것도 안 된다. 예 이제 와서 포기하면 이 연구는 죽도 밥도 아니게 되는 겁니다.
콩가루가 되다	① 어떤 물건이 완전히 부서지다. 예 손이 미끄러워 바닥에 떨어진 유리잔이 콩가루가 되었다. ② 집안이나 어떤 조직이 망하다. 예 아버지 회사가 부도가 나서 콩가루가 되었다.
파김치가 되다	몹시 지쳐서 기운이 아주 느른하게 되다. 예 쉬는 시간 없이 8시간 동안 수업을 한 선생님은 파김치가 되어 집에 돌아오셨다.
호박씨를 까다	안 그런 척 내숭을 떨다. 예 겉으로는 정의로운 척 행동하지만 속으로는 호박씨를 까는 그의 모습이 만천하에 공개되었다.

➕ **진이 빠지다**: 실망을 하거나 싫증이 나서 더 이상의 의욕을 상실하다. 모든 힘을 다 써서 기진맥진해지다.

상황으로 보는 관용 표현

파김치가 되다

[01~05] 다음 뜻에 해당하는 관용 표현을 〈보기〉에서 찾아 그 기호를 써 보자.

보기

㉠ 국수를 먹다
㉡ 콩가루가 되다
㉢ 엿장수 마음대로
㉣ 생각이 꿀떡 같다
㉤ 밥숟가락이나 뜨다

01 무엇을 하고 싶은 생각이 매우 간절하다. (   )

02 어떤 물건이 완전히 부서지다, 집안이나 어떤 조직이 망하다. (   )

03 사는 형편이 웬만하여 먹고사는 데에 신경 쓰지 않아도 될 만큼 어지간히 산다.

(   )

04 결혼식 피로연에서 흔히 국수를 대접하는 데서, 결혼식을 올리는 일을 비유적으로 이르는
말 (   )

05 엿장수가 엿을 마음대로 늘이듯이 무슨 일을 자기 마음대로 이랬다저랬다 하는 모양을 비유
적으로 이르는 말 (   )

[06~09] 다음 빈칸에 알맞은 단어를 쓰고, 관용 표현의 뜻을 찾아 바르게 연결해 보자.

06 [   ] 먹듯 •   • ㉠ 예사로 쉽게

07 [   ]을 먹다 •   • ㉡ 설을 쇠어서 나이를 한 살 더 먹다.

08 [   ]이 떨어지다 •   • ㉢ 진행이 어중간하여 이것도 저것도 안 된다.

09 죽도 [   ]도 안 되다 •   • ㉣ 상대방의 말, 행동 따위가 불쾌하고 역겹다.

[10~13] 다음 빈칸에 알맞은 단어를 〈보기〉에서 찾아 써 보자.

/ 보기 /

깨, 떡, 국수, 콩가루, 미역국, 파김치, 호박씨

10 하루 종일 작업장에서 일한 우리는 [   ]이/가 되어 늘어져 있었다.

11 그 외국인은 한국어 능력 시험 1급에 응시했다가 그만 [   ]을/를 먹었다.

12 그 부부는 결혼한 지 10년이 넘었지만 여전히 신혼처럼 [   ]이/가 쏟아진다.

13 고개를 숙이고 얌전을 빼면서 속으로는 [   ]을/를 까는 그의 모습을 가만히 지켜보고 있기가 힘들었다.

14 다음 문자 메시지 대화를 읽고, 빈칸에 알맞은 관용 표현을 써 보자.

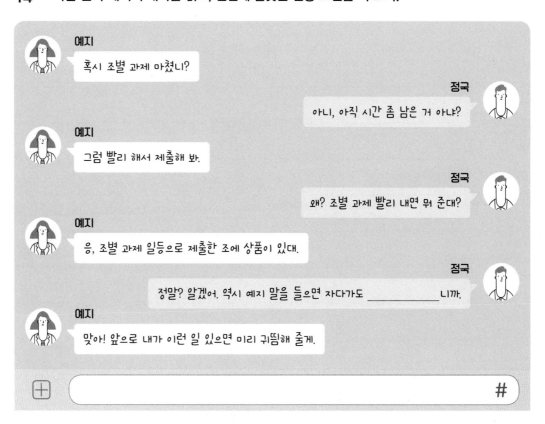

예지
혹시 조별 과제 마쳤니?

정국
아니, 아직 시간 좀 남은 거 아냐?

예지
그럼 빨리 해서 제출해 봐.

정국
왜? 조별 과제 빨리 내면 뭐 준대?

예지
응, 조별 과제 일등으로 제출한 조에 상품이 있대.

정국
정말? 알겠어. 역시 예지 말을 들으면 자다가도 _____니까.

예지
맞아! 앞으로 내가 이런 일 있으면 미리 귀띔해 줄게.

memo

중등

수능
독해

중1 국어 필수 어휘

1
기본

정답과 해설

ABOVE IMAGINATION

우리는 남다른 상상과 혁신으로
교육 문화의 새로운 전형을 만들어
모든 이의 행복한 경험과 성장에 기여한다

문학

01 문학 개념어

1단계 문맥으로 어휘 확인하기 | 본문 14쪽 |

(1) 비유   (2) 대유법   (3) 활유법   (4) 상징   (5) 의인법
(6) 원관념, 은유법   (7) 보조 관념, 직유법

2단계 문제로 어휘 익히기 | 본문 15쪽 |

1 (1) ㉠ (2) ㉢ (3) ㉡   2 (1) 상징 (2) 비유, 원관념, 보조
관념   3 (1) 상징 (2) 활유법, 의인법   4 ③

4 밑줄 친 '배추에게도 마음이 있나 보다.'에는 무생물인 '배추'를
사람이 지닌 속성인 '마음'이 있는 것처럼 표현하였으므로, 의
인법이 사용되었음을 알 수 있다.

오답 풀이 ❶ 은유법은 표현하려는 대상과 비슷한 속성이 있는 다른 대
상을 활용하여 '무엇은 무엇이다.'의 형태로 표현하는 방법이다.
❷ 직유법은 비슷한 성질이나 모양을 지닌 두 사물을 '같이', '처럼', '듯
이'와 같은 말로 연결하여 표현하는 방법이다.
❹ 활유법은 무생물을 생물인 것처럼, 감정이 없는 것을 감정이 있는 것
처럼 표현하는 방법이다.
❺ 대유법은 하나의 사물이나 관념을 나타내는 말이 경험적으로 그것과
밀접하게 연관된 다른 사물이나 관념을 나타내도록 표현하는 방법이다.
예를 들어 '백의(白衣)의 천사'로 간호사를 나타내거나, '흰옷'으로 우리
민족을 나타내는 것을 말한다.

02 현대시 주제어 _자연에서 온 시어

1단계 문맥으로 어휘 확인하기 | 본문 16쪽 |

(1) 우레   (2) 재, 어귀   (3) 여우비   (4) 기슭   (5) 녹음,
산마루   (6) 티끌   (7) 눈보라, 진눈깨비

2단계 문제로 어휘 익히기 | 본문 17쪽 |

1 (1) ✕ (2) ○ (3) ○   2 (1) 진눈깨비 (2) 여우비
(3) 눈보라 (4) 우레   3 (1) 재, 내 (2) 우레   4 ③

4 ㉠~㉢의 빈칸에 공통적으로 들어갈 단어는 문맥적 의미를 고
려할 때 '마을', '동네', '골목'과 관련되는 공간이어야 하므로,
'드나드는 목의 첫머리'를 뜻하는 '어귀'가 가장 적절하다.

오답 풀이 ❶ '재'는 길이 나 있어서 넘어 다닐 수 있는 높은 산의 고개를
의미하므로, 문맥상 적절하지 않다.
❷ '기슭'은 산이나 처마 따위에서 비탈진 곳의 아랫부분을 의미하므로,
문맥상 적절하지 않다.
❹, ❺ '산척'이나 '산마루'는 산등성이의 가장 높은 곳을 의미하므로, 문
맥상 적절하지 않다.

3단계 독해로 어휘 다지기 | 본문 18~19쪽 |

1 ①   2 ⑤   3 ②

[동해 바다 - 후포에서_신경림]
■ 해제 이 작품은 중심 소재인 '동해 바다'를 바라보면서 화자 자
신의 삶을 반성하고, 내면을 성찰하며 바람직한 삶의 태도를 지
향하고 있다. 여기서 '동해 바다'는 타인을 원망하며 옹졸하게 살
아온 화자를 뒤돌아보게 하는 대상으로 자아 성찰의 매개체라고
할 수 있다. 화자는 경북 울진에 있는 작은 항구인 후포에서 동해
바다를 바라보며 타인에게 옹졸했던 자신의 삶을 반성하고, 자신
이 나아가야 할 삶의 방향을 깨닫는다. 화자는 이러한 삶의 태도
를 '동해 바다'를 통해 형상화하고 있으며 화자 자신이 바다처럼
넓고 깊은 포용력이 있는 사람, 그러나 억센 파도처럼 스스로에
게는 엄격한 사람이 되기를 소망하고 있다.
■ 주제 동해 바다를 보며 깨달은 성숙한 삶의 자세
■ 특징 • 자연물의 속성을 통해 깨달음을 드러냄
　　　　• 일상적인 체험을 바탕으로 시상을 전개함
■ 구성

1연	남에게 엄격하고 자신에게는 너그러웠던 태도를 반성함
2연	남에게 너그럽고 자신에게는 엄격한 삶을 소망함

감상 체크

1 동해 바다   2 성찰   3 돌

1 이 시에서 '어지러울수록(㉠)'은 '사회가 혼란스럽고 질서가 없
을수록'의 의미로 쓰였는데, ①에서 '어지러운'은 '몸을 제대로
가눌 수 없이 정신이 흐리고 얼떨떨한'의 의미로 사용되었다.

오답 풀이 ❷ 이 시의 '엄격해지고(㉡)'와 '엄격한'은 모두 '말, 태도, 규칙
따위가 매우 엄하고 철저하다.'의 의미로 사용되었다.
❸ 이 시의 '내려다보며(㉢)'와 '내려다보았다'는 모두 '위에서 아래를 향
하여 보다.'의 의미로 사용되었다.

④ 이 시의 '너그러워질(ⓔ)'과 '너그럽게'는 모두 '마음이 넓고 아량이 있다.'의 의미로 사용되었다.

⑤ 이 시의 '다스리면서(ⓜ)'와 '다스려'는 모두 '사람이 마음이나 감정을 가다듬거나 다잡다.'의 의미로 사용되었다.

2 이 시에서는 의성어나 의태어와 같은 음성 상징어가 사용되지 않았다.

오답 풀이 ❶ 2연의 '널따란 바다처럼', '깊고 짙푸른 바다처럼'에서 직유법을 사용하여 화자가 닮고 싶어 하며 지향하는 대상인 '바다'의 속성을 드러내고 있다.

❷ '돌'은 화자가 부끄러워 버리고 싶은 자신의 '옹졸한 모습'을 의미하고, '동해 바다'는 화자가 본받고 싶은 '너그럽고 관대한 모습'을 의미하는 시어로, 의미상 대조를 이루고 있다. 이를 통해 동해 바다와 같이 너그럽게 살고 싶은 화자의 소망이라는 주제를 부각하고 있다.

❸ 1연의 2~3행에서는 '티끌'만 한 정도의 잘못이 '맷방석', '동산'만 하게 커 보이는 때가 많다는 점층적 표현을 사용하여 타인의 잘못에는 더욱 엄격해지는 화자의 태도를 효과적으로 드러내고 있다.

❹ '많다', '보다', '없을까' 등의 종결 어미가 시행의 마지막에 반복되면서 자신의 삶을 반성하는 화자의 정서를 심화시키고 있다.

3 '티끌'은 남의 잘못이 아주 작았음을 효과적으로 드러내기 위해 사용한 시어이다.

오답 풀이 ❶ '날'은 친구의 작은 잘못을 크게 여겨 원수보다 더 미워하게 된 날이므로 부끄러운 화자의 모습이 드러난 날을 의미한다.

❸ '돌'은 생각이 좁고 마음이 너그럽지 못한 화자 자신의 모습을 비유한 것이다.

❹ 화자는 넓은 '동해 바다'를 보면서 바다처럼 마음이 넓은 사람이 되고자 하므로, '동해 바다'는 화자가 본받고 싶은 대상이라고 볼 수 있다.

❺ '채찍질'은 스스로를 억센 파도로 다스리는 바다처럼 화자 자신에 대한 엄격한 삶의 태도를 상징한다.

02 일차 01 문학 개념어

1단계 문맥으로 어휘 확인하기 | 본문 20쪽 |

(1) 미각적   (2) 후각적   (3) 촉각적   (4) 심상   (5) 음악성
(6) 형상성   (7) 함축성   (8) 청각적, 시각적, 공감각적

2단계 문제로 어휘 익히기 | 본문 21쪽 |

1 (1) ✕ (2) ✕ (3) ◯   **2** (1) 음악성 (2) 형상성 (3) 함축성
3 (1) 공감각적 심상 (2) 시각적, 촉각적   **4** ④

4 '미역 냄새'는 후각적 심상이 사용되었으므로, 미각적 심상과 연결한 것은 적절하지 않다. '간간하고 짭조름한'이라는 표현에서 미각적 표현이 사용되었다.

오답 풀이 ❶ 접동새의 울음소리를 '접동 접동'으로 표현한 데에서 청각적 심상이 사용되었다.

❷ 들장미의 열매를 '붉어'라고 표현한 데에서 시각적 심상이 사용되었다.

❸ '향그러운'은 '향기로운'이라는 의미로, 꽃지짐을 '향그러운'이라고 표현한 데에서 후각적 심상이 사용되었다.

❺ '서느런'은 '물체의 온도나 기온이 꽤 찬 듯한'이라는 의미로, 옷자락이 '서느런'이라고 표현한 데에서 촉각적 심상이 사용되었다.

02 일차 02 현대시 주제어 _계절과 감정

1단계 문맥으로 어휘 확인하기 | 본문 22쪽 |

(1) 한창   (2) 역겹다   (3) 움트고   (4) 겨우내   (5) 낙화
(6) 까치밥   (7) 상기   (8) 격정   (9) 하염없는
(10) 애처로운

2단계 문제로 어휘 익히기 | 본문 23쪽 |

1 (1) ⓛ (2) ⓒ (3) ⓖ   **2** (1) 겨우내 (2) 낙화 (3) 격정
3 (1) 한창 (2) 애처롭기 (3) 역겨움   **4** ③

4 〈보기〉의 '상기(上氣)해서'는 '흥분이나 부끄러움으로 얼굴이 붉어져서'의 의미로 사용되었다. 이와 같은 의미로 사용된 것은 ③이다.

오답 풀이 ❶ '상기(相忌)하는'은 '서로 꺼리는'의 의미로 사용되었다.

❷ '상기(上記)한'은 '어떤 사실을 알리기 위하여 본문 위나 앞쪽에 적은'의 의미로 사용되었다.

❹, ❺ '상기(想起)하며'와 '상기(想起)했다'는 모두 '지난 일을 돌이켜 생각하여 내다.'의 의미로 사용되었다.

3단계 독해로 어휘 다지기 | 본문 24~25쪽 |

1 ②   **2** ③   **3** ③

[진달래꽃 _김소월]

■ 해제 이 작품은 3음보의 민요조 율격으로 우리 민족의 보편적 정서인 이별의 정한을 노래하고 있다. 화자는 이별의 상황을 가정하여, 임과의 이별을 체념적으로 받아들이고 슬픔을 참고 견디는 모습을 보여 준다. 그리고 더 나아가 화자 자신의 정성이자 사랑이며 분신인 진달래꽃을 임의 앞에 뿌리면서 밟고 가라고 하여, 이별의 슬픔을 임에 대한 송축과 자기희생적 태도로 승화시키고 있다. 그러나 화자가 보여 준 태도 이면에는 오히려 임을 절대 보내고 싶지 않다는 의미를 함축하고 있다. 이는 진달래꽃을 '사뿐히 즈려밟고' 가라고 한 표현과 1연과 4연에 쓰인 반어적 표현 등을 통해 드러난다.

- **주제** 이별의 정한과 극복
- **특징** • 반어적 표현으로 애이불비(哀而不悲)의 정서를 드러냄
  • 7·5조, 3음보의 민요적 율격과 종결 어미 '−우리다'의 반복을 통해 운율감을 형성함
- **구성**

1연	이별의 상황에 대한 체념
2연	떠나는 임에 대한 축복
3연	원망을 초월한 희생적인 사랑
4연	참고 견디며 이별의 한 극복

감상 체크

1 이별   2 진달래꽃   3 죽어도

1 ㉠은 '어떤 곳에서 다른 곳으로 이동할 수 있도록 땅 위에 낸 일정한 너비의 공간'을 의미한다. ②의 '길' 역시 문맥상 이와 유사한 의미로 쓰였다.

오답 풀이 ❶ '사람이 삶을 살아가거나 사회가 발전해 가는 데 지향하는 방향, 지침, 목적이나 전문 분야'를 의미한다.
❸ 주로 '−는/을 길'의 구성으로 쓰여, '방법이나 수단'을 의미한다.
❹ 자격이나 신분을 나타내는 명사 뒤에서 '∼의 길'의 구성으로 쓰여, '어떤 일의 분야나 방면'을 의미한다.
❺ '−는 길에', '−는 길이다' 구성으로 쓰여, '어떠한 일을 하는 도중이나 기회'를 의미한다.

2 이 시의 3연에 '사뿐히 즈려밟고 가시옵소서'는 '사뿐히'가 '소리가 나지 아니할 정도로 가볍게 발을 내디디는 모양'이고, '즈려밟고'가 '발 밑에 있는 것을 힘주어 밟고'이므로 표현 자체가 모순된 역설적 표현이다. 이를 통해 임에 대한 화자의 희생적 사랑을 효과적으로 드러내고 있을 뿐, 부정적 현실을 비판하고 있지는 않다.

오답 풀이 ❶ 종결 어미 '−우리다'를 반복하여 리듬감을 형성하고 있다.
❷ 1연의 '나 보기가 역겨워 / 가실 때에는'에서 이별의 상황을 가정하고 있다.
❹ 1연의 구조가 4연에서 반복되는 수미상관의 구성을 취하고 있다.
❺ 4연의 '죽어도 아니 눈물 흘리우리다'에서 반어적 표현을 사용하여 애이불비의 정서로 임과의 이별에서 오는 슬픔을 절제하고 있다.

3 이 시에서는 〈보기〉의 2연에 있던 '그, 한−'을 삭제하여 '영변에∨약산∨진달래꽃', '아름 따다∨가실 길에∨뿌리우리다'와 같이 각각 3음보의 율격을 형성하고 있다. 따라서 2연의 '그', '한−'을 삭제하여 4음보를 형성하려 했다는 설명은 적절하지 않다.

오답 풀이 ❶ 이 시에서는 〈보기〉의 1연 2행에 있던 '말업시'를 행갈이 하여 3행의 '고이 보내 드리우리다' 앞에 위치하게 하고 있다. 이를 통해 이 시는 1연과 4연의 구조가 비슷하게 되어 형태적 안정감을 얻고 있다.

❷ 이 시에서는 〈보기〉의 '영변엔 약산'을 '영변에 약산'으로 받침을 삭제했는데 이로써 이전보다 낭독이 부드러워졌다.
❹ 이 시에서는 〈보기〉의 3연에 있던 '발거름마다'를 '걸음'이라는 단어가 반복되는 '걸음걸음'으로 수정하여 리듬감을 살리고 있다.
❺ 이 시에서는 〈보기〉의 4연에 있던 '아니' 뒤의 반점을 제거하여 '죽어도∨아니 눈물∨흘리우리다'와 같이 3음보로 만들고 있다. 이를 통해 이 시는 작품 전체가 3음보가 되어 운율의 통일성을 형성하고 있다.

수능독해 특강 체크 주제별로 알아보는 한자 성어

말과 관련된 한자 성어			본문 28~29쪽
01 교언영색	02 감언이설	03 언어도단	04 어불성설
05 일구이언	06 청산유수	07 ㉢	08 ㉤	09 ㉣
10 ㉠	11 ㉡	12 호언장담	

01~06

고	장	감	탄	고	토	양	주	일
색	교	언	영	색	일	구	이	언
창	애	이	어	비	유	밀	청	지
연	청	설	지	도	골	복	산	하
목	출	산	각	주	단	검	유	담
구	어	가	유	비	무	환	수	상
어	불	성	설	수	고	대	광	실
형	성	지	공	유	언	비	어	인
박	설	상	가	상	언	어	도	연

12 제시된 문자 메시지 대화에서 정국은 조별 과제를 하기 위한 모임에 불참하겠다고 말하고 있다. 그런데 이어진 예지의 말을 보면 조별 과제의 주제를 자신이 잘 아는 주제라며 정국이 정한 상황이었음이 드러난다. 이러한 상황 맥락과 예지의 마지막 말을 고려했을 때, 빈칸에 어울리는 한자 성어는 '호기롭고 자신 있게 말한다.'는 뜻인 '호언장담(豪言壯談)'이 적절하다.

1단계 문맥으로 어휘 확인하기 | 본문 30쪽 |

(1) 시적 화자   (2) 낙천적   (3) 자조적   (4) 시적 대상
(5) 어조, 애상적, 냉소적   (6) 시적 상황   (7) 표면적 화자,
이면적 화자

2단계 문제로 어휘 익히기 | 본문 31쪽 |

1 (1) ㉡ (2) ㉠ (3) ㉢   2 (1) 시적 상황 (2) 시적 대상
(3) 이면적 화자   3 (1) 어조 (2) 시적 화자   4 ②

4 황지우 시인의 「새들도 세상을 뜨는구나」는 자유로운 '흰 새 떼들'의 비상과 애국가를 경청하며 일제히 부동자세를 취하는 '우리'의 모습을 대조하여 1980년대의 암울하고 부정적인 현실을 냉소적인 어조로 비판한 시이다. 따라서 문맥을 살펴보았을 때 빈칸에 '대상이나 현실을 쌀쌀한 태도로 업신여기며 비웃는 것'을 의미하는 '냉소적'이라는 단어가 들어가는 것이 가장 적절하다.

오답 풀이 ❶, ❹ '희망적' 혹은 '낙천적'은 사회 현실을 바람직하게 바라보거나 즐겁고 좋은 것으로 여기는 상황에서 쓸 수 있으므로 빈칸에 들어갈 단어로 적절하지 않다.

❸ '예찬적'은 사회 현실을 훌륭하다고 찬양하는 상황에서 쓸 수 있으므로 빈칸에 들어갈 단어로 적절하지 않다.

❺ '의지적'은 사회 현실을 바꾸려고 결심하거나 어떤 목적을 이루려는 상황에서 쓸 수 있으므로 빈칸에 들어갈 단어로 적절하지 않다.

03일차 02 고전 시가 주제어 _사랑과 이별

1단계 문맥으로 어휘 확인하기 | 본문 32쪽 |

(1) 시름   (2) 무심   (3) 한   (4) 여의고   (5) 그리며
(6) 괴어   (7) 백년해로   (8) 요절   (9) 연분   (10) 추모

2단계 문제로 어휘 익히기 | 본문 33쪽 |

1 (1) ㉢ (2) ㉡ (3) ㉠   2 (1) 연분 (2) 시름 (3) 한
3 (1) 무심한 (2) 여의고 (3) 요절   4 ②

4 '백년하청(百年河淸)'은 중국의 황허강이 늘 흐려 맑을 때가 없다는 뜻으로, 아무리 오랜 시일이 지나도 어떤 일이 이루어지기 어려움을 이르는 말이다. 따라서 혼례를 할 때 신부의 어머니에게 신랑이 하는 약속의 말로는 적절하지 않다.

오답 풀이 ❶ '해로(偕老)'는 부부가 한평생 같이 살며 함께 늙음을 의미하는 말로, 혼례를 치르는 신랑이 신부의 어머니에게 전할 수 있는 약속으로 적절하다.

❸, ❹ '백년동락(百年同樂)'과 '백년해락(百年偕樂)'은 부부가 되어 한평생을 같이 살며 함께 즐거워함을 이르는 말로, '백년해로'와 유사한 의미로 사용한다.

❺ '백년해로(百年偕老)'는 부부가 되어 한평생을 사이좋게 지내고 즐겁게 함께 늙음을 의미하므로 혼례를 치르는 신랑이 신부의 어머니에게 할 약속의 말로 적절하다.

3단계 독해로 어휘 다지기 | 본문 34~35쪽 |

1 ①   2 ③   3 ②

[방옹시여(放翁詩餘)_신흠]

■**해제** 이 작품은 작가인 신흠이 광해군 시절 계축옥사에 연루되어 관직에서 쫓겨난 시기에 쓴 전체 30수의 연시조 중 일부이다. 이 작품에서 화자는 자연에 묻혀 살면서 느끼는 삶의 정취와 임금을 향한 그리움, 인생사에서 느끼는 시름과 고뇌 등을 노래하고 있다. 이 시조의 창작 상황을 고려했을 때, 작가는 벼슬에서 물러나 속세를 등진 채 은거 생활을 하고 있지만 그래도 마음 깊은 곳에는 권력을 잃고 난 후의 허무함과 억울한 심정 같은 것이 남아 있어 마음의 평정을 찾지 못한 것으로 보인다. 그래서 노래로 그 시름을 풀 수 있다면 나도 노래를 불러 보겠다고 한 것이다. 겨울에서 봄, 봄에서 여름으로 이어지는 계절의 흐름이 작품 전체를 관통하지만, 일반적인 연시조처럼 작품 전체가 유기적인 짜임새를 지녔다고 보기는 어렵다.

■**주제** ❶ 자연에 묻혀 살아가는 삶
❷ 임을 그리워하는 마음
❸ 시름을 풀고자 하는 마음

■**특징** ❶ 영탄법, 설의법을 활용하여 자연에 묻혀 살아가고자 하는 화자의 마음을 강조함
❷ 의성어를 활용하여 임을 기다리는 상황을 생동감 있게 표현함
❸ 연쇄법을 활용하여 시름을 풀어 보고자 하는 화자의 소망을 드러냄

■**구성**

❶

초장	눈이 와서 돌길마저 묻힌 산촌의 상황
중장	자연에 묻혀 사는 자신을 찾지 않길 바라는 화자의 마음
종장	한 조각 달을 벗 삼아 조용히 살아가고자 하는 화자의 소망

❷

| 초·중장 | 낙엽 소리를 임이 온 줄로 착각했던 화자의 실망감 |
| 종장 | 임에 대한 간절한 그리움 |

| 초·중장 | 시름을 풀기 위한 수단이 되는 노래 |
| 종장 | 시름을 해소하고 싶은 화자의 마음 |

감상 체크

1 눈 2 낙엽 3 시름

1 ㉠은 임에 대한 화자의 그리움이 매우 간절하여 마음이 고통스러움을 표현한 것이다. 따라서 이를 나타내는 말로는 '굽이굽이 서린 창자'라는 뜻으로, 깊은 마음속 또는 시름이 쌓인 마음속을 비유적으로 이르는 말인 '구곡간장(九曲肝腸)'이 가장 적절하다.

오답 풀이 ❷ '구밀복검(口蜜腹劍)'은 입에는 꿀이 있고 배 속에는 칼이 있다는 뜻으로, 말로는 친한 듯하나 속으로는 해칠 생각이 있음을 이르는 말이다. 따라서 ㉠의 상황을 나타내는 말로 적절하지 않다.
❸ '동병상련(同病相憐)'은 같은 병을 앓는 사람끼리 서로 가엾게 여긴다는 뜻으로, 어려운 처지에 있는 사람끼리 서로 가엾게 여김을 이르는 말이다. 따라서 ㉠의 상황을 나타내는 말로 적절하지 않다.
❹ '이심전심(以心傳心)'은 마음과 마음으로 서로 뜻이 통함을 이르는 말이므로, ㉠의 상황을 나타내는 말로 적절하지 않다.
❺ '풍수지탄(風樹之嘆)'은 효도를 다하지 못한 채 어버이를 여읜 자식의 슬픔을 이르는 말이므로, ㉠의 상황을 나타내는 말로 적절하지 않다.

2 영탄적 표현은 감탄사나 감탄형 어미 등을 통해 기쁨이나 슬픔 등의 감정을 강하게 표현하는 방법을 말한다. 이 시에서는 '밤 중만 일편명월(一片明月)이 긔 벗인가 하노라', '어즈버 유한한 간장(肝腸)이 다 긏을까 하노라', '노래 삼긴 사람 시름도 하도 할샤'와 같은 영탄적 표현을 사용하여 화자의 감정을 효과적으로 드러내고 있다.

오답 풀이 ❶ '시비(柴扉)를 열지 마라'와 같이 화자가 말을 건네는 방식이 나타나 있지만, 시적 대상과 묻고 답하는 방식을 통해 시상이 전개되고 있지는 않다.
❷ 대상에 감정을 이입하는 것은 화자가 자신의 감정을 어떤 대상에 불어넣어 표현하는 방법을 말하는데, 이 시에서는 화자의 감정을 어떤 대상에 이입하여 표현한 부분을 찾아볼 수 없다.
❹ 이 시에서는 '일편명월'을 '벗'이라 하며 자연물을 의인화하여 표현하고 있다. 하지만 의인화한 대상의 속성들을 점층적으로 나열한 부분은 나타나 있지 않다.
❺ 냉소적 어조는 대상이나 시적 상황을 쌀쌀한 태도로 업신여기어 비웃는 것을 말하는데, 이 시에서는 이러한 냉소적 어조가 나타난 부분을 찾아볼 수 없다.

3 이 시에서 화자는 속세와 단절된 공간인 '산촌'에서 '일편명월'을 벗으로 삼아 살아가고 있다. 이로 보아 '일편명월'은 자연에 은거하는 화자의 외로움을 덜어 주는 대상이자 화자가 지향하는 자연의 일부분이라고 할 수 있다. 따라서 '일편명월'이 세태를 비판하고 자신의 억울한 처지를 호소하는 작가를 상징한다는 설명은 적절하지 않다.

오답 풀이 ❶ '산촌(山村)에 눈이 오니 돌길이 묻혔어라'에서 세상과 연결되는 통로인 '돌길'이 묻히는 바람에 '산촌'이 세상과 단절되었음을 알 수 있다. 따라서 '산촌'은 세상과 대비되는 자연의 공간이자, 화자가 은거하고 있는 전원을 의미한다.
❸ '어즈버 유한한 간장(肝腸)이 다 긏을까 하노라'를 통해 화자가 임을 그리워한 나머지 간장이 다 끊어질 정도로 몹시 애가 타는 심정임을 알 수 있다. 여기서 '임'을 군왕으로 이해한다면, '간장이 다 긏을까 하노라'는 임금을 향한 신하의 애끓는 심정이 함축된 것이라고 할 수 있다.
❹ '노래 삼긴 사람 시름도 하도 할샤 / 일러 다 못 일러 불러나 풀었던가'에서 화자는 노래를 만든 사람은 말로는 풀리지 않는 시름을 풀기 위해 노래를 부른 것이라고 표현하고 있다. 〈보기〉에서 작가인 신흠이 '계축옥사'에 연루되어 관직을 박탈당하고 내쫓겼다는 내용을 고려할 때, '시름'은 정치적 혼란기에 정계에서 쫓겨나 버림받은 작자의 복잡한 심경을 나타내는 것임을 알 수 있다.
❺ 화자는 '노래'로 시름이 풀릴 것이면 자신도 노래를 부르겠다고 하며 시름을 풀고자 하는 마음을 드러내고 있다. 즉 화자는 '노래'를 시름을 해소하는 수단으로 본 것이다. 따라서 '노래'는 세상이 자신을 버렸고 자신 또한 세상사에 지쳤다고 하는, 작가의 뒤엉킨 마음을 풀어 내는 수단으로서의 성격을 지닌다고 할 수 있다.

04 일차 **01 문학 개념어**

1단계 문맥으로 어휘 확인하기 | 본문 36쪽 |

(1) 달관 (2) 관조적 (3) 성찰적 (4) 비판적 (5) 예찬
(6) 풍류 (7) 초월적 (8) 염세적 (9) 도피적 (10) 친화

2단계 문제로 어휘 익히기 | 본문 37쪽 |

1 (1) ㉢ (2) ㉠ (3) ㉡   2 (1) ✕ (2) ○ (3) ○
3 (1) 비판적 (2) 염세적 (3) 예찬적   4 ③

4 송순의 시조는 자연과 하나가 되어 소박하게 살아가고자 하는 물아일체(物我一體), 안빈낙도(安貧樂道)의 삶을 노래하고 있다. 화자는 자연(달, 청풍, 강산)을 자신과 동등한 존재로 표현하며 자연과 더불어서 소박하게 살고자 하는 태도를 보이고 있으므로, 빈칸에 들어갈 가장 적절한 단어는 '친화적'이다.

오답 풀이 ❶ '도피적'은 '어떤 상황에 적극적으로 맞서지 않고 피하는 것'인데, 이 시조에는 화자가 맞서야 할 상황이 제시되어 있지 않으며 화자가 도망치는 듯한 태도도 나타나 있지 않다.
❷ '비판적'은 '현상이나 사물의 옳고 그름을 판단하여 밝히거나 잘못된 점을 지적하는 것'인데, 이 시조에는 잘못된 부분이 제시되어 있지 않다.
❹ '초월적'은 '어떠한 한계나 표준, 이해나 자연 따위를 뛰어넘거나 경험과 인식의 범위를 벗어나는 것'인데, 화자는 자연을 뛰어넘으려고 하는 것이 아니라 자연과 하나가 되어 함께 살고자 하므로 적절하지 않다.

⑤ '예찬적'은 '무엇이 훌륭하거나 아름답다고 찬양하는 것'인데, 화자는 시적 대상인 자연을 자신과 동등한 존재로 인식하여 동화되고자 할 뿐, 찬양한 것은 아니다.

04 일차 02 고전 시가 주제어 _ 시련과 절개

1단계 문맥으로 어휘 확인하기
| 본문 38쪽 |

(1) 풍상　(2) 고비　(3) 수심　(4) 시련　(5) 의연한
(6) 연군　(7) 굳건해야　(8) 절개, 우국　(9) 세한고절

2단계 문제로 어휘 익히기
| 본문 39쪽 |

1 (1) 수심 (2) 풍상 (3) 절개　　2 (1) 시련 (2) 우국
(3) 세한고절　3 (1) 굳건한 (2) 의연함 (3) 고비　　4 ⑤

4 조선 시대의 시대부들은 관직을 떠나 자연 속에 머물거나 유배를 떠나게 되었어도 '충(忠)'을 중시하는 유교적 세계관을 지녔기 때문에, 임금의 은혜에 감사하고 임금에 대한 충성과 변함없는 사랑을 표현하는 시가들을 창작하였다. 따라서 빈칸에 들어갈 단어는 '임금을 그리워함'을 뜻하는 '연군(戀君)', 또는 '임금을 그리워하는 마음'을 의미하는 '연군지정(戀君之情)'이 가장 적절하다.

오답 풀이 ❶ '군신(君臣)'은 '임금과 신하'를 뜻하므로 문맥상 빈칸에 들어가기에 적절하지 않다.
❷ '절개(節槪)'는 '신념, 신의 따위를 굽히지 아니하고 굳게 지키는 꿋꿋한 태도'를 뜻하므로 문맥상 빈칸에 들어가기에 적절하지 않다.
❸ '충의(忠義)'는 '충성과 절의를 아울러 이르는 말'을 뜻하므로 문맥상 빈칸에 들어가기에 적절하지 않다.
❹ '우국(憂國)'은 '나랏일을 근심하고 염려함'을 뜻하므로 문맥상 빈칸에 들어가기에 적절하지 않다.

3단계 독해로 어휘 다지기
| 본문 40~41쪽 |

1 ②　　2 ④　　3 ④

가 [보리타작[打麥行]_정약용]
■해제 이 작품의 원래 제목은 '타맥행(打麥行)'으로, 보리타작을 하는 농민들의 모습을 노래한 한시이다. 화자는 건강하게 노동을 하면서 삶의 보람과 즐거움을 찾는 농민들의 모습을 보며 바람직한 삶의 가치에 대한 깨달음을 얻고, 관직에 얽매여 헛된 명분을 좇으며 살아온 자신의 삶을 반성하고 있다. 육체와 정신이 조화로운 농민들의 노동이야말로 건강한 삶의 모습임을 드러내고 있는 이 작품을 통해 우리는 조선 후기 민중들의 모습을 사실적으로 엿볼 수 있으며, 새롭고 가치 있는 삶의 방식을 평범한 민중들의 삶에서 찾고자 했던 작가의 진보적인 세계관을 발견할 수 있다.

■주제 농민들의 건강한 삶을 통해 얻은 깨달음
■특징 • 대상에 대한 예찬적 태도가 드러남
　　　 • 설의적 표현을 통해 깨달음을 효과적으로 드러냄
　　　 • 시각적, 청각적 이미지를 활용하여 대상을 생동감 있게 묘사함
■구성

기	노동하는 농민들의 건강한 삶의 모습(1~4구)
승	보리타작하는 마당의 흥겨운 정경(5~8구)
전	정신과 육체가 조화된 삶의 즐거움(9~10구)
결	관직에 얽매였던 자신의 삶에 대한 반성(11~12구)

나 [눈 맞아 휘어진 대를 ~_원천석]
■해제 이 작품은 고려의 유신이었던 원천석이 지은 평시조로, 조선 왕조를 건국하려는 이성계 일당의 회유에 휩쓸리지 않고 끝까지 자신의 지조를 지키고자 하는 작가의 충절을 드러내고 있다. 이 작품에서 '눈'은 새 왕조에 협력할 것을 강요하는 무리를 의미하고, '휘어진'은 그 속에서 절개를 지키고자 견디는 화자의 고통을 의미한다. '대'는 대나무를 말하는 것으로, 추운 겨울에도 푸른 잎을 계속 유지하고 있는 대나무는 절개를 잃지 않고 올곧게 자신의 신념을 지키는 선비의 자세를 생각나게 한다. 이 작품에서도 마찬가지로 시련 속에서도 한결같이 푸른 빛을 유지하는 대나무를 통하여 어떠한 억압에도 굴하지 않겠다는 화자의 굳은 의지를 드러내고 있다.

■주제 고려 왕조에 대한 충절 다짐
■특징 • 설의법과 의인법을 통해 화자의 태도를 드러냄
　　　 • '대나무'의 속성을 활용하여 화자의 굳은 절개와 의지를 강조함
■구성

초장	눈이 쌓여 휘어진 대나무
중장	눈 속에서도 아랑곳하지 않는 대나무의 푸르름
종장	절개를 지키는 대나무에 대한 예찬

감상 체크

1 벼슬길　2 노예　3 눈　4 예찬

1 ㉠은 '추운 계절에 혼자 푸르른 대나무'라는 뜻으로 높은 절개를 의미한다. 이와 바꾸어 쓰기에 적절한 한자 성어는 '서릿발이 심한 추위 속에서도 굴하지 않고 홀로 꼿꼿이 지키는 절개'라는 뜻의 '오상고절(傲霜孤節)'이다. 두 한자 성어 모두 절개가 높은 충신을 이르는 말이다.

오답 풀이 ❶ '낙목한천(落木寒天)'은 '나뭇잎이 다 떨어진 겨울의 춥고 쓸쓸한 풍경. 또는 그런 계절'을 의미한다.
❸ '의기양양(意氣揚揚)'은 '뜻한 바를 이루어 만족한 마음이 얼굴에 나타난 모양'을 말한다.

❹ '추풍낙엽(秋風落葉)'은 '가을바람에 떨어지는 나뭇잎 또는 어떤 형세
나 세력이 갑자기 기울어지거나 헤어져 흩어지는 모양을 비유적으로 이
르는 말'을 의미한다.

❺ '풍월주인(風月主人)'은 '맑은 바람과 밝은 달 따위의 아름다운 자연
을 즐기는 사람'을 말한다.

2 '새로 거른 막걸리 젖빛처럼 뿌옇고', '검게 탄 두 어깨 햇볕 받
아 번쩍이네.'와 같은 시구에서 시각적 이미지가 두드러지고 있
다. 이는 즐겁게 노동하는 건강한 농민의 모습을 생동감 있게
묘사한 것이지, 화자의 갈등을 드러내고 있는 것은 아니다.

오답 풀이 ❶ '그 기색 살펴보니 즐겁기 짝이 없어 / 마음이 몸의 노예 되
지 않았네.'라고 하며 즐겁고 건강하게 노동하는 농민들의 삶에 대해 화
자는 예찬적인 태도를 보이고 있다.

❷ 이 시에서는 '막걸리, 보리밥, 도리깨, 보리 낟알, 보리 티끌'과 같은
농민들의 실생활과 관련된 시어를 사용하여 생동감과 사실감을 높이고
있다.

❸ 전반부인 '기(1~4구), 승(5~8구)'에서는 노동하는 농민의 삶을 묘사
하고, 후반부인 '전(9~10구), 결(11~12구)'에서는 화자의 깨달음을 드러
내고 있다. 따라서 선경후정의 구조를 활용함으로써 농민들의 삶을 통해
얻은 깨달음이라는 주제를 효과적으로 제시하고 있다는 설명은 적절하
다.

❺ 화자는 보리타작을 하는 농민들의 모습을 관찰하면서 육체와 정신이
조화를 이룬 삶이 바람직한 삶이라는 깨달음을 얻고, 벼슬길에 얽매였던
자신의 삶을 돌아보며 반성하고 있다. 그리고 '무엇하러 벼슬길에 헤매
고 있으리오.'에서 설의적 표현을 사용함으로써 화자가 깨달은 삶의 가
치를 효과적으로 드러내고 있다.

3 '눈 속에 푸를쏘냐'를 〈보기〉와 관련지어 이해하면, 새로운 왕
조를 세우려는 이성계 일당의 핍박 속에서도 절개를 굽히지 않
은 작가의 태도를 나타낸 것으로 볼 수 있다. 따라서 새 왕조에
협력하는 사람들에 대한 원망이 담겨 있다는 설명은 적절하지
않다.

오답 풀이 ❶ '눈'은 '대나무'를 휘게 만드는 것이므로 화자에게 부정적으
로 인식되는 대상이다. 〈보기〉의 내용을 보면, 작가는 새 왕조에 협력하
라는 회유를 거절하고 치악산에 은거한 고려의 신하임을 알 수 있다. 따
라서 '눈'은 새로운 왕조에 협력할 것을 강요하는 세력을 의미한다고 볼
수 있다.

❷ '휘어진'은 '눈'에 의해 핍박을 받고 있는 대나무의 상태를 보여 주는
표현으로, 시련 속에서도 절개를 지키고자 하는 화자의 고통스러운 모습
을 드러내고 있다. 이는 〈보기〉의 내용을 고려할 때, 새로운 왕조에 협력
을 강요받은 작가가 그에 강력하게 맞서기보다 은거라는 대응 방식을 선
택한 것과 관련된다고 볼 수 있다.

❸ 중장에는 설의적 표현을 통해 결코 '절개'를 굽히지 않겠다는 화자의
의지가 드러나 있다. 이는 〈보기〉의 내용을 고려할 때, 고려의 신하로서
새 왕조에 반대하고 끝내 벼슬을 거절한 작가의 절개 있는 삶의 모습과
관련된다고 볼 수 있다.

❺ 종장에서는 '대나무'를 높은 절개를 지닌 존재로 의인화하여 화자 자
신과 동일시하고 있다. 이러한 '대나무'의 모습은 조선의 건국 과정에서
작가가 보여 준, 꿋꿋하게 절개를 지키려 하는 삶의 태도와 유사하다고
볼 수 있다.

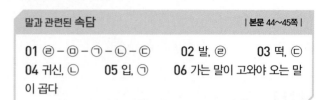

말과 관련된 속담 | 본문 44~45쪽 |

01 ㉣ - ㉤ - ㉠ - ㉡ - ㉢ **02** 발, ㉣ **03** 떡, ㉢
04 귀신, ㉡ **05** 입, ㉠ **06** 가는 말이 고와야 오는 말
이 곱다

01

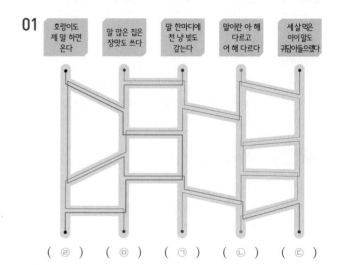

| 호랑이도 제 말 하면 온다 | 말 많은 집은 장맛도 쓰다 | 말 한마디에 천 냥 빚도 갚는다 | 말이란 아 해 다르고 어 해 다르다 | 세 살 먹은 아이 말도 귀담아들으랬다 |

(㉣) (㉤) (㉠) (㉡) (㉢)

06 문자 메시지 대화에서 예지와 정국이는 먹을 것을 두고 말을
주고받다가 급기야 서로에게 상처가 되는 말까지 주고받게
되었다. 이러한 대화 맥락을 고려할 때, 빈칸에 들어갈 알맞
은 속담은 '자기가 남에게 말이나 행동을 좋게 하여야 남도 자
기에게 좋게 한다는 말'을 의미하는 '가는 말이 고와야 오는
말이 곱다'이다.

01 문학 개념어

1단계 문맥으로 어휘 확인하기 | 본문 46쪽 |

(1) 세계관　　(2) 주제　　(3) 심리적　　(4) 제재, 소재
(5) 자연적, 사회적　　(6) 배경, 문제의식, 사상

2단계 문제로 어휘 익히기 | 본문 47쪽 |

1 (1) ⓒ　(2) ㉠　(3) ⓛ　**2** (1) 사회적　(2) 자연적　(3) 심리적
3 (1) 세계관　(2) 제재　**4** ②

4 신분 제도가 엄격했던 조선 사회에서 「홍길동전」은 적서 차별 제도를 문제 삼고 있는 소설이다. 허균이 이러한 소설을 창작할 수 있었던 것은 당시 사회적 문제인 적서 차별에 대한 비판적 태도를 지니고 있었기 때문에 가능한 일이었다. 따라서 빈칸에는 '문제점을 찾아서 그에 적극적으로 대처하려는 태도'를 의미하는 '문제의식'이 들어가는 것이 적절하다.

오답 풀이 ❶ '사리사욕'은 사사로운 이익과 욕심을 의미하므로 빈칸에 들어갈 내용으로 적절하지 않다.

❸ '윤리 의식'은 윤리를 지키고자 하는 강한 인식이나 의지를 뜻하는데, 허균이 당시의 문인들과 전혀 다른 윤리 의식을 지녔는지는 알 수 없다.

❹ '적서 차별'은 조선 시대의 차별의 일종으로 적자, 즉 정실 부인의 첫째 아들만이 과거에 응시하거나 유산을 상속받는 등 특혜를 누리는 반면, 첩이나 후실에게서 나온 서자는 그러한 혜택을 누리지 못하는 차별을 의미한다. 허균은 이러한 차별을 사회적 문제로 인식하였다.

❺ 유교에서 인간은 만물의 이치가 선천적으로 갖춰져 있는 하나의 소우주로 본다. 따라서 인간의 본성은 선한데 세상살이의 유혹이 본성을 가리는 것이므로, 끊임없이 자신을 살피고 도덕적으로 다잡아 나가야 한다는 입장을 취한다. 이와 같이 유교에서 인간을 보는 관점을 '유교적 인간관'이라고 하는데, 이는 문맥의 내용과는 관련이 없다.

02 현대 소설 주제어 _ 상황 속 인물의 행동

1단계 문맥으로 어휘 확인하기 | 본문 48쪽 |

(1) 안간힘　　(2) 대근하니　　(3) 확적하여　　(4) 경망　　(5) 정색
(6) 힐난　　(7) 으름장　　(8) 자초지종　　(9) 난데없이, 줄행랑

2단계 문제로 어휘 익히기 | 본문 49쪽 |

1 (1) ⓛ　(2) ㉠　(3) ㉣　(4) ⓒ　**2** (1) ✕　(2) ○　(3) ✕
3 (1) 정색　(2) 안간힘　(3) 자초지종　(4) 줄행랑　**4** (1) 으름장
(2) 정색　(3) 경망　(4) 난데없는

3단계 독해로 어휘 다지기 | 본문 50~51쪽 |

1 ④　　　**2** ⑤　　　**3** ④

[메밀꽃 필 무렵_이효석]

■ **해제** 이 작품은 강원도 봉평 장에서 대화 장으로 넘어가는 산길을 배경으로, 떠돌이 장돌뱅이 삶의 애환과 혈육의 정을 그려 낸 소설이다. 남녀 간의 인연과 친자 확인이라는 두 가지 모티브를 메밀꽃이 핀 달밤이라는 공간적 배경 속에서 감각적이고 섬세한 묘사를 통해 전개하고 있다. 특히 메밀꽃이 핀 달밤을 시적으로 묘사함으로써 낭만적이고 서정적인 분위기를 자아내고 있다.

■ **주제** 떠돌이 삶의 애환과 혈육의 정

■ **특징** • 암시와 여운을 주는 결말 구성을 취함
　　　• 낭만적이고 서정적인 문체와 감각적이면서도 섬세한 묘사를 통해 사건을 제시함

■ **구성**

봉평 장에서 허 생원은 충줏집과 수작을 하는 동이와 갈등하나 나귀 사건을 계기로 화해하고 함께 길을 떠남

[수록] 허 생원, 조 선달, 동이가 대화 장으로 함께 가는 길에 허 생원이 성 서방네 처녀와 맺었던 하룻밤의 정을 이야기함

[수록] 동이에게 어머니에 대한 이야기를 들은 허 생원은 문득 동이가 자신의 아들일 수도 있다는 생각을 하다가 개울에 빠짐

허 생원은 동이가 왼손잡이인 것을 보고 자신의 아들임을 확신함

감상 체크

1 대화　　**2** 추억　　**3** 과거

1 ㉣은 문맥상 '견디기가 힘들고 만만하지 않아서'의 의미로 쓰였다. 하지만 선지 ④의 '대근(代勤)할'은 '대신하여 근무할'의 의미이기 때문에 문맥상 ㉣의 의미와 다르다.

2 봉평에서 대화로 넘어가는 현재의 이야기와 허 생원이 봉평에서 성 서방네 처녀와의 인연을 다룬 과거의 이야기가 교차되어 서술되고 있으나, 이를 통해 인물 간의 갈등이 심화되고 있지는 않다.

오답 풀이 ❶, ❸ (가)에서는 달밤에 핀 메밀밭 배경을 청각적 이미지나 후각적 이미지와 결합하여 표현함으로써 낭만적인 분위기를 자아내고 있다.

❷ 허 생원과 조 선달의 대화를 통해서 허 생원의 옛 추억을, 동이와 허 생원의 대화를 통해 동이와 동이의 어머니가 겪은 지난날의 사건을 요약적으로 보여 주고 있다.

❹ '가제, 대화, 봉평' 등 토속적인 어휘들을 통해 향토적인 분위기를 자아내고 있다.

3 〈보기〉에서 질문과 대답의 과정은 중심인물인 허 생원과 동이의 관계를 밝히는 과정이라고 하였다. 그러나 ④에서는 허 생원과 동이의 대화를 인간과 자연의 조화를 추구하는 작가의 가치관으로 잘못 연결 지어 감상하고 있다.

오답 풀이 ❶ 허 생원은 과거에 맺었던 단 한 번의 인연을 평생 잊지 못하고 살아가고 있다.

❷ 이 소설은 허 생원의 과거 이야기와 동이의 사연이 제시된 후, 허 생원과 동이의 문답식 대화가 이어지고 있다. 이는 동이가 허 생원의 아들일지도 모른다는 의문을 밝혀 나가는 구조로, 〈보기〉에서도 알 수 있듯 한국적인 소재인 핏줄 찾기를 큰 줄기로 하여 독자의 공감을 얻고 있다.

❸ 허 생원과 성 서방네 처녀와의 추억을 회상하는 장면을 달밤을 매개로 하여 낭만적이고 운명적인 사랑으로 표현하고 있다.

❺ 독자는 개울을 건너면서 나누는 허 생원과 동이의 대화를 통해 인물들의 관계를 짐작하게 된다. 이는 허 생원이 동이의 어머니가 성 서방네 처녀가 아닐까 하는 기대감으로 탐정식 질문을 하는 데서 드러난다.

06 일차 01 문학 개념어

1단계 문맥으로 어휘 확인하기 | 본문 52쪽 |

(1) 가치관   (2) 성장   (3) 이념   (4) 저항   (5) 내적
(6) 갈등   (7) 긴장감, 해소   (8) 외적

2단계 문제로 어휘 익히기 | 본문 53쪽 |

1 (1) ㉢ (2) ㉡ (3) ㉠   2 (1) ○ (2) × (3) ○
3 (1) 가치관 (2) 외적 갈등 (3) 내적 갈등   4 ②

4 문기는 갈등을 해결하는 과정에서 양심을 따르는 정직한 삶이 중요하다는 것을 깨닫게 된다. 따라서 미성숙했던 인물이 갈등을 통해 깨달음을 얻고 성숙한 존재로 거듭남을 의미하는 '성장'이 문맥상 빈칸에 들어가기에 가장 적절하다.

오답 풀이 ❶ 인물 사이에 일어나는 대립과 충돌 또는 인물과 환경 사이의 대립을 의미하는 '갈등'은 성장을 위한 계기로 작용한다.

❸, ❺ 인물이 갈등을 겪은 이후 '가치관' 혹은 '이념'의 변화가 생길 수 있지만, 이 단어들은 갈등을 겪은 결과 궁극적으로 얻게 된 성장이라는 개념을 포괄하기에는 적절하지 않다.

❹ 빈칸에는 갈등의 결과 궁극적으로 얻게 된 바와 관련된 단어가 들어가야 하므로, 어떤 힘이나 조건에 굽히지 않고 거역하거나 버티는 것을 의미하는 '저항'은 적절하지 않다.

06 일차 02 현대 소설 주제어 _인물의 마음

1단계 문맥으로 어휘 확인하기 | 본문 54쪽 |

(1) 파렴치   (2) 미심쩍다   (3) 모진   (4) 간악   (5) 화끈
(6) 허탈   (7) 겸연쩍은   (8) 무료   (9) 고깝다
(10) 야멸차게

2단계 문제로 어휘 익히기 | 본문 55쪽 |

1 (1) × (2) ○ (3) × (4) ○   2 (1) 무료하게 (2) 허탈하게
(3) 모질게 (4) 미심쩍은   3 (1) 간악한 (2) 파렴치한   4 ①

4 악한 사람을 가까이하면 반드시 그 화를 입게 된다는 의미의 속담으로는 '모진 놈 옆에 있다가 벼락 맞는다'가 있다. 따라서 빈칸에 들어갈 단어로 가장 적절한 것은 ①이다.

오답 풀이 ❷ '고깝다'는 '섭섭하고 야속하여 마음이 언짢다.'라는 의미이다.

❸ '무료하다'는 '흥미 있는 일이 없어 심심하고 지루하다.'라는 의미이다.

❹ '화끈대다'는 '몸이나 쇠 따위가 뜨거운 기운을 받아 잇따라 달아오르다.'라는 의미이다.

❺ '미심쩍다'는 '분명하지 못하여 마음이 놓이지 않는 데가 있다.'라는 의미이다.

3단계 독해로 어휘 다지기 | 본문 56~57쪽 |

1 ③   2 ⑤   3 ③

[자전거 도둑_박완서]
■해제 이 작품은 1970년대 서울 청계천 세운 상가를 배경으로 주인공 수남이가 주변 인물들 사이에서 겪는 외적 갈등과, 자전거에 얽힌 사건으로 인해 마음속으로 후회하며 괴로워하는 내적 갈등이 잘 드러난 소설이다. 작가는 비양심적이고 돈만 아는 주인 영감과 인정 없고 이기적인 신사의 모습을 어린아이의 시선으로 그려 냄으로써 물질적 이익만을 추구하는 도시인들의 부도덕적인 모습을 비판하고 있다.

■주제 물질적인 이익만을 추구하는 도시인들의 모습에 대한 비판

■특징 • 순수한 소년의 눈을 통해 어른들의 부도덕성을 드러냄
• 도덕적으로 대립되는 인물들을 제시하여 양심과 도덕성의 회복을 강조함

■구성

수남이는 서울로 올라와 전기용품 도매상의 점원으로 일하며 주인 영감을 아버지처럼 느낌
바람이 거센 날, 수남이는 불길함을 느끼며 물건을 배달하러 감
수록 바람에 수남이의 자전거가 쓰러져 신사의 차에 흠집을 내고, 수리비를 주면 자전거를 돌려주겠다는 신사의 말에 고민하던 수남이는 자전거를 가지고 도망침
수록 수남이는 자전거를 가지고 도망친 자신의 행동을 칭찬하는 주인 영감에게 거부감을 느끼고, 자신의 행동을 떠올리며 괴로워함
수남이는 도둑질만은 하지 말라고 당부하던 아버지를 떠올리며 고향으로 돌아가기로 마음먹음

감상 체크

1 서울, 수남   2 외적 갈등   3 누런 똥빛

1 '허탈하다'는 '몸에 기운이 빠지고 정신이 멍하다.'라는 의미이다. ㉢의 앞부분에서 주인 영감은 수남이에게서 차 수리비를 내지 않고 자전거를 훔쳐 달아난 이야기를 듣고 기뻐하고 있으므로 ㉢에는 '허탈해한다'가 아니라 '통쾌해한다'가 들어가는 것

이 적절하다.

오답 풀이 ❶ 수남이는 신사가 자동차 수리비로 자신이 수금한 돈 만 원을 내놓으라고 할까 봐 불안해하고 있다. 따라서 문맥상 ㉠에는 몸이 뜨거운 기운을 받아 잇따라 달아오른다는 의미의 '화끈대고'가 들어가는 것이 적절하다.

❷ 신사는 어린 소년인 수남이에게 차 수리비로 많은 돈을 요구하는 인정 없는 인물로, 수남이가 용서를 구하다 수리비를 주지 않을 것을 눈치채고 은은히 감돌던 연민을 거두고 정색을 한다. 따라서 ㉡에는 불쌍하고 가련하게 여긴다는 의미의 '연민'이 들어가는 것이 적절하다.

❹ 주인 영감은 신사에게 차 수리비를 주지 않았을 뿐만 아니라 자전거까지 들고 도망친 수남이의 행동에 흡족함을 느껴 수남이를 칭찬하고 있다. 따라서 ㉣에는 마음에 흐뭇하게 들어맞는다는 의미의 '회심'이 들어가는 것이 적절하다.

❺ 수남이의 눈에 신사는 넉넉한 형편임에도 차 수리비로 오천 원이나 요구하는 몰인정하고 이기적인 어른으로 비춰지고 있다. 따라서 ㉤에는 간사하고 악독하다는 의미의 '간악하게'가 들어가는 것이 적절하다.

2 이 글은 전지적 작가 시점으로 작품 밖의 서술자가 등장인물의 행동과 내면 심리를 구체적으로 서술하고 있다. 작품 밖 서술자가 관찰자의 입장에서 사건을 객관적으로 전달하는 것은 작가 관찰자 시점에 해당한다.

오답 풀이 ❶ 수남이는 자전거를 훔쳐 달아난 자신의 행동을 칭찬하는 주인 영감에게서 이전엔 느끼지 못한 메스꺼움을 느끼기도 하고, 자신의 행동을 되돌아보면서 죄책감보다 쾌감을 더 짙게 느낀 것을 반성하기도 한다. 이를 통해 주인공의 심리 변화가 섬세하게 나타나고 있음을 알 수 있다.

❷ 바람에 자전거가 넘어져 신사의 자동차에 흠집이 나는 바람에 수남이와 신사의 외적 갈등이 드러난다.

❸ 작가는 신사와 주인 영감을 통해 물질적 이익을 추구하는 도시 사람들의 비양심적인 세태를 비판하고 있다.

❹ 수남이가 서울의 전기용품 가게 점원으로 일하면서 겪는 사건들이 시간의 흐름에 따라 전개되고 있다.

3 [B]에서 주인 영감님은 자전거를 훔쳐 달아난 수남이의 행동을 칭찬하는 속물적인 어른으로 이해할 수 있다. 따라서 영감님이 도덕적인 어른의 세계에 있다고 볼 수 없다.

오답 풀이 ❶ 신사가 자전거를 빼앗아 가려고 하자 수남이는 어쩔 줄 모르고 당황해한다. 이런 수남이의 모습은 그가 미성숙한 소년기의 자아에 머물러 있음을 보여 준다.

❷ 자전거를 빼앗기는 사건은 수남이가 자전거를 들고 도망치면서 죄책감보다 쾌감을 느낀 일을 떠올리게 하고 자신의 내면에 있는 부도덕성을 깨닫게 하는 계기로 작용한다. 즉 수남이가 내적 갈등을 겪고 성장하게 되는 계기가 된다.

❹ 수남이는 자신의 잘못된 행동을 칭찬하는 주인 영감님의 얼굴빛을 이전과 다르게 누런 똥빛으로 인식하고 있다. 이를 통해 수남이가 주인 영감님이 비양심적이고 부도덕한 사람임을 깨닫게 되고 성숙해 감을 알 수 있다.

❺ [A]와 [B]의 사건을 통해 수남이는 물질적인 측면보다 양심이나 도덕성이 중요하다는 것을 깨닫고 정신적으로 성숙하게 된다. 이런 수남이의 모습은 미성숙했던 소년이 성인의 단계로 입문하고 있는 과정으로 볼 수 있다.

자연과 관련된 한자 성어 | 본문 60~61쪽 |

01 요산요수 **02** 삼수갑산 **03** 산천초목 **04** 만리장천
05 점입가경 **06** 만경창파 **07** 단사표음 – 음풍농월 – 월
태화용 – 용무 – 무위자연 – 연하고질 **08** 엄동설한

01~06

고	요	하	다	아	가	점	충	적
입	산	통	제	방	지	입	구	충
이	요	구	벽	두	빈	가	족	력
삼	수	갑	산	속	만	경	창	파
친	료	진	천	비	리	솔	조	충
구	의	집	초	밀	장	경	인	류
변	사	항	목	첩	천	천	유	계
지	민	일	기	지	장	측	민	방
장	도	부	생	로	병	사	지	책

07

단 사 표 **음**	음 풍 농 월	**월태화용**
대나무로 만든 밥그릇에 담은 밥과 표주박에 든 물이라는 뜻으로, 청빈하고 소박한 생활을 이르는 말	맑은 바람과 밝은 달을 대상으로 시를 짓고 흥취를 자아내며 즐겁게 놂	아름다운 여인의 얼굴과 맵시를 이르는 말
연 하 고 **질**	무 위 자 연	**용무**
자연의 아름다운 경치를 몹시 사랑하고 즐기는 병	사람의 힘을 더하지 않은 그대로의 자연. 또는 그런 이상적인 경지	해야 할 일

08 제시된 문자 메시지에서 예지는 집에 있는 정국이에게 눈 구경을 할 겸 산책을 하자고 말하는데, 정국이는 추운 한겨울에 밖을 나갈 수 없다고 말하고 있다. 이러한 대화 상황을 고려했을 때 빈칸에 들어갈 한자 성어는 눈 내리는 깊은 겨울의 심한 추위라는 뜻인 '엄동설한(嚴冬雪寒)'이 적절하다.

07 01 문학 개념어
일차

| 본문 62쪽 |

1단계 문맥으로 어휘 확인하기

(1) 간접 제시　　(2) 직접 제시　　(3) 중심인물, 주변 인물
(4) 주동 인물, 반동 인물　　(5) 전형적 인물, 개성적 인물
(6) 평면적 인물, 입체적 인물

2단계 문제로 어휘 익히기

| 본문 63쪽 |

1 (1) ○ (2) × (3) × (4) ×　　2 (1) 전형적 (2) 개성적
(3) 주동, 반동　　3 ①

3 이 글은 놀부가 양식을 꾸려 온 흥부에게 한 말로, 아무리 쌀이 많고 돈이 많아도 흥부에게는 베풀지 않겠다는 의도가 담겨 있다. 심지어 돼지나 소와 같은 가축들에게 먹일지언정 동생인 흥부에게는 조금도 나눠 줄 생각이 없다고 말하는 놀부의 대사에서 놀부의 몰인정하고 탐욕스러운 성격을 알 수 있다. 이와 같이 직접적인 설명이나 묘사 대신, 대화나 행동을 통해 인물의 성격을 제시하는 방법을 '간접 제시'라고 한다.

오답 풀이 ② 서술자가 직접 인물의 특성을 요약해서 설명하는 방법을 '직접 제시'라고 하는데, 이 글에서는 서술자가 인물의 특성을 요약한 부분은 제시되지 않았다.
③, ④ 서술자가 인물의 특성을 직접 분석하여 설명한다는 점에서 직접 제시의 방법을 '설명적 제시', '분석적 제시'라고도 한다.
⑤ 서술자가 인물에 대해 구체적인 근거를 제시하지 않고 주관적으로 판단하여 서술할 경우, 독자는 인물에 대한 구체적인 모습을 떠올리기 어려워 인물을 추상적으로 파악하게 될 수도 있다. 이 글은 놀부의 대사를 통해 인물의 성격을 드러내고 있으므로 독자가 인물에 대해 생생하게 파악할 수 있다.

07 02 현대 소설 주제어_인물의 관계
일차

1단계 문맥으로 어휘 확인하기

| 본문 64쪽 |

(1) 슬하　(2) 장인　(3) 역성　(4) 보은　(5) 대거리
(6) 성례　(7) 데릴사위　(8) 빙장　(9) 수작, 앙갚음

2단계 문제로 어휘 익히기

| 본문 65쪽 |

1 (1) × (2) ○ (3) ○　　2 (1) 슬하 (2) 앙갚음 (3) 데릴사위
3 (1) 성례 (2) 장인　　4 (1) ⓒ (2) ⓒ (3) ⓒ

3단계 독해로 어휘 다지기

| 본문 66~67쪽 |

1 ②　　2 ①　　3 ③

[봄·봄_김유정]
■ 해제 이 작품은 1935년에 발표된 단편 소설이자 농촌 소설로, 마름인 장인과 데릴사위로 와서 성례를 미끼로 장인 집의 농사일을 도맡아 하는 '나'의 갈등을 해학적으로 그려 내고 있다. 작품의 제목 '봄·봄'은 연정을 느끼며 혼례를 소망하는 남녀 주인공을 의미하기도 하고, 또다시 봄이 와도 '나'의 처지가 변하지 않고 장인과의 갈등이 반복될 것임을 의미하기도 한다. 강원도 산골 마을의 토속적인 어휘, 어수룩하고 순박한 주인공인 '나'의 시점, 사위인 '나'와 장인이 몸싸움을 한다는 비상식적인 상황, 결말을 절정에 삽입한 구성 등을 통해 독자의 웃음을 유발하고 있다.

■ 주제 우직하고 순박한 데릴사위와 그를 이용하는 교활한 장인의 갈등

■ 특징 • 토속어와 비속어의 사용, 희극적 상황 구성 등을 통해 향토성과 해학성을 유도함
• 현재와 과거가 교차하는 역순행적 구성 방식을 취하여 극적 긴장감을 높이고 여운의 효과를 살림

■ 구성

'나'는 점순과의 성례를 조건으로 점순네 데릴사위로 들어가 몇 년째 삯을 받지 않고 일하고 있음

장인은 점순과의 성례를 계속 미루고, 성례를 재촉해 보라는 점순의 충동질에 '나'는 구장을 만나 억울함을 호소해 보지만 실패함

수록 점순이 다시 충동질을 하여 '나'는 성례 문제로 장인과 격렬한 몸싸움을 벌이게 되고, 장인의 편을 드는 점순의 뜻밖의 모습에 어리둥절해하는 사이에 장인에게 맞음

수록 올 가을에 성례를 시켜 준다는 장인의 회유에 '나'는 장인과 화해를 하고 다시 일을 하러 감(절정 속에 삽입)

감상 체크

1 성례　　2 데릴사위　　3 당황

1 '초록은 동색'이라는 속담은 '풀색과 녹색은 같은 색'이라는 뜻으로, 처지가 같은 사람들끼리 한패가 되는 경우를 비유적으로 이르는 말이다. '나'는 점순도 성례 문제로 자신처럼 장인을 미워하고 있다고 생각하고 있었는데, '나'의 생각과는 다르게 막상 싸움이 나자 점순은 자신의 아버지인 장인의 편을 든다. 이런 점순의 이중적인 행동에 '나'는 망연자실하고 있으므로, 점순이 자신의 편을 들 것이라고 확신하는 태도는 [A]의 상황에서 '나'가 느꼈을 심정으로 적절하지 않다. [A] 이전 상황에 어울리는 속담이라고 볼 수 있다.

오답 풀이 ❶ '가재는 게 편'이라는 속담은 모양이나 형편이 서로 비슷하고 인연이 있는 것끼리 서로 잘 어울리고, 사정을 보아주며 감싸 주기 쉬움을 비유적으로 이르는 말이다. 장인의 가족인 점순과 장모님이 모두 자신의 귀를 잡아당기며 방해하고 장인의 편을 들고 있으니 '나'가 느꼈을 심정으로 적절하다.
❸ '믿는 도끼에 발등 찍힌다'라는 속담은 잘되리라고 믿고 있던 일이 어긋나거나 믿고 있던 사람이 배반하여 오히려 해를 입음을 비유적으로 이

르는 말이다. 점순이 자기 편을 들 것으로 믿고 있었던 '나'가 느꼈을 심정으로 적절하다.

❹ '팔이 안으로 굽는다'라는 속담은 자기 혹은 자기와 가까운 사람에게 정이 더 쏠리거나 유리하게 일을 처리함은 인지상정이라는 말이다. 따라서 장모님이 장인의 편을 드는 것에 대해 '나'가 생각할 수 있는 내용으로 적절하다.

❺ '열 길 물속은 알아도 한 길 사람 속은 모른다'라는 속담은 사람의 속마음을 알기란 매우 힘듦을 비유적으로 이르는 말이다. 점순의 반응을 보고 '나'가 느꼈을 심정으로 적절하다.

2 이 작품에서 '나'는 사건을 이끌어 가는 주인공 역할을 하는 인물로 '중심인물'에 해당한다.

오답 풀이 ❷ '주변 인물'은 중심인물의 주변에서 사건의 진행을 돕는 역할을 하는 인물을 말한다.

❸ '반동 인물'은 주인공에 맞서 갈등을 빚는 인물로, 대립자나 적대자의 역할을 하는 인물을 말한다.

❹ '전형적 인물'은 어떤 사회의 집단이나 계층, 특정 세대 등을 대표하는 특성을 지닌 인물을 말한다.

❺ '평면적 인물'은 인물의 성격이 작품의 처음부터 끝까지 변하지 않는 인물 유형을 말한다.

3 작가는 데릴사위 제도의 문제점이나 농촌의 갈등 문제를 해학적 웃음 밑에 숨겨 놓았을 뿐, 이에 대한 구체적 해결책을 제시하고 있지는 않다.

오답 풀이 ❶ 강원도 산골 마을의 토속적인 어휘를 사용함으로써 현장감과 사실감을 부여하고 있다.

❷ 교활한 장인이 사위인 '나'에게 봉변을 당하는 장면은 독자에게 쾌감을 줄 수 있다.

❹ '나'와 장인이 서로 바짓가랭이를 잡아당기며 격렬하게 싸우는 비정상적인 행동, 장인에 대한 존칭어와 비속어를 동시에 사용하는 장면 등을 통해 독자의 웃음을 유발하고 있다.

❺ 이 작품은 농촌에서 마름이라는 강자가 약자인 소작인의 노동력을 착취하는 상황을 데릴사위라는 소재를 통해 상징적으로 드러내고 있다고 볼 수 있다.

08 일차 01 문학 개념어

1단계 문맥으로 어휘 확인하기 | 본문 68쪽 |

(1) 절정　(2) 결말　(3) 구성 단계　(4) 역순행적
(5) 일대기　(6) 위기　(7) 발단　(8) 액자식　(9) 전개
(10) 순행적

2단계 문제로 어휘 익히기 | 본문 69쪽 |

1 (1) ㉡　(2) ㉠　(3) ㉢　　2 (1) 발단　(2) 결말　(3) 절정
3 ④

---

3 '액자식 구성'은 마치 액자처럼 외부 이야기가 내부 이야기를 포함하고 있는 구성을 말한다. 『아라비안나이트』는 페르시아 왕이 셰에라자드의 이야기를 듣고자 하여 죽이지 못하는 부분이 외부 이야기이고, 셰에라자드가 매일 밤 왕에게 들려주는 여러 가지 이야기들이 내부 이야기이므로, 액자식 구성을 취하고 있는 작품이라 할 수 있다. 액자식 구성에는 『아라비안나이트』처럼 하나의 액자 속에 여러 가지 내부 이야기가 있는 '순환적 액자 구성'과 하나의 액자 속에 하나의 내부 이야기가 있는 '단일 액자 구성'이 있다.

오답 풀이 ❶ '환몽' 구조는 '현실-꿈-현실'의 구조를 지닌 서사적 기법이다. 환몽 구조의 작품들은 대부분 주인공이 현실에서 애타게 원하던 바를 꿈속에서 실현시키지만, 그 속에서 우여곡절을 겪고 꿈에서 깨어나 어떤 깨달음을 얻게 되는 흐름으로 전개된다.

❷ 시간의 흐름이 '과거-현재-미래'와 같이 자연적으로 흘러가며 사건이 시간 순서에 따라 전개되는 구성을 '순행적 구성'이라고 한다.

❸ '일대기' 구성은 주인공이 태어나서 죽을 때까지의 일생을 시간 순서대로 구성한 것을 말한다. 주로 영웅 신화나 영웅 소설에 자주 등장하는 서사 구조이다.

❺ 시간의 흐름이 현재에서 과거로 거슬러 가거나, 과거로 갔다가 다시 현재로 돌아오는 등 사건이 시간적 순서를 따르지 않고 전개되는 구성을 '역순행적 구성'이라고 한다.

08 일차 02 고전 소설 주제어 _ 고전 속 영웅

1단계 문맥으로 어휘 확인하기 | 본문 70쪽 |

(1) 고귀　(2) 원통　(3) 감개무량　(4) 고심　(5) 탁월
(6) 서슬　(7) 비분강개　(8) 사무친　(9) 신출귀몰
(10) 가련

2단계 문제로 어휘 익히기 | 본문 71쪽 |

1 (1) ㉡　(2) ㉢　(3) ㉣　(4) ㉠　　2 (1) 감개무량
(2) 신출귀몰　(3) 비분강개　　3 (1) 사무치게　(2) 서슬
(3) 고심　4 ④

4 '탁월한'은 '남보다 두드러지게 뛰어난'을 의미하므로 '보통의 수준이나 등급보다 낮은'을 의미하는 '열등한'과 바꾸어 쓰기에 적절하지 않다. 나머지 '높은, 뛰어난, 우수한, 월등한'은 '탁월한'과 바꾸어 쓰기에 적절하다.

1 ④   2 ③   3 ⑤

[홍길동전 _허균]

■ **해제** 이 작품은 홍길동을 주인공으로 하여 영웅의 일대기를 그린, 우리나라 최초의 한글 소설이다. 작가는 적서 차별, 탐관오리의 부정부패 등 당시의 사회 부조리를 비판하고, 이상국 건설에 대한 내용을 통해 정치 현실을 개혁하고자 하는 사상적 의지를 드러내고 있다. 영웅의 일대기 구조와 비현실적인 내용 전개는 고전 소설의 전형적인 모습이지만, 서자 출신의 차별과 정당하지 못한 인재 등용의 현실, 관리들의 횡포 고발 등으로 주제의 사실성을 높여 고전 소설의 한계를 극복하였다는 평가를 받고 있다.

■ **주제** 모순된 신분 제도의 비판과 이상 사회 건설 추구

■ **특징** • 전기적 요소가 강하며, 유교적 가치관이 부각됨
         • 사회의 부조리를 비판하여 고전 소설의 한계를 극복함

■ **구성**

서자로 태어나 천대를 받는 것을 서러워하던 길동은 홍 판서의 첩인 초란이 자신을 해치려고 하자 집을 떠남
집을 나온 길동은 도적의 우두머리가 되고 무리의 이름을 활빈당이라고 지음
길동이 백성을 구제하고 탐관오리를 벌하자 임금은 길동을 잡으라고 명을 내림
수록 길동이 잡히지 않자 임금은 길동을 병조판서로 임명하고, 벼슬을 받은 길동은 임금에게 감사드린 후 사라짐
수록 활빈당 무리를 이끌고 조선을 떠난 길동은 율도국을 정벌하고 율도국의 왕이 되어 이상적인 세계를 실현함

감상 체크

1 길동   2 적서   3 율도국

---

1 '사은(謝恩)하러'는 '은혜를 감사히 여겨 사례하러'라는 뜻이므로, 반대의 의미인 '복수를 하러'와 바꾸어 쓰는 것은 적절하지 않다. '감사의 인사를 하러' 정도로 바꾸어 쓰는 것이 적절하다.

오답 풀이 ❶ '추호'는 '매우 적거나 조금인 것을 비유적으로 이르는 말'이므로, '조금도'와 바꾸어 쓰는 것은 적절하다.

❷ '재촉하니'는 '어떤 일을 빨리 하도록 조르니'를 뜻하므로, '서두르니'로 바꾸어 쓰는 것은 적절하다.

❸ '결박하여'는 '몸이나 손 따위를 움직이지 못하도록 동여 묶어'를 뜻하므로, '팔다리를 묶어'와 바꾸어 쓰는 것은 적절하다.

❺ '매복시켰다가'는 '상대편의 동태를 살피거나 불시에 공격하려고 일정한 곳에 몰래 숨어 있게 하였다가'를 뜻하므로, '숨어 있게 하다가'로 바꾸어 쓰는 것은 적절하다.

2 ⓒ의 앞 문장인 "길동의 소원이 ~ 그때를 타 잡는 것이 좋을까 하옵니다."를 보았을 때, 임금이 길동의 원통한 마음을 풀어 주기 위해 길동을 체포하지 않고 회유하기로 전략을 바꾼 것이 아니라, 길동을 체포하기 위해 계략을 꾸민 것임을 알 수 있다.

오답 풀이 ❶ ⓐ를 통해 길동이 서자로 태어나 호부호형을 하지 못한 까닭에 내적 갈등을 겪었음을 알 수 있다.

---

❷ ⓑ는 길동을 호송하는 장면으로, 길동을 철통같이 경계한다는 것은 길동의 비범함을 조정에서도 익히 알고 있음을 보여 주는 것이다.

❹ ⓓ는 길동이 부리는 도술로, 신출귀몰한 길동의 능력이 나타난다.

❺ ⓔ는 길동이 율도국의 왕이 되어 정치를 실현한 결과를 드러낸 부분으로, 길동이 꿈꾸던 이상적인 나라의 모습을 알 수 있다.

3 임금이 길동에게 병조판서를 제수하는 이유는 길동을 잡기 위한 것이지, 백성이 살기 좋은 세상을 구현하려는 길동의 노력을 인정한 것은 아니다.

오답 풀이 ❶ 율도국을 쳐서 왕위에 오른 길동은 나라를 다스린 지 삼 년 만에 태평세계를 이룬다. 따라서 길동이 새 나라를 건설하려는 모습은 길동이 율도국을 공격하는 것에서 드러난다고 할 수 있다.

❷ 길동은 호송용 수레에서 간단히 탈출하며, 임금에게 작별 인사를 하고는 공중으로 사라지는 등 초월적인 능력을 발휘한다. 이렇게 길동은 도술을 부려 임금이 자신을 잡으려는 위기에서 벗어나고 있다.

❸ 천한 종의 몸에서 태어나 서러움을 겪었던 길동이 율도국의 왕이 됨으로써 신분적 한계를 극복하는 모습이 드러난다.

❹ 길동은 자신이 도둑의 무리에 참여하였지만 백성은 범하지 않고 각 읍 수령이 백성들을 들볶아 착취한 재물만 빼앗았다고 말하고 있는데, 여기에서 백성의 편에 서서 활약을 펼치는 길동의 모습을 파악할 수 있다.

수능독해 특강 체크 주제별로 알아보는 속담

01 ㉢ – ㉣ – ㉠ – ㉤ – ㉥   02 숭늉, ㉢   03 소, ㉠
04 기억, ㉣   05 빈대, ㉥   06 똥 묻은 개가 겨 묻은 개 나무란다

01

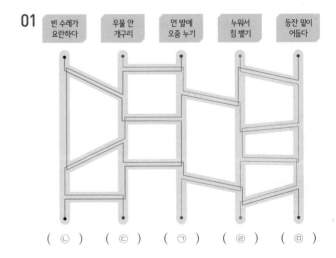

빈 수레가 요란하다 / 우물 안 개구리 / 언 발에 오줌 누기 / 누워서 침 뱉기 / 등잔 밑이 어둡다

(㉢) (㉣) (㉠) (㉤) (㉥)

06 문자 메시지 대화에서 누나는 방 청소를 하지 않아 엄마에게 혼난 동생을 질책하고 있다. 동생은 누나가 성적표를 숨겼다가 엄마에게 들통난 일을 말해 주고 있다. 대화의 흐름을 살펴보았을 때, 동생은 자기 잘못보다 더 큰 잘못을 한 누나가 자기를 질책하는 모습에 '똥 묻은 개가 겨 묻은 개 나무란다'라는 속담을 사용하여 핀잔을 주는 것이 적절하다.

09 01 문학 개념어

1단계 문맥으로 어휘 확인하기 | 본문 78쪽 |

(1) 근원　(2) 구비, 설화　(3) 패관　(4) 신화, 신성
(5) 고전 소설　(6) 가전체　(7) 전설, 민담

2단계 문제로 어휘 익히기 | 본문 79쪽 |

1 (1) ㉠ (2) ㉡ (3) ㉤ (4) ㉢ (5) ㉣　　2 (1) 근원
(2) 설화　3 (1) 신성한 (2) 구비　　4 ②

4 〈보기〉에서 설명하고 있는 문학 양식은 사물을 의인화하여 그 일대기를 전기 형식으로 서술하는 가전체이다. 가전체는 설화와는 달리 작자의 독창성과 허구성이 발휘된 개인 창작물로, 소설 문학에 한 단계 접근하여 설화와 소설을 이어 주는 교량 역할을 했다는 데서 의의를 찾을 수 있다.

오답 풀이 ❶ '설화'는 각 민족 사이에 전승되어 오는 신화, 전설, 민담 따위를 통틀어 이르는 말로 〈보기〉의 설명과 관련이 없다.
❸ '민속극'은 민간에 전해 내려오는 극 양식으로 가면극이나 인형극 등을 말하므로 〈보기〉의 설명과 관련이 없다.
❹ '신소설'은 갑오개혁 이후부터 현대 소설이 나오기 전까지 창작된 소설로, 개화, 계몽, 자주 독립 사상 고취 등을 주제로 다루었다.
❺ '판소리계 소설'은 조선 후기 연희에서 부르던 판소리의 창을 산문화하여 기록한 서사 문학으로, 대표적인 작품으로 「춘향전」, 「흥부전」, 「심청전」 등이 있다.

09 02 고전 소설 주제어 _삶의 고통

1단계 문맥으로 어휘 확인하기 | 본문 80쪽 |

(1) 불화　(2) 비수　(3) 환란　(4) 애간장　(5) 혹사
(6) 전폐　(7) 횡액　(8) 속절없는　(9) 고혈, 폐단

2단계 문제로 어휘 익히기 | 본문 81쪽 |

1 (1) × (2) × (3) ○　　2 (1) 속절없는 (2) 혹사하고
(3) 전폐하고　3 (1) 환란 (2) 애간장 (3) 고혈　　4 ①

4 ①의 문장에서 밑줄 친 '비수'는 '슬퍼하고 근심함'을 의미하는 '비수(悲愁)'이고, ②~⑤의 문장에서 밑줄 친 '비수'는 '날이 매우 날카로운 짧은 칼'을 의미하는 '비수(匕首)'이다.

3단계 독해로 어휘 다지기 | 본문 82~83쪽 |

1 ④　　2 ③　　3 ②

[흥부전_작자 미상]
■해제 이 작품은 착하고 가난한 흥부와 악하고 부자인 놀부 형제의 이야기로, 표면적으로는 형제간의 우애와 권선징악의 주제를 형상화하고 있다. 그러나 이면에는 몰락하는 양반 사회와 서민들의 곤궁한 생활상을 통해 사회 경제적인 갈등을 다루고 있다고 볼 수 있다. 동물 보은 설화, 선악 형제 이야기, 모방의 실패담 등 다양한 근원 설화를 바탕으로 구성된 판소리계 소설로, 조선 후기 서민들의 생활상을 해학적 문체를 통해 드러내고 있다.
■주제 탐욕에 대한 비판, 형제간의 우애와 권선징악(勸善懲惡)
■특징 • 과장된 표현, 해학적 표현 등을 통해 골계미를 드러냄
　　　• 이면적으로 빈농과 부농의 경제적 갈등 같은 사회 문제를 다룸
■구성

심술 사나운 형 놀부와 순하고 착한 동생 흥부가 살았는데, 놀부는 부모가 남긴 유산을 모두 차지하고 흥부네 가족을 빈손으로 내쫓음
집에서 쫓겨난 흥부는 궁핍함에 쌀을 구걸하러 놀부를 찾아가지만, 오히려 매만 맞고 돌아옴
어느 날, 흥부는 다리가 부러진 제비를 정성껏 치료해 주고, 이듬해 제비는 흥부의 은혜에 보답하고자 박씨 하나를 물어다 줌
박씨를 심어 수확한 박에서 금은보화가 나와 흥부는 큰 부자가 됨. 놀부가 이 사실을 알고 제비 다리를 일부러 부러뜨린 후 치료해 주자, 제비는 놀부에게도 박씨를 물어다 줌
(수록) 놀부도 박씨를 심어 박을 수확한 후 박을 타는데, 그 속에서 똥이 계속해서 나와 가진 재산을 탕진하고 패가망신함
놀부의 소식을 들은 흥부는 자신의 재산을 놀부에게 나누어 주고, 놀부는 개과천선(改過遷善)하여 형제가 행복하게 살게 됨

감상 체크

1 박씨　2 원수　3 똥

1 '친화'는 사이좋게 잘 어울린다는 뜻으로, '불화'와는 반대되는 의미의 단어이다. 따라서 ㉣을 '친화하고'와 바꾸어 쓰기에는 적절하지 않다. 문맥상 '불합하고', '갈등하고', '다투고' 등으로 바꾸는 것이 적절하다.

오답 풀이 ❶ '구제치'는 '자연적인 재해나 사회적인 피해를 당하여 어려운 처지에 있는 사람을 도와주지'의 의미로 '도와주지'와 바꾸어 쓸 수 있다.
❷ '모진'은 '기세가 몹시 매섭고 사나운'의 의미로, '매서운', '사나운'과 바꾸어 쓸 수 있다.
❸ '삽시간'은 '매우 짧은 시간'을 의미하는 말로, '눈을 한 번 깜작하거나 숨을 한 번 쉴 만한 아주 짧은 동안'이라는 의미인 '순식간'과 바꾸어 쓸 수 있다.
❺ '환란'은 '근심과 재앙을 통틀어 이르는 말'로, '갑작스러운 재앙이나 사고'를 뜻하는 '변고'와 바꾸어 쓸 수 있다.

2 (다)에서 놀부는 박에서 쏟아져 나온 똥 때문에 자신의 집을 망치게 된 데 이어 생원에게 잡혀 가 불호령을 듣고 양반의 집으

문학 어휘 **15**

로 넘어간 똥을 해 지기 전에 다 치워야 하는 상황에 처해 있다. 이러한 놀부의 상황은 '어렵거나 나쁜 일이 겹치어 일어나다.'의 의미인 '엎친 데 덮치다'라는 관용 표현으로 설명할 수 있다.

오답 풀이 ❶ (다)에서 놀부가 '기가 막히어' 하는 이유는 큰 재물을 얻으려다가 있는 재물도 다 탕진하고 패가망신한 상황에서 양반 댁의 똥까지 다 치워야 하는 악재가 거듭하여 당황스럽고 어이가 없는 상태이기 때문이다. 자기가 잘못을 저지르고 오히려 남에게 성냄을 비꼬는 말인 '방귀 뀐 놈이 성낸다'는 이 상황과 어울리지 않는다.
❷ (다)에서 놀부가 거름 장사에게 삯을 주고 똥을 치우게 한 것은 해가 지기 전에 양반 댁 똥을 다 치우지 않으면 죽고 남지 못할 것이라는 생원의 호령 때문이다. 한 가지 일로 두 가지 이익을 봄을 이르는 말인 '도랑 치고 가재 잡는다'는 이 상황과 어울리지 않는다.
❹ (가)에서 놀부가 제비 다리를 부러뜨린 것은 흥부처럼 박씨를 얻어 부자가 되려는 탐욕 때문임을 제비왕의 말을 통해 알 수 있다. 하지만 '고래 싸움에 새우 등 터진다'는 강한 자들끼리 싸우는 통에 아무 상관도 없는 약한 자가 중간에 끼어 피해를 입게 됨을 비유적으로 이르는 말이기 때문에 놀부의 상황과 어울리지 않는다.
❺ (나)에서 놀부가 박 속에서 나온 똥 벼락을 맞고 발을 구르며 서러워한 것은 박에서 금은보화가 나올 줄 알았는데 똥이 계속 나와 패가망신할 상황에 놓였기 때문이다. '지렁이도 밟으면 꿈틀한다'는 아무리 눌려 지내는 미천한 사람이나 순하고 좋은 사람이라도 너무 업신여기면 가만있지 아니한다는 말이므로 놀부의 상황과 어울리지 않는다.

3 〈A〉는 악인인 놀부가 착한 동생의 도움을 받아 개과천선하였다는 결말이다. 이는 흥부의 선량함을 강조하는 동시에 우애 있고 선하게 사는 삶을 권장하는 효과가 있으므로 (ㄱ)과 같은 효과를 거두고 있다고 볼 수 있다. 〈B〉는 인과응보의 사상을 구체적으로 표현하는 결말로, 놀부가 자신의 악행으로 인해 불행한 결말을 맞음으로써 악에 대한 경계를 유도하고 있으므로 (b)와 같은 효과를 거두고 있다고 할 수 있다.

4 이 글은 어느 날 아침, 지나가던 아이의 이야기를 듣고 봄이 왔음을 느꼈다는 글쓴이의 감회가 적힌 수필이다. 글쓴이 주변에서 일어난 일을 글의 소재로 삼고 있으므로 수필의 신변잡기적인 특징이 잘 드러나 있다고 할 수 있다.

오답 풀이 ❶ '비평적'은 '사물의 옳고 그름, 아름다움과 추함 따위를 분석하여 가치를 논하는 것'을 뜻하며, 주로 중수필에서 나타나는 특징이다.
❷ '전문적'은 '어떤 분야에 상당한 지식과 경험을 가지고 그 일을 잘하는 것'을 뜻하는데, 이 글과 같은 경수필은 전문적인 작가가 아니더라도 누구나 쓸 수 있으므로 이 글의 특징으로 적절하지 않다.
❸ '논리적'은 '말이나 글에서 사고나 추리 따위를 이치에 맞게 이끌어 가는 과정이나 원리에 맞는 것'을 뜻하는데, 이 글은 일상에서 일어난 일에 대한 글쓴이의 느낀 점을 적은 일기이므로 논리적인 특성과는 거리가 멀다.
❹ '객관적'은 '자기와의 관계에서 벗어나 제삼자의 입장에서 사물을 보거나 생각하는 것'이라는 뜻인데, 글쓴이가 직접 듣고 자기의 주관적인 느낌을 쓴 이 글의 특징으로는 적절하지 않다.

10 일차 | 02 수필 주제어 _인생

1단계 문맥으로 어휘 확인하기 | 본문 86쪽 |

(1) 일가견 　(2) 동반자 　(3) 등한시 　(4) 망망대해
(5) 한결같이 　(6) 냉혹한 　(7) 간과 　(8) 악착
(9) 망연자실 　(10) 경이

2단계 문제로 어휘 익히기 | 본문 87쪽 |

1 (1) ○ (2) × (3) ○　**2** (1) 한결같이 (2) 등한시 (3) 악착같이
3 (1) 경이롭다 (2) 동반자 (3) 망연자실　**4** ④

4 바다 한가운데에 떠서 보았을 때 끝없이 펼쳐져 있는 것은 '한없이 크고 넓은 바다'를 의미하는 '망망대해'이다.

오답 풀이 ❶ '경이'는 '놀랍고 신기하게 여김'을 의미하는 말로 문맥상 빈칸에 들어가기에 적절하지 않다.
❷ '악착'은 '매우 모질고 끈덕짐'을 의미하는 말로 문맥상 빈칸에 들어가기에 적절하지 않다.
❸ '등한시'는 '소홀하게 보아 넘김'을 의미하는 말로 문맥상 빈칸에 들어가기에 적절하지 않다.
❺ '망연자실'은 '황당한 일을 당하거나 어찌할 줄을 몰라 정신이 나간 듯이 멍함'을 의미하는 말로 문맥상 빈칸에 들어가기에 적절하지 않다.

10 일차 | 01 문학 개념어

1단계 문맥으로 어휘 확인하기 | 본문 84쪽 |

(1) 개성적 　(2) 신변잡기적 　(3) 사색적 　(4) 성찰
(5) 수필 　(6) 교훈 　(7) 경수필 　(8) 통찰 　(9) 중수필
(10) 깨달음

2단계 문제로 어휘 익히기 | 본문 85쪽 |

1 (1) ㉡ (2) ㉢ (3) ㉠　**2** (1) ○ (2) × (3) ×
3 (1) 깨달음 (2) 교훈 (3) 성찰　**4** ⑤

1 ①   **2** ②   **3** ③

[사막을 같이 가는 벗_양귀자]

■ **해제** 이 글은 글쓴이가 어른이 되고 학창 시절 신학기에 느꼈던 외로움과 소외감을 회상하며 쓴 수필이다. 글쓴이는 어른이 된 후에는 학창 시절과 비교도 할 수 없을 만큼 세상살이가 더 힘들고 삭막함을 알게 되었다고 고백하며, 그렇기 때문에 영혼을 함께 나눌 친구를 만나는 것이 소중하고 아름다운 일임을 전하고 있다. 또한 '망망대해', '홀로 헤치는 파도', '무서운 사막'과 같이 문학적 표현을 활용하여 험난한 인생에서 진정한 우정의 필요성을 효과적으로 드러내고 있다.

■ **주제** 진정한 친구의 의미와 필요성

■ **특징** • 글쓴이의 경험을 제시하고 이를 통해 깨달은 바를 제시함
  • 비유나 도치 등 다양한 표현 방법을 사용하여 글쓴이가 말하고자 하는 바를 효과적으로 드러냄

■ **구성**

| 수록 | 신학기에 친한 친구들과 헤어지고 외로움과 소외감을 느꼈던 기억 |

| 수록 | 두렵고 힘든 세상에서 영혼을 함께 나눌 친구를 만나는 것의 필요성과 그러한 친구 사이를 보았던 경험 |

참다운 벗이 될 수 있도록 노력하는 자세의 필요성

감상 체크

1 학창 시절   **2** 망망대해   **3** 영혼

1 이 글에서 ㉠의 '맛봐야'는 '몸소 겪어 봐야'의 의미로 쓰였는데, ①에서는 '음식의 맛을 알기 위하여 먹어 봐야'의 의미로 쓰였다.

오답 풀이 ❷ ㉡과 ②에서 '황폐한'은 '정신이나 생활 따위가 거칠어지고 메말라 가는'의 의미로 쓰였다.

❸ ㉢과 ③에서 '동반자'는 '어떤 행동을 할 때 짝이 되어 함께하는 사람'의 의미로 쓰였다.

❹ ㉣과 ④에서 '냉혹한'은 '몹시 차갑고 모진'의 의미로 쓰였다.

❺ ㉤과 ⑤에서 '대항하기'는 '굽히거나 지지 않으려고 맞서서 버티거나 항거하기'의 의미로 쓰였다.

2 '망망대해'는 한없이 크고 넓은 바다를 의미한다. ⓐ의 앞에서 인생을 '망망대해'를 항해하는 것이라고 표현한 것으로 볼 때, '홀로 헤치는 파도'는 '인생을 살아가면서 헤쳐 나가야 할 고난'을 의미한다고 볼 수 있다. 또한 '친구 없이 사는 일만큼 무서운 사막은 없다'고 표현하고 있으므로, 이때의 '무서운 사막'은 '삭막하고 고독한 삶'을 의미한다고 볼 수 있다.

오답 풀이 ❶ ⓑ의 '무서운 사막'은 친구도 없이 삭막하게 사는 인생을 의미하므로 이를 냉혹한 현실이라고 볼 수도 있다. 하지만 ⓐ의 '홀로 헤치는 파도'는 세상살이에서 마주치는 고난과 어려움을 뜻하는 것이지, 학창 시절에 친구와 헤어져 느낀 소외감을 뜻하는 것은 아니다.

❸ ⓐ의 앞에서 '삶은 끝없는 인내를 요구'한다고 하였는데 이것은 그만큼 고난이 계속된다는 것을 말하고자 하는 것일 뿐이며, '무서운 사막'이 삶의 역경을 이겨 낼 용기를 의미하는 것도 아니다.

❹, ❺ ⓐ의 '홀로 헤치는 파도'가 '높고 거칠기만 한 것'이라고 한 것은 세상살이가 거칠고 힘들다는 것을 의미하는 것일 뿐, 험난한 삶을 같이 헤쳐 나갈 동지애나 힘들고 어두운 세상에서 필요한 존재를 의미하지는 않는다.

3 [B]에서는 학창 시절 이후 글쓴이가 경험한 내용을 담고 있어야 한다. (라)의 '살아가면서 그런 우정을 가꾸는 이들을 ~ 친구 옆에서 땅을 일구는 사람을 만난 적이 있다.'를 통해 글쓴이가 사업에 실패해서 낙향한 친구와 함께 돈독한 우정을 직접 나눈 것이 아니라, 그런 경험이 있는 사람을 만난 적이 있다고 서술하고 있음을 알 수 있다.

오답 풀이 ❶ (가)에서 글쓴이는 자신의 학창 시절을 회상하며 신학기 때 간절히 원했던 친구들과 반이 달라져 낯섦과 외로움을 경험했음을 밝히고 있다.

❷ (나)에서 글쓴이는 어른이 된 이후에 경험한 세상살이를 '망망대해를 헤매는 것'에 빗대어 표현하고 있다. 그리고 그 세상살이가 학창 시절의 신학기에 느낀 외로움과는 비교할 수 없을 만큼 더 힘든 일임을 고백하고 있다.

❹ (다)에서 글쓴이는 세상살이가 힘든 때에 영혼을 함께 나눌 친구가 있다면, 적어도 실패한 삶은 아니라고 단정할 수 있을 것이라고 하였다. 그리고 (라)에서 그런 우정을 가꾸는 주변 사람들의 이야기를 전하고 있다.

❺ (마)에서 글쓴이는 (나)~(라)에서의 경험을 바탕으로 삭막한 삶을 살아가기 위해서는 진정한 우정을 나눌 수 있는 친구가 필요하다는 깨달음을 전하고 있다.

수능독해 특강 체크 주제별로 알아보는 관용 표현

| 얼굴과 관련된 관용 표현 | | | | 본문 92~93쪽 |

01 눈, ㉠   **02** 귓가, ㉡   **03** 입, ㉤   **04** 코, ㉢
05 머리, ㉣   **06** 눈   **07** 귀   **08** 입   **09** 코, 꿰이다
10 입, 모으다   **11** 귀, 따갑다   **12** 머리, 굴리다   **13** 눈, 뒤집히다   **14** 콧방귀를 뀌면서

14 문자 메시지에는 예지와 정국이가 축구 경기의 결과에 대해 대화를 나누는 상황이 제시되어 있다. 대화의 맥락을 살펴보면 정국이는 상대편 축구팀을 쉽게 이길 것으로 예상하고 열심히 하라고 응원한 예지의 말을 무시했음을 알 수 있다. 따라서 빈칸에 '남의 말을 가소롭게 여겨 들은 체 만 체 말대꾸를 하지 않다.'의 의미인 '콧방귀를 뀌다'라는 관용 표현이 들어가는 것이 적절하다.

독서

01 인문 주제어 _심리학

1단계 문맥으로 어휘 확인하기 | 본문 94쪽 |

(1) 타자 　(2) 자아 　(3) 수양 　(4) 욕구 　(5) 지향, 지양
(6) 중용 　(7) 억제 　(8) 본성 　(9) 확충

2단계 문제로 어휘 익히기 | 본문 95쪽 |

1 (1) ㉡ (2) ㉠ (3) ㉢ 　　2 (1) 타자 (2) 욕구 (3) 억제
(4) 자아 　3 (1) 확충 (2) 지양 　　4 ①

4 스피노자는 자신에게 기쁨을 주는 것을 선으로, 자신에게 슬픔을 주는 것을 악이라고 보고 선을 추구하라고 하였다. 따라서 빈칸에 '어떤 목표로 뜻이 쏠리어 향함. 또는 그 방향이나 그쪽으로 쏠리는 의지'를 의미하는 '지향'이 들어가는 것이 적절하다.

오답 풀이 ❷ '지양'은 '더 높은 단계로 오르기 위하여 어떠한 것을 하지 아니함'을 의미한다.

❸ '억제'는 '감정이나 욕망, 충동적 행동 따위를 내리눌러서 그치게 함'을 의미한다.

❹ '단련'은 '수양'과 유사한 말로, '시련이나 체험, 실천 등으로 몸과 마음을 닦고 길러 굳세게 함'을 의미한다.

❺ '수양'은 '몸과 마음을 갈고닦아 품성이나 지식, 도덕 따위를 높은 경지로 끌어올림'을 의미한다.

02 인문 주제어 _철학

1단계 문맥으로 어휘 확인하기 | 본문 96쪽 |

(1) 당위 　(2) 경향 　(3) 정의 　(4) 직관 　(5) 명제
(6) 본질, 규명 　(7) 사실 판단, 가치 판단

2단계 문제로 어휘 익히기 | 본문 97쪽 |

1 (1) × (2) ○ (3) ○ 　　2 (1) 규명 (2) 직관 (3) 당위
3 (1) ㉢ (2) ㉡ (3) ㉠ 　　4 ③

4 '사실 판단'은 판단의 내용에 대해 과학적·역사적 탐구 등의 방법으로 경험적 검증이 가능하므로 객관적으로 참과 거짓을 구별할 수 있다. 반면 '가치 판단'은 판단하는 사람의 주관이 개입되어 객관적으로 참과 거짓을 구별하기 어렵다.

3단계 독해로 어휘 다지기 | 본문 98~99쪽 |

1 ④ 　　2 ⑤ 　　3 ③

[사실과 가치의 구분]

■**해제** 이 글은 사실과 가치가 분명히 구분되는가에 대한 여러 가지 입장을 밝힌 글이다. 사실과 가치 어느 쪽에 강조점을 두느냐에 따라 입장이 나뉘어지는데, 사실에 강조점을 두는 자연주의 철학자들은 가치를 사실로 환원시키고자 하였다. 이에 반해 직관론자들은 가치는 경험적 사실에 의해 정의될 수 없다는 견해를 펼치면서, 가치를 사실로 환원시키려는 자연주의를 향해 '자연주의적 오류'를 범하고 있다고 비판했다. 한편 가치를 중시하는 철학자들은 많은 경우 사실은 가치의 개입을 전제한다고 주장하는데, 글쓴이는 이런 주장이 설득력이 있다고 보고 있다.

■**주제** 사실과 가치의 구분을 둘러싼 여러 철학자들의 입장

■**특징** ・사실과 가치에 대한 일반적인 견해를 소개한 후 사실과 가치가 명확히 구분되지 않는다는 입장들을 설명함
・사실과 가치의 구분에 대한 여러 가지 입장을 구체적인 예를 들어 설명함

■**구성**

1문단	사실과 가치의 일반적인 특징 및 그 구분에 대한 입장 소개
2문단	사실에 강조점을 두는 '자연주의'의 입장
3문단	'자연주의'를 비판하는 직관론자들의 입장
4문단	사실은 가치의 개입을 전제한다고 보는 가치를 중시하는 입장
5문단	가치를 중시하는 입장이 설득력이 있는 이유

독해 체크

1 사실 　　2 **1** 구분 　**2** 자연주의 　**3** 직관론자 　**4** 전제
5 가치 　　3 철학자

1 '당위(當爲)'의 사전적 의미는 '마땅히 그렇게 하거나 되어야 하는 것'이다. ④에 제시된 '사람이 의지를 가지고 하는 짓'은 '행위(行爲)'의 사전적 의미이다.

오답 풀이 ❶ '명제(命題)'는 '어떤 문제에 대한 하나의 논리적 판단 내용과 주장을 언어 또는 기호로 표시한 것'을 의미한다.

❷ '본질(本質)'은 '본디부터 가지고 있는 사물 자체의 성질이나 모습, 사물이나 현상을 성립시키는 근본적인 성질'을 의미한다.

❸ '정의(定義)'는 '어떤 말이나 사물의 뜻을 분명하게 정하여 밝히는 것'을 의미한다.

❺ '직관(直觀)'은 '감각, 경험, 연상, 판단, 추리 따위의 사유 작용을 거치지 아니하고 대상을 직접적으로 파악하는 작용'을 의미한다.

2 4문단을 통해 가치를 중요시하는 입장에서는 사실이 가치의 개입을 전제로 한다고 주장하고 있음을 알 수 있다. 그리고 5문단을 통해 가치를 중요시하는 사람들의 주장에 의하면 실제 인간의 지적인 활동에서 사실 판단과 가치 판단이 명확히 구분되는 것이 아니라, 서로 결합되어 있다고 보고 있음을 알 수 있다.

오답 풀이 ❶ 2문단에서 사실에 강조점을 두는 입장에서는 '가치'를 '사실'로써 설명하려고 한다고 하였다.
❷ 1문단에서 일반적으로 가치는 반드시 주관적인 평가가 들어가는 반면에, 사실은 주관적인 평가가 들어가지 않는다고 하였다.
❸ 4문단에서 '가치를 중요시하는 입장'에서는 사실이 항상 엄격한 객관성을 가지고 있다는 주장에 의문을 제기한다고 하였다.
❹ 3문단에서 '자연주의'는 주로 근대에 들어 인간적인 경험에 근거해서 가치를 설명해 보려고 시도했다고 하였다.

3 1문단에서 많은 철학자들이 사실과 가치가 분명히 구분되지 않는다고 주장함을 밝히고, 서로 다른 견해를 취하는 입장을 소개하고 있다. 그리고 5문단에서 실제로 사실과 가치의 영역은 서로 맞붙어 있는 경우가 허다하다고 했다. 따라서 이 글에서 다루고자 하는 핵심 논제는 '사실과 가치는 분명하게 구분되는가?'라고 보는 것이 적절하다.

오답 풀이 ❶ 이 글은 사실과 가치가 구분되는 입장과 구분되지 않는다는 입장을 소개하고 있으므로, 사실과 가치의 정의는 핵심 내용이 아니다.
❷ 1문단에서 '사실과 가치 어느 쪽에 강조점을 두느냐에 따라 서로 다른 입장으로 나누어진다.'라고 하였고, 공통점은 제시하지 않았다.
❹ 자연주의의 입장에서는 가치 판단에 속하는 명제들을 객관적이고 과학적인 탐구를 정당화해 보려 한다고 하였을 뿐, 이 글 전체를 아우르는 핵심 논제로 과학적 검증의 내용은 적절하지 않다.
❺ 5문단에서 '사실 판단과 가치 판단은 적어도 논리적으로 확연히 구분될 수 있는 별개의 영역'이라고 명확하게 설명하였으므로, 이 글에서 논한 내용으로 볼 수 없다.

---

12 일차 **01 인문 주제어** _윤리

1단계 문맥으로 어휘 확인하기 | 본문 100쪽 |

(1) 선의　(2) 분별　(3) 구호　(4) 자애　(5) 독단
(6) 편견　(7) 이타적　(8) 존엄성　(9) 사유

2단계 문제로 어휘 익히기 | 본문 101쪽 |

1 (1) ⓒ　(2) ⓛ　(3) ⑦　　**2** (1) 자애　(2) 분별　(3) 편견
3 (1) 선의　(2) 이타적　(3) 존엄성　　**4** ③

4 제시된 글을 보면, 사회적 약자를 대상으로 차별이 일어나는 이유는 '한쪽으로 치우친 공정하지 못한 생각이나 견해'를 뜻하는 '편견'이 우리의 삶에 깊이 스며들어 있기 때문임을 알 수 있다.

오답 풀이 ❶ '아랫사람에게 베푸는 따사롭고 돈독한 사랑'인 '자애'에 의한다면 차별이 있을 수 없으므로 적절하지 않다.
❷ '남에게 도움을 주고자 하거나 좋은 목적을 가진 착한 마음'인 '선의'는 제시된 글에 나타나는 부정적인 시선과는 맞지 않다.
❹ '남과 상의하지 않고 혼자서 판단하거나 결정함'을 뜻하는 '독단'은 문맥적 의미로 보았을 때 빈칸에 넣기는 적절하지 않다.
❺ '세상의 물정이나 돌아가는 형편을 사리에 맞도록 헤아려 판단함'을 뜻하는 '분별'에 의해 차별을 할 수 없으므로 적절하지 않다.

---

12 일차 **02 인문 주제어** _심리학

1단계 문맥으로 어휘 확인하기 | 본문 102쪽 |

(1) 무례　(2) 고착화　(3) 관습적　(4) 통상적　(5) 딜레마
(6) 배제　(7) 폄하　(8) 보편적　(9) 통념　(10) 경시

2단계 문제로 어휘 익히기 | 본문 103쪽 |

1 (1) ⑦　(2) ⓒ　(3) ⓛ　　**2** (1) 무례　(2) 폄하　　**3** (1) 보편적
(2) 경시　(3) 배제　　**4** ③

4 이 글에서는 우리가 가족에 대해 가졌던 일반적인 생각이 최근 들어 깨지고 있다고 말하고 있다. 따라서 '일반 사회에 널리 퍼져 있는 생각'을 뜻하는 '통념'이 우리가 그동안 가졌던 가족에 대한 생각을 말하기에 가장 적절하다.

오답 풀이 ❶ '모든 것에 두루 미치거나 통함'의 뜻인 '보편'이 의미상 틀린 것은 아니지만 '보편'이 수식하는 대상이 없으므로 문맥에 맞지 않다.
❷ '대수롭지 않게 보거나 업신여김'의 뜻을 가진 '경시'를 빈칸에 넣어 보면 가족의 개념에 대하여 경시했다는 말이 되므로 문맥에 맞지 않다.
❹ '받아들이지 아니하고 물리쳐 제외함'의 뜻인 '배제'를 빈칸에 넣어 보면 가족의 개념을 배제해 왔다는 말이 되므로 적절하지 않다.
❺ '남의 주장에 자기의 의견을 일치시키거나 보조를 맞춤'의 뜻을 가진 '동조'를 빈칸에 넣으면 문맥과 전혀 맞지 않다.

3단계 독해로 어휘 다지기 | 본문 104~105쪽 |

1 ④　　**2** ③　　**3** ①

[의무론적 관점과 목적론적 관점에서의 도덕적 판단]
■해제 이 글은 도덕적 딜레마 상황에서 행위를 판단하기 위한 기준을 의무론적 관점과 목적론적 관점에서 설명하고 있다. 의무론적 관점은 언제나 타당하고 보편적인 도덕 법칙을 따라야 한다는 입장이고, 목적론적 관점은 최선의 결과를 가져오는 행위가 옳은 행위라는 입장이다. 이 글은 이 두 관점의 개념을 제시하고 각각의 사례를 들어 한계를 설명하고 있다.

■ **주제** 도덕적 판단의 기준이 되는 의무론적 관점과 목적론적 관점의 특징과 한계
■ **특징** • 예시를 통해 두 개념에 대한 이해를 도움
　　　• 구체적인 상황을 설정하여 독자의 주의를 집중시킴
■ **구성**

1문단	도덕적 딜레마 상황에서 옳고 그름을 판단하는 기준의 필요성

↓

2문단	도덕 법칙을 따라야 한다는 의무론적 관점의 개념과 특징

↓

3문단	의무론적 관점의 한계

↓

4문단	최선의 결과를 가져오는 것을 옳은 행위로 보는 목적론적 관점의 개념과 특징

↓

5문단	목적론적 관점의 한계

독해 체크

1 도덕적　2 ⓵ 도덕적 딜레마　⓶ 도덕 법칙　⓷ 의무론적
⓸ 결과　⓹ 목적론적　3 한계

1 '충돌할(ⓓ)'은 '서로 맞부딪치거나 맞섬'을 뜻하므로, '맞부딪칠'이나 '맞설' 정도와 바꾸어 쓰기에 적절하다. '어울릴'은 '여럿이 모여 한 덩어리나 한판이 될'을 뜻하므로 '충돌할'과 상반되는 의미이다.

[오답 풀이] ❶ '무관하게'는 '관계나 상관이 없게'를 의미하므로, '관계없이'나 '상관없이'와 바꾸어 쓸 수 있다.
❷ '보편적인'은 '모든 것에 두루 미치거나 통하는 것인'을 의미하므로, 이와 비슷한 말인 '일반적인'과 바꾸어 쓸 수 있다.
❸ '초래하더라도'는 '일의 결과로서 어떤 현상을 생겨나게 하더라도'를 의미하므로, '가져오더라도'나 '불러오더라도'와 바꾸어 쓸 수 있다.
❺ '허용할'은 '허락하여 너그럽게 받아들일'을 의미하므로, '인정할'과 바꾸어 쓸 수 있다.

2 이 글은 도덕적 딜레마의 상황에 처했을 때 행위의 옳고 그름을 판단할 수 있는 기준이 필요하다고 하면서 의무론적 관점과 목적론적 관점을 제시하고 있다. 그리고 2문단에서는 의무론적 관점, 4문단에서는 목적론적 관점의 개념을 설명하고, 3문단과 5문단에서는 각각의 관점에 해당하는 사례를 들어 한계를 지적하고 있다.

[오답 풀이] ❶ 이 글에서 도덕적 판단 기준에 대한 통념, 즉 일반적으로 널리 퍼져 있는 생각을 열거하여 비판한 부분은 찾을 수 없다.
❷ 의무론적 관점과 목적론적 관점의 특징과 한계를 비교하고 있다고 볼 수 있으나, 대상의 장점을 내세우는 것은 아니다. 두 관점을 객관적인 입장에서 설명하고 있다.
❹ 의무론적 관점과 목적론적 관점이라는 서로 다른 관점을 설명하고 있는데, 이 두 관점을 절충하여 하나로 합치는 부분은 찾을 수 없다.
❺ 3문단과 5문단에서 각각 의무론적 관점의 한계와 목적론적 관점의 한계를 설명하고 있지만, 그 한계를 해결할 방법을 제시하고 있지는 않다.

3 의무론적 관점(㉠)에 대해 설명하고 있는 2문단에서 '도덕 법칙은 언제나 타당하고 보편적인 것이기에 '왜'라는 질문은 성립하지 않는다.'고 하였다. 따라서 ①은 의무론적인 관점을 가진 사람이 할 질문으로 적절하지 않다.

[오답 풀이] ❷ 2문단에서 의무론적 관점에서 말하는 '도덕 법칙은 언제나 타당하고 보편적인 것'이라고 하였으므로, 이 관점에서는 누구나 옳다고 생각하는 기준에 따라 행동하라고 말할 수 있다.
❸ 2문단에서 의무론적 관점은 '결과와 무관하게 행위 자체의 옳고 그름에 주목'한다고 하였으므로, 미래에 일어날 결과인 '지각'보다 도덕을 지키려는 행위 자체가 더 중요하다는 말은 적절하다.
❹ 4문단에서 목적론적 관점은 '오로지 최선의 결과를 가져오는 행위가 옳은 행위'라고 하였으므로, 이 관점에서는 미래에 일어날 결과를 고려하라고 말할 수 있다.
❺ 5문단에서 목적론적 관점에서 도덕은 '보다 많은 사람들에게 보다 많은 행복을 가져오는 행위'라고 하였으므로, 다른 사람의 기쁨도 생각하라는 말은 적절하다.

수능독해 특강 체크　주제별로 알아보는 한자 성어

친구와 관련된 한자 성어		본문 108~109쪽
01 붕우책선	**02** 관포지교	**03** 경개여구	**04** 빈천지교
05 막역지우	**06** 수어지교	**07** ⓛ	**08** ㉣	**09** ㉤
10 ㉢	**11** ㉠	**12** 죽마고우

01~06

대	기	만	성	형	설	지	공	태
배	수	지	진	빈	왕	호	풍	평
청	출	어	람	천	고	마	비	성
반	탐	함	지	지	래	막	박	대
면	관	포	지	교	미	역	산	수
교	오	고	부	파	죽	지	세	리
사	리	복	진	유	붕	우	책	선
경	개	여	구	가	화	만	사	성
전	광	석	화	사	후	약	방	문

12 문자 메시지 대화에서 예지가 정국을 걱정하고 있고, 정국은 그런 예지에게 자신이 기운 없는 이유를 터놓으며 어릴 때부터 같이 놀며 보낸 시간의 중요성에 대해 말하고 있다. 이러한 상황 맥락을 고려했을 때, 빈칸에 '어릴 때부터 같이 놀며 자란 벗'을 의미하는 '죽마고우(竹馬故友)'라는 한자 성어가 들어가는 것이 적절하다.

13 일차 **01 인문 주제어** _사상

1단계 문맥으로 어휘 확인하기 | 본문 110쪽 |

(1) 계승　(2) 범람　(3) 진보　(4) 쇄신　(5) 경계
(6) 세습, 탈피　(7) 정체성　(8) 공시적, 통시적

2단계 문제로 어휘 익히기 | 본문 111쪽 |

1 (1) ⓒ　(2) ⓒ　(3) ⓖ　　**2** (1) 탈피　(2) 쇄신　(3) 경계
(4) 진보　**3** (1) 범람　(2) 통시적　**4** ⑤

4 이 글은 전통문화의 개념과 그것이 갖는 의의를 설명하고, 전통문화를 물려받아 창조적으로 발전시키는 일이 중요함을 강조하고 있다. 따라서 빈칸에는 '조상의 전통이나 문화유산, 업적 따위를 물려받아 이어 나감'을 뜻하는 '계승'이 들어가는 것이 적절하다.

오답 풀이 ❶ '답습'은 예로부터 해 오던 방식이나 수법을 비판적으로 검토하지 않고, 있는 그대로 받아들이거나 따르는 것을 의미한다.
❷ '쇄신'은 잘못된 것이나 오래된 것을 버리고 새롭게 함을 의미한다.
❸ '인습'은 예전의 풍습, 습관, 예절 따위를 그대로 따르는 것을 의미한다. 하지만 전통문화는 옛것을 그대로 따르는 것이 아니라, 가치 있는 것을 물려받아 이어 나가는 것이기 때문에 '인습'은 적절하지 않다.
❹ '세습'은 한집안의 재산이나 신분, 직업 따위를 대대로 물려주고 물려받음을 의미한다.

13 일차 **02 인문 주제어** _역사

1단계 문맥으로 어휘 확인하기 | 본문 112쪽 |

(1) 집대성　(2) 도래　(3) 사료　(4) 유산　(5) 유물, 발굴
(6) 성쇠　(7) 등재　(8) 문명, 발상지

2단계 문제로 어휘 익히기 | 본문 113쪽 |

1 (1) ○　(2) ○　(3) ✕　　**2** (1) 발굴　(2) 도래　(3) 문명
(4) 등재　**3** (1) 성쇠　(2) 유물　(3) 사료　　**4** ④

4 ㉠~㉢에 공통적으로 들어갈 단어는 앞 세대가 물려준 문화이자 가치 있는 물질적, 정신적 전통을 의미하는 '유산'이 가장 적절하다.

오답 풀이 ❶ '상속'은 뒤를 이음을 의미한다.
❷ '문명'은 인류가 이룩한 물질적, 기술적, 사회 구조적인 발전을 의미한다.

---

❸ '세습'은 한집안의 재산이나 신분, 직업 따위를 대대로 물려주고 물려받음을 의미한다.
❺ '정체성'은 어떤 존재가 본질적으로 가지고 있는 특성을 의미한다.

3단계 독해로 어휘 다지기 | 본문 114~115쪽 |

1 ④　　2 ⑤　　3 ③

[신화적 사고, 왜 필요할까?]
■ **해제** 이 글은 신화를 가지고 있는 사회와 국가가 형성된 이후의 사회에서 인간과 동물, 신과 같은 존재들 간의 관계가 어떻게 변화되었는지를 설명하고 있다. 글쓴이는 대칭성 사회에서 유대 관계를 유지했던 인간과 동물의 관계가 국가의 형성을 기점으로 붕괴되었음을 지적하고 있다. 즉 인간이 이룩한 '문명'이 다른 존재의 세계보다 우월하다고 인식한 결과, 차별이 정당화되고 권력이나 부의 불균형이 초래되었다고 보았다. 글쓴이는 이런 비대칭성 사회에 대해 비판적인 입장을 보이며, 조화로운 삶과 사회를 만들어 나가기 위해 신화적 사고가 필요함을 역설하고 있다.
■ **주제** 대칭성 사회와 비대칭성 사회의 특징 및 신화적 사고로의 인식 전환이 필요한 이유
■ **특징** • 세계를 구성하는 존재들의 관계를 대칭성과 비대칭성의 개념으로 설명함
　　• 문명과 국가 체제에 대한 부정적 속성을 드러냄
■ **구성**

- 1문단 : 인간과 동물이 대칭적인 관계에 있었던 신화를 지닌 사회
- 2문단 : 신화를 가지고 있는 대칭성 사회에서 유대 관계를 유지했던 인간과 동물
- 3문단 : 국가의 형성으로 대칭성이 깨지며 등장한 비대칭성 사회
- 4문단 : 조화로운 삶과 사회를 만들기 위해 필요한 신화적 사고

독해 체크

1 신화　2 ■ 대칭적 ② 동물 ③ 국가 ④ 신화적 사고
3 비대칭성 사회

1 ㉣의 '섭리'는 '자연계를 지배하고 있는 원리와 법칙'을 의미하는 것으로, '원리'나 '법칙', 또는 '도리에 맞는 취지'를 뜻하는 '이치'와 바꿔 쓸 수 있다.

오답 풀이 ❶ ㉠의 '경계하기'는 '뜻밖의 사고가 생기지 않도록 조심하여 단속하기'의 의미로, '어떤 일이나 행동을 못하게 하기'의 의미인 '막기'와 바꾸어 쓸 수 있다.
❷ ㉡의 '상실한'은 '어떤 것을 잃거나 사라지게 하는'의 의미로, '잃은'과 바꾸어 쓸 수 있다.
❸ ㉢의 '탈피하는'은 '일정한 처지에서 완전히 벗어나는'의 의미로, '벗어나는'으로 바꾸어 쓸 수 있다.
❺ ㉤의 '역설하는'은 '자기의 뜻을 힘주어 말하는'의 의미로, '힘주어 말하는' 정도로 바꾸어 쓸 수 있다.

2 2문단을 살펴보면 대칭성 사회에서 인간은 자연의 힘의 비밀을 쥐고 있는 동물이 진정한 권력을 쥐고 있는 것으로 생각했기 때문에 자신들의 생존을 위해 동물과 더불어 살고자 했음을 알 수 있다. 그래서 인간은 신화나 제의를 통해 동물과의 유대 관계를 유지하며 동물과의 대칭적인 관계가 깨어지는 것을 경계하였다. 따라서 대칭성 사회에서 인간이 동물의 권력을 가지려고 하였다는 ⑤의 내용은 적절하지 않다.

오답 풀이 ❶ 1문단에서 신화를 지닌 사회에서는 세계를 구성하는 존재들인 신과 인간, 동물들은 대칭적 관계를 구축하고 있었다고 하였다.
❷ 3문단에서 비대칭성 사회에서 인간은 비대칭과 차별이 인류의 문명을 가져왔다고 여기면서, 신화로부터 탈피하는 것을 진보라고 여겼다고 하였다.
❸ 2문단에서 대칭성 사회에서 인간은 문화를 통해 욕망을 억누르고 절제된 행동을 할 수 있었다고 하였다.
❹ 3문단에서 비대칭성 사회에서 인간은 문명과 야만을 차별적으로 인식하고, 문명을 지닌 인간이 야만 상태에 있는 동물을 지배하는 것을 자연의 섭리인 것처럼 생각하게 되었다고 하였다. 따라서 비대칭성 사회에서 인간은 문명을 야만의 우위에 있는 것으로 인식하였음을 알 수 있다.

3 〈보기〉에는 동물이었던 곰과 신적 존재인 환웅의 결혼이 나타난다. 즉 신화 속에서 신과 동물도 인간처럼 행동할 수 있음을 그려서, 세계를 구성하는 신이나 인간, 동물 사이에 대칭적 관계가 성립함을 보여 주는 것이다. 따라서 ③의 내용이 적절하다.

오답 풀이 ❶ 〈보기〉에는 곰과 호랑이의 대립이 나타나 있지 않다.
❷ 신화를 가지고 있는 대칭성 사회에서 진정한 권력을 쥐고 있는 것은 오히려 동물이라고 생각하였다.
❹ 대칭성 사회에서는 권력이 존재하지 않으므로, 신과 인간, 동물이 모두 대칭적 관계에 있다고 하였다.
❺ 대칭성 사회에서는 모든 존재가 대칭적 관계에 있으므로, 신과 동물은 인간처럼 행동하고 인간의 말을 사용했으며 서로 결혼할 수도 있었다고 하였다.

1단계 문맥으로 어휘 확인하기 |본문 116쪽|

(1) 집단   (2) 사회화   (3) 갈망   (4) 금기   (5) 획일화
(6) 지위, 역할   (7) 문화, 전파   (8) 변용

2단계 문제로 어휘 익히기 |본문 117쪽|

1 (1) ○   (2) ×   (3) ○   2 (1) 사회화   (2) 문화   (3) 금기
3 (1) 역할   (2) 집단   (3) 갈망   4 ④

4 이 글은 구구단이 기록된 백제 시대의 유물인 목간에 대해 설명하고, 그것이 갖는 의의를 제시하고 있다. 이에 따르면 목간은

구구단이 중국에서 일본으로 전해진 것이 아니라, 백제에서 일본으로 전해진 것이라는 가능성을 입증하는 자료라고 할 수 있다. 따라서 빈칸에 공통적으로 들어갈 단어는 '전하여 널리 퍼뜨림'을 의미하는 '전파'가 가장 적절하다.

오답 풀이 ❶, ❷ '변모'는 '모양이나 모습이 달라지거나 바뀜'을 의미하고, '변용'은 '사물의 모습이나 형태가 바뀜'을 의미하므로 두 단어 모두 그 모습이 바뀌었음을 말하는데, 구구단의 모습이나 형태가 달라져서 전해진 것은 아니다.
❸ '금기'는 '마음에 꺼려서 하지 않거나 피함'을 의미하는데, 제시된 글에서는 문화 전파에 대해 다루고 있으므로 문맥상 들어갈 단어로 적절하지 않다.
❺ '이동'은 '움직여 옮김. 또는 움직여 자리를 바꿈'을 의미하는데, 이는 아예 위치나 장소를 바꾸는 의미라고 볼 수 있다. 따라서 한 나라의 문화 요소가 다른 나라로 전해져 그 나라의 문화로 받아들여지는 문화 전파와는 의미상 차이가 있다.

1단계 문맥으로 어휘 확인하기 |본문 118쪽|

(1) 수혜   (2) 토대   (3) 신용   (4) 조달   (5) 결성
(6) 자발적   (7) 수급   (8) 재원   (9) 공공 부조
(10) 상호 부조

2단계 문제로 어휘 익히기 |본문 119쪽|

1 (1) ㉠   (2) ㉢   (3) ㉡   2 (1) 수급   (2) 결성   (3) 신용
3 (1) 수혜   (2) 자발적   (3) 재원   4 ③

4 제시된 문장은 그가 현장에서 쌓은 경험이 사업의 밑바탕이 되는 기초와 밑천이 되었다는 말로 이해할 수 있다. '재원'은 '재화나 자금이 나올 원천'을 뜻하므로 빈칸에 들어갈 단어로는 적절하지 않다.

오답 풀이 ❶, ❷, ❹, ❺ '기반', '기초', '밑바탕'은 '토대'와 의미가 유사한 어휘로, '토대'는 '어떤 사물이나 사업의 밑바탕이 되는 기초와 밑천을 비유적으로 이르는 말'이다. 경험이 그의 기반, 기초, 토대, 밑바탕이 되었다는 것은 문맥상 적절하다.

3단계 독해로 어휘 다지기 |본문 120∼121쪽|

1 ④   2 ③   3 ③

[우리나라의 사회 복지 제도]
■해제 이 글은 기능과 역할을 달리하여 다양한 방식으로 운영되고 있는 사회 복지 제도에 대해 설명하고 있다. 사회 복지 제도를 급여 전달 형식에 따라 공공 부조, 사회 보험, 사회 수당, 사회

서비스로 구분한 후에 각 사회 복지 제도의 개념과 운영 방식에
대해 구체적으로 설명하고 있다.

- ■**주제** 사회 복지 제도의 종류별 개념 및 운영 방식
- ■**특징** • 사회 복지 제도의 종류별 개념을 일정한 기준에 따라 구
  분하여 설명함
  • 비교와 대조 및 예시의 방법 등을 통해 사회 복지 제도의
  운영 방식을 이해하기 쉽게 전달함
- ■**구성**

1문단	급여 전달 형식에 따른 사회 복지 제도의 종류
2문단	공공 부조와 사회 보험의 개념 및 운영 방식
3문단	사회 수당의 개념 및 운영 방식
4문단	사회 서비스의 개념 및 운영 방식

독해 체크

1 공공 부조　　2 **1** 급여　**2** 사회 보험　**3** 사회 수당
4 사회 서비스　3 사회 복지

1 '수급'의 사전적 의미는 '급여나 연금, 배급 등을 받음'이다. ④의
'돈이나 물품 따위를 줌'은 '급여'의 사전적 의미이므로 적절하
지 않다.

오답 풀이 ❶ '역할'은 '자기가 마땅히 하여야 할 맡은 바 직책이나 임무'
를 의미하므로 적절하다.
❷ '재원'은 '재화나 자금이 나올 원천'을 의미하므로 적절하다.
❸ '수혜'는 '혜택을 받음'을 의미하므로 적절하다.
❺ '지위'는 '개인의 사회적 신분에 따르는 위치나 자리'를 의미하므로
적절하다.

2 2문단을 살펴보면 공공 부조와 사회 보험의 운영 방식상의 차
이점을 설명하고 있다. 사회 보험은 미래의 불확실성과 불안정
성에 대비하여 수급자가 납부한 보험금을 토대로 이루어진다.
반면 공공 부조는 국가가 국민의 기초 생활을 보장하기 위해 운
영하는 제도이므로 일반 조세를 통해 재원을 마련한다.

오답 풀이 ❶ 1문단에서 사회 복지 제도는 일반적으로 급여 전달 형식에
따라 공공 부조, 사회 보험, 사회 수당, 사회 서비스로 구분된다고 하였다.
❷ 2문단에서 공공 부조는 국가가 최저 생계가 불가능한 사람들의 기초
생활을 보장하기 위해 운영한다고 하였다. 또한 3문단에서 사회 수당을
받는 사람들은 자기 자신을 수혜의 대상으로 간주하기보다는 권리의 주
체로 인식할 가능성이 높다고 하였다. 이를 통해 사회 수당은 공공 부조
와 달리 수혜적 성격보다 권리적 성격이 강함을 알 수 있다.
❹ 3문단에서 노인 수당은 사회 수당의 대표적인 사례라고 하였으며, 법
률이 정한 대로 일정한 나이를 넘어선 사람들에게 재산이나 지위와 관계
없이 무료로 급여를 지급하는 제도라고 하였다. 따라서 노인 수당이 법
률에 관계없이 수급자의 선호도에 따라 선택할 수 있는 것이 아님을 알
수 있다.
❺ 4문단을 통해 사회 서비스는 돌봄의 가치를 지닌 특정한 서비스를
통해 이루어지며, 그 서비스를 받을 수 있는 증서를 제공하여 공적 혹은

사적 기관의 서비스를 수혜자의 선호에 따라 선택할 수 있게 하는 제
도가 바우처 제도임을 알 수 있다. 따라서 바우처 제도는 수혜자가 복지
서비스를 선택할 수 있는 권리를 강화하는 제도라고 볼 수 있다. 경제적
보호가 필요한 사람들을 대상으로 기본 서비스를 제공하는 제도는 공공
부조에 대한 설명에 해당한다.

3 4문단에서 국가가 직접 사회 서비스를 제공하기도 하지만 그
서비스를 받을 수 있는 증서를 공적 기관이나 민간단체가 운영
하는 사적 기관에 제공하기도 한다고 하였다. 〈보기〉에서 사회
복지 서비스의 대상이었던 수혜자들이 사회적 기업 같은 곳에
서 급여를 받으며 일을 하는 것은 서비스 제공 주체가 일정 부
분 공공 부문에서 민간 부문으로 이양되고 있다고 보는 것이 타
당하다. 따라서 서비스 제공 주체가 민간 부문에서 공공 부문
으로 전환될 것이라는 ③은 적절하지 않다.

오답 풀이 ❶ 〈보기〉를 통해 사회 복지 제도의 대상이었던 수혜자가 역
으로 사회 복지 서비스를 제공하고 자아실현의 기회를 갖게 되었을 때
그들이 삶의 능동적인 주체로 변화할 수 있을 것임을 추측할 수 있다.
❷ 〈보기〉를 통해 사회 복지 제도의 수혜자들이 임금을 받으며 경제 활동
을 하게 되면 보다 안정적인 생활을 할 수 있을 것임을 추측할 수 있다.
❹ 〈보기〉에서 사회 복지 제도의 수혜자들이 사회 복지 서비스 기관이나
사회적 기업에 취업하여 일자리 창출의 역할을 한다고 밝히고 있다.
❺ 〈보기〉에서 사회 복지 제도의 수혜자들이 사회 복지 서비스를 역으로
제공하면서 자아실현의 기회를 갖기도 한다고 밝히고 있다.

수능독해 특강 체크　주제별로 알아보는 속담

우정과 관련된 **속담**		**본문 124~125쪽**
01 ⑩ - ㉠ - ㉣ - ㉢ - ㉡	**02** 천하	**03** 강남
04 동색	**05** 먹	**06** 도토리, ㉠	**07** 가지, ㉢
08 쓸개, ㉣	**09** 옛, 새, ㉡		

01

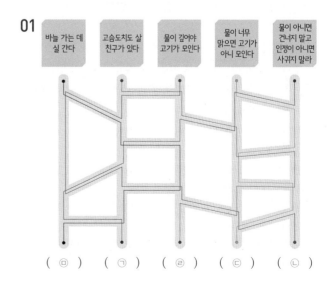

| 바늘 가는 데 실 간다 | 고슴도치도 살 친구가 있다 | 물이 깊어야 고기가 모인다 | 물이 너무 맑으면 고기가 아니 모인다 | 물이 아니면 건너지 말고 인정이 아니면 사귀지 말라 |

(⑩)　(㉠)　(㉣)　(㉢)　(㉡)

(1) 악화 (2) 생산 (3) 재화 (4) 과도 (5) 경영
(6) 이윤 (7) 희소성 (8) 혁신, 모색 (9) 이해관계

2단계 문제로 어휘 익히기 | 본문 127쪽 |

1 (1) ◯ (2) ◯ (3) ✕   2 (1) 경영 (2) 혁신 (3) 모색
3 (1) ㉡ (2) ㉢ (3) ㉠   4 ②

4 ㉠~㉢의 문장은 모두 이익이나 손해와 관련된 내용이므로, 빈칸에 공통적으로 들어갈 단어로는 서로의 이익이나 손해에 영향을 미치는 관계를 의미하는 '이해관계'가 가장 적절하다.

오답 풀이 ❶ '사회관계'는 사람과 사람 사이에 사회적 행동과 교섭이 거듭 됨으로써 생기는 관계로, 주로 사회생활의 정적·구조적 측면을 나타낸다.
❸ '공생 관계'는 서로 이익을 주고받는 관계적 특성을 말한다.
❹ '공동 관계'는 공동적인 이해관계로 맺어진 사회적 관계를 말한다.
❺ '적대 관계'는 서로 적으로 대하는 관계를 말한다.

1단계 문맥으로 어휘 확인하기 | 본문 128쪽 |

(1) 당면 (2) 편협 (3) 순차적 (4) 난제 (5) 합리적
(6) 절충 (7) 화제 (8) 배타적 (9) 편파성 (10) 극단적

2단계 문제로 어휘 익히기 | 본문 129쪽 |

1 (1) ㉠ (2) ㉢ (3) ㉡   2 (1) 합리적 (2) 배타적
(3) 순차적 3 (1) 당면 (2) 절충 (3) 극단적 4 ④

4 '편협한'은 '한쪽에 치우쳐 도량이 좁고 너그럽지 못함'을 의미 한다. '유연한'은 '한쪽으로 치우치지 않고 융통성이 있는'을 의 미하므로, '편협한'과는 반대적의 의미를 지니고 있기 때문에 바꾸어 쓰기에 적절하지 않다.

오답 풀이 ❶ '편향된'은 '한쪽으로 치우치게 된'을 의미하므로 '편협한'과 바꾸어 쓰기에 적절하다.
❷ '치우친'은 '균형을 잃고 한쪽으로 쏠린'을 의미하므로 '편협한'과 바 꾸어 쓰기에 적절하다.
❸ '옹졸한'은 '성품이 너그럽지 못하고 생각이 좁은'을 의미하므로 '편협 한'과 바꾸어 쓰기에 적절하다.
❺ '협소한'은 '사물을 보는 안목이나 아량이 좁은'을 의미하므로 '편협 한'과 바꾸어 쓰기에 적절하다.

1 ⑤   2 ③   3 ⑤

[인터넷 뉴스는 영영 공짜일까?]

■ 해제 이 글은 유료로 판매되는 신문이나 잡지와 달리, 무료로 제공되는 인터넷 뉴스에 대해 의문을 제기하고 그에 대한 답을 경제학적 관점에서 풀이하고 있다. 먼저 인터넷 뉴스 사이트를 무료로 운영할 수 있는 이유를 두 가지로 분석하고, 이어 무료 인 터넷 뉴스 사이트를 이용하는 사람들이 늘어난 결과 발생한 문제 점을 지적하고 있다. 이러한 문제점을 해결하기 위해 인터넷 뉴 스를 유료화하자는 의견이 있지만, 이것을 현실화하기 어렵다는 점을 '최대지불의사' 개념을 통해 설명하고 있다. 마지막으로 이 같은 어려움을 해결한 해외 사례를 제시함으로써 인터넷 뉴스 사 이트의 유료화 가능성을 언급하고 있다.

■ 주제 인터넷 뉴스의 무료 제공에 대한 문제 및 해결 방안

■ 특징 • 인터넷 뉴스의 무료 제공 현상이 발생한 원인을 분석적 으로 설명함
• 인터넷 뉴스 사이트의 유료화 사례를 제시하여 문제의 해결 방안을 시사함

■ 구성

1문단 인터넷 뉴스 사이트가 기사를 무료로 제공하는 현상 제시
↓
2문단 인터넷 뉴스 사이트의 무료 운영이 가능한 이유
↓
3문단 무료 인터넷 뉴스 사이트 이용 증가로 생기는 문제점
↓
4문단 인터넷 뉴스의 유료화가 어려운 이유
↓
5문단 해외 사례를 통해 본 인터넷 뉴스 사이트의 유료화 가능성

독해 체크

1 뉴스   2 ❶ 무료 ❷ 운영 ❸ 증가 ❹ 유료화 ❺ 사례
3 인터넷 뉴스

1 '토로할'은 '마음에 있는 것을 죄다 드러내어서 말할'을 의미한 다. '은폐할'은 이와 반대적 의미로 '덮어 감추거나 가리어 숨길' 을 의미하므로, ㉣과 바꾸어 쓰기에 적절하지 않다.

오답 풀이 ❶ '생산하는'은 '인간이 생활하는 데 필요한 각종 물건을 만들 어 내는'을 의미하므로, '만드는'으로 바꾸어 쓸 수 있다.
❷ '게재되는'은 '글이나 그림 따위가 신문이나 잡지 따위에 실리는'을 의미하므로, '실리는'과 바꾸어 쓸 수 있다.
❸ '악화되었다'는 '일의 형세가 나쁜 쪽으로 바뀌었다.'를 의미하므로, '나빠졌다'와 바꾸어 쓸 수 있다.
❹ '각인된'은 '머릿속에 새겨 넣듯 깊이 기억된'을 의미하므로, '기억된' 과 바꾸어 쓸 수 있다.

2 2문단에서 대체로 상품의 가격은 그 상품을 생산하는 데 드는 비용의 언저리에서 결정된다고 하였다. 생산 비용이 많이 들수 록 상품의 가격이 상승한다고 하였으므로, 상품의 가격 결정은 상품의 생산 비용에 영향을 받는다는 내용은 적절하다.

❶, ❺ 3문단에서 언론사들의 재정적 악화는 깊이 있고 정확한 뉴스를 생산하는 그들의 능력을 저하시키거나 사라지게 할 수도 있으며, 그로 인한 피해는 소비자에게로 되돌아올 것이라고 하였다. 따라서 생산자의 이익이 소비자의 권익에 영향을 줄 수는 있으나 반비례의 관계에 있는 것은 아니다. 또한 생산자의 재정 악화로 인한 경제적 부담이 모두 소비자에게 전가된다고 하지도 않았다.

❷ 4문단에서 소비자들은 상품을 구매할 때 그 상품의 가격이 얼마 정도면 구입할 것이고, 얼마 이상이면 구입하지 않겠다는 마음의 선을 긋는다고 하였다. 따라서 상품의 가격이 상승할수록 소비자의 수요가 증가한다고 보기는 어렵다.

❹ 4문단에서 소비자들의 머릿속에 한 번 각인된 최대지불의사는 좀처럼 변하지 않는 특성이 있다고 하였다.

3 이 글에서 뉴스의 질이 떨어지는 원인이 근본적으로 독자에게 있다거나, 그 해결 방안이 종이 신문 구독이라고 하지는 않았다.

❶ 5문단에서 전문화되고 맞춤화된 뉴스일수록 유료화 잠재력이 높다고 하였다. 이를 통해 가치 있는 정보일수록 그에 맞는 이용료를 지불하는 게 당연하다는 반응을 이끌어 낼 수 있다.

❷ 5문단에서 해외 일부 경제 전문지의 경우 전문화되고 깊이 있는 기사를 제공하여 인터넷 뉴스 사이트를 유료화하는 데 성공했다고 하였다.

❸ 2문단에서 인터넷 뉴스 사이트 방문자 수가 증가하면 사이트에 걸어놓은 광고에 대한 수입도 증가한다고 하였으므로, 인터넷 뉴스가 신문사의 재정을 악화시키는 것만은 아니다.

❹ 3문단에서 언론들의 재정적 악화가 정확한 뉴스를 생산하는 능력을 저하시킬 수도 있다고 했을 뿐, 인터넷 뉴스 사이트 유료화가 정확하고 공정한 기사를 양산하는 결과에 직결된다고 볼 근거는 없다.

16일차 01 사회 주제어_경제

1단계 문맥으로 어휘 확인하기 | 본문 132쪽 |

(1) 경기　(2) 손실　(3) 초래　(4) 부과　(5) 불가피
(6) 재정, 세금　(7) 둔화　(8) 형평성　(9) 공공재

2단계 문제로 어휘 익히기 | 본문 133쪽 |

1 (1) ㉠ (2) ㉢ (3) ㉡　　2 (1) 둔화 (2) 손실 (3) 초래
3 (1) 부과 (2) 형평성 (3) 불가피한　　4 ①

4 정부의 재정에 의해 공급되어 모든 사람이 공동으로 이용할 수 있는 재화 또는 서비스를 '공공재'라고 한다. 즉 제시된 글은 공공재의 뜻과 활용되는 예를 설명하고 있다.

❷, ❸ '민간재'와 '사유재'는 공공재와 대립되는 것으로, 대가를 지불하지 않은 사람들을 쉽게 배제할 수 있으며, 한 사람이 소비하면 다른 사람이 소비할 수 없는 특성이 있다.

❹ '소비재'는 인간이 욕망을 충족시키기 위하여 일상생활에서 직접 소비하는 재화를 말한다.

❺ '자본재'는 다른 재화를 생산하기 위해 사용되는 재화로, 기계, 설비, 고속도로, 정부 설비 등이 이에 속한다.

16일차 02 사회 주제어_법률

1단계 문맥으로 어휘 확인하기 | 본문 134쪽 |

(1) 야기　(2) 적발　(3) 헌법　(4) 분쟁　(5) 인권
(6) 공권력　(7) 공익　(8) 소송　(9) 강제성　(10) 행사

2단계 문제로 어휘 익히기 | 본문 135쪽 |

1 (1) ㉢ (2) ㉡ (3) ㉠　　2 (1) 공익 (2) 강제성 (3) 소송
3 (1) 야기 (2) 행사 (3) 분쟁　　4 ④

4 식약처가 불법 행위를 한 업체들을 찾아낸 것이므로 빈칸에 들어갈 단어로는 '숨겨져 있는 일이나 드러나지 아니한 것을 들추어냄'을 의미하는 '적발'이 가장 적절하다.

❶ '분쟁'은 서로 시끄럽게 다툼을 의미하는데, 식약처가 불법 업체와 다툼을 벌인 것은 아니므로 적절하지 않다.

❷ '소송'은 재판에 의하여 원고와 피고 사이의 권리나 의무 따위의 법률관계를 확정해 줄 것을 법원에 요구하는 것인데, 식약처와 불법 업체 간에 문제가 발생한 것은 아니므로 적절하지 않다.

❸ '야기'는 일이나 사건 따위를 끌어 일으키는 것인데, 식약처가 어떤 사건을 일으킨 것은 아니므로 적절하지 않다.

❺ '행사'는 권리의 내용을 실현한다는 의미인데, 식약처가 불법 업체를 상대로 어떤 권리를 실현한 것은 아니므로 적절하지 않다.

3단계 독해로 어휘 다지기 | 본문 136~137쪽 |

1 ⑤　　2 ③　　3 ③

[조세의 효율성과 공평성]

■해제 이 글은 조세를 부과할 때 고려해야 하는 요건으로 효율성과 공평성을 들어 설명하고 있다. 조세를 부과할 때는 경제적 순손실을 최소화하여야 조세의 효율성을 높일 수 있으며, 조세의 공평성이 확보되면 조세 부과의 형평성이 높아질 수 있다. 공평성을 확보하기 위해서는 공공재를 사용하는 만큼 세금을 내는 방식인 편익 원칙을 적용하거나, 개인의 세금 부담 능력에 따라 세금을 내는 방식인 능력 원칙을 적용해야 한다. 능력 원칙은 다시 수직적 공평과 수평적 공평으로 나뉘는데, 수직적 공평을 위해 비례세나 누진세를 시행하기도 하고, 수평적 공평을 위해 개인의 실질적인 조세 부담 능력에 따라 세금을 감면해 주는 방법을 쓰기도 한다.

- **■주제** 조세의 효율성과 공평성을 확보하기 위한 방법
- **■특징** • 조세 부과 시 고려해야 할 요건 및 원칙을 기준에 따라 구분하여 그 특징을 설명함
  - • 조세와 관련된 개념과 그 특성을 구체적인 예를 들어 설명함으로써 독자의 이해를 도움
- **■구성**

1문단	조세를 부과할 때 효율성과 공평성을 고려해야 하는 이유
2문단	조세의 효율성을 높이는 방법 - 경제적 순손실을 최소화하도록 조세 부과
3문단	조세의 공평성 확보를 위한 기준인 편익 원칙의 특징
4문단	조세의 공평성 확보를 위한 기준인 능력 원칙 중 수직적 공평의 특징
5문단	조세의 공평성 확보를 위한 기준인 능력 원칙 중 수평적 공평의 특징

독해 체크

1 조세   2 **1** 효율성 **2** 경제적 순손실 **3** 편익 원칙
4 능력 원칙 **5** 수평적 공평   3 공평성

1 '불가피하게'는 '피할 수 없게'를 의미하는데, '기피하게'는 '꺼리거나 싫어하여 피하게'를 의미하므로 문맥상 ⑩과 바꾸어 쓸 수 없다.

오답 풀이 ❶ '부과하다'는 '세금이나 부담금 따위를 매기어 부담하게 하다.'를 뜻하므로, 문맥상 '매기다'와 바꾸어 쓰기에 적절하다.
❷ '초래하거나'는 '일의 결과로서 어떤 현상이 생겨나게 하거나'를 뜻하므로, 문맥상 '불러오거나' 또는 '가져오거나', '빚거나' 정도로 바꾸어 쓸 수 있다.
❸ '야기하는'은 '일이나 사건 따위를 끌어 일으키는'을 뜻하므로, 문맥상 '일으키는'이나 '생기는' 정도로 바꾸어 쓸 수 있다.
❹ '둔화될'은 '느리고 무디어질'을 뜻하므로, 문맥상 '부진해질' 또는 '느려질' 정도로 바꾸어 쓸 수 있다.

2 이 글은 조세를 부과할 때 고려해야 하는 요건을 효율성과 공평성으로 구분하고, 그 특성을 설명하고 있다. 그리고 조세의 공평성을 확보하기 위한 기준을 편익 원칙과 능력 원칙으로 구분하고, 능력 원칙을 다시 수직적 공평과 수평적 공평으로 구분하여 각 특성을 설명하고 있다.

오답 풀이 ❶ 이 글에서는 조세를 부과할 때 효율성과 공평성을 고려해야 한다고 하며 각각의 개념과 특징을 설명하고 있지만, 두 개념을 비교하여 옳고 그름을 판단하고 있지는 않다.
❷ 이 글에 대상의 가치와 효용을 언급하고 있지 않으며 비유적 표현도 나타나 있지 않다.
❹ 이 글에서는 대상에 관한 다양한 이론을 제시하거나 시사점을 도출하고 있지 않다.
❺ 이 글에 조세를 부과할 때 생기는 문제들이 제시되어 있기는 하지만, 이에 대한 해결 방법을 시대의 흐름에 따라 살펴보고 있지는 않다.

3 소득 재분배 효과는 능력 원칙, 즉 조세의 공평성을 확보했을 때 얻을 수 있는 것이지 조세의 효율성을 확보했을 때 얻을 수 있는 것이 아니다. 따라서 조세의 효율성은 조세의 공평성과 달리 소득 재분배를 목적으로 한다고 할 수 없다.

오답 풀이 ❶ 조세로 경제적 순손실이 생기면 경기가 둔화되므로, 경제적 순손실을 최소화하도록 조세를 부과해야 조세의 효율성을 높일 수 있다. 즉, '조세의 효율성(ⓐ)'은 조세가 경기에 미치는 영향과 관련된다.
❷ 3문단을 통해 '조세의 공평성(ⓑ)'이 이루어지면 조세 부과의 형평성이 높아질 것이므로, 납세자들의 조세 저항은 완화될 것임을 알 수 있다.
❹ '조세의 효율성(ⓐ)'은 경제적 순손실을 최소화하는 것이다. 이와 달리 '조세의 공평성(ⓑ)'은 조세 부과의 형평성을 실현하는 것이다.
❺ 1문단에서 '조세의 효율성(ⓐ)'과 '조세의 공평성(ⓑ)'은 조세를 부과할 때 고려해야 할 요소라고 하였다.

수능독해 특강 체크 주제별로 알아보는 한자 성어

인생과 관련된 한자 성어			본문 140~141쪽
01 회자정리	02 생자필멸	03 등고자비	04 고진감래
05 흥진비래	06 거자필반	07 ⑩	08 ⓒ 09 ⓛ
10 ㉠	11 ㉣	12 대기만성	

01~06

반	면	교	사	배	백	년	가	약
명	회	생	무	은	수	고	오	선
등	고	자	비	망	흥	진	비	래
화	정	필	정	덕	금	감	이	각
가	신	멸	주	리	고	래	락	골
친	우	위	편	삼	절	구	말	통
일	편	심	자	강	불	식	반	한
성	공	자	거	자	필	반	포	화
타	산	지	석	류	타	산	지	석

12 문자 메시지에서 예지는 정국에게 연기 학원에서 연습을 많이 했는데도 대사가 완벽히 외워지지 않는다고 고민을 토로하고 있다. 이에 정국은 큰 인물은 쉽게 만들어지는 게 아니라고 하며 예지를 위로하고 있다. 이러한 대화 상황을 고려했을 때, 빈칸에는 '크게 될 사람은 늦게 이루어짐을 이르는 말'인 '대기만성(大器晩成)'이 들어가는 것이 적절하다.

01 과학 주제어 _의학

(1) 여과　(2) 기생, 발병　(3) 대항　(4) 이완　(5) 존속
(6) 침투　(7) 숙주　(8) 노폐물, 배설

1 (1) ㉠ (2) ㉢ (3) ㉡　　2 (1) 대항 (2) 배설 (3) 발병
3 (1) 존속 (2) 노폐물 (3) 숙주　4 ③

4 벼멸구가 벼 속에 침투한 것은 몰래 숨어 들어간 것이라기보다는 병균을 가진 해충인 멸구가 벼 속에 들어온 것이라고 보는 것이 적절하다. 따라서 ③은 ㉢의 뜻을 이용한 것이다.

02 과학 주제어 _생물

(1) 보전　(2) 관여　(3) 이식　(4) 복제　(5) 변이
(6) 유전자　(7) 개체　(8) 상주　(9) 봉착　(10) 배양

1 (1) × (2) ○ (3) ×　　2 (1) ㉡ (2) ㉢ (3) ㉠
3 (1) 보전 (2) 봉착 (3) 관여　4 ③

4 '이식이 잘된 나무'는 '옮겨심기가 잘된 나무'라는 뜻이므로, ③에 사용된 '이식'은 ㉡이 아닌 ㉠의 의미이다.

1 ④　　2 ⑤　　3 ④

[세균을 잡아먹는 박테리오파지]

■**해제** 이 글은 바이러스의 일종인 '박테리오파지'에 대해 설명하고 있다. 박테리오파지는 '머리, 꼬리, 꼬리 섬유'인 세 부분으로 구성되어 있다고 밝히면서, 각 부분의 생김새와 역할을 구체적인 시각 자료를 활용하여 설명하고 있다. 그리고 박테리오파지의 증식 방식인 복제 과정을 순차적으로 설명한 후, 박테리오파지의 두 유형인 '독성 파지'와 '용원성 파지'의 각기 다른 특징을 제시하고 있다.

■**주제** 박테리오파지의 구성과 역할 및 증식을 위한 복제 과정

■**특징** • 그림을 활용하여 대상의 구조를 구체적으로 설명함
　　　• 대상의 발견부터 구성, 역할, 증식 방식, 유형까지 대상을 다각적이고 분석적으로 설명함

■**구성**

1문단	바이러스의 개념과 특징
2문단	박테리오파지의 발견과 그 뜻
3문단	박테리오파지의 구성과 각 부분의 기능
4문단	박테리오파지의 복제 과정
5문단	박테리오파지의 종류인 독성 파지와 용원성 파지

독해 체크

1 박테리오파지　2 **1** 바이러스　**2** 발견　**3** 구성　**4** 복제
5 독성, 용원성　3 증식

1 ㉢과 ④의 '복제' 모두 '본디의 것과 똑같은 것을 만듦. 또는 그렇게 만든 것'을 의미한다.

오답 풀이 **①** 밑줄 친 '숙주'는 '녹두를 시루 같은 그릇에 담아 물을 주어서 싹을 낸 식물'을 의미하는데, ㉠의 '숙주'는 '기생 생물에게 영양을 공급하는 생물'을 의미한다.

② 밑줄 친 '존속'은 '부모 또는 그와 같은 항렬 이상에 속하는 친족'을 의미하는데, ㉡의 '존속'은 '어떤 대상이 그대로 있거나 어떤 현상이 계속됨'을 의미한다.

③ 밑줄 친 '구성'은 '색채와 형태 따위의 요소를 조화롭게 조합하는 일'을 의미하는데, ㉢의 '구성'은 '몇 가지 부분이나 요소들을 모아서 일정한 전체를 짜 이룸. 또는 그 이룬 결과'를 의미한다.

⑤ 밑줄 친 '침투'는 '어떤 곳에 몰래 숨어 들어감'을 의미하는데, ㉤의 '침투'는 '세균이나 병균 따위가 몸속으로 들어옴'을 의미한다.

2 4문단에서 박테리오파지는 세균 속에서 세균의 효소, 내부의 물질 등을 이용하여 새로운 박테리오파지를 만들 유전 물질과 단백질을 만들어 자신을 복제한다고 설명하고 있다. 그러므로 세균의 세포막 표면에 존재하는 특정한 단백질을 복제한다는 설명은 적절하지 않다.

오답 풀이 **①** 5문단에서 박테리오파지에는 '독성 파지'와 '용원성 파지'가 있다고 하였다.

②, ③ 2문단에서 박테리오파지는 바이러스의 일종으로 세균을 잡아먹는 존재를 뜻한다고 하였고, 3문단에서 박테리오파지는 머리, 꼬리, 꼬리 섬유로 이루어져 있다고 하였다. 또한 머릿속에는 유전 물질이 있으며, 이 유전 물질은 단백질 껍질로 보호되어 있다고 하였으므로 적절한 설명이다.

④ 4문단에서 박테리오파지의 꼬리 섬유가 세균의 세포막 표면에 있는 단백질, 다당류 등을 인식한 후, 이용이 가능한 세균일 때 갈고리 모양의 꼬리 섬유로 세균의 표면에 단단히 달라붙는다고 하였으므로 적절한 설명이다.

3 〈보기〉는 박테리오파지 중에서 '독성 파지'의 복제 과정을 보여 주고 있다. 그리고 [D]는 세균 내에서 새로운 박테리오파지가 조립되어 있는 모습이다. 그런데 ④에서는 세균 속에서 기생하다가 세균이 분열하는 과정에서 새로운 박테리오파지로 복제된다는 내용이 제시되어 있는데 이는 '용원성 파지'에 대한 설명이므로 적절하지 않다.

오답 풀이 ❶ [A]는 박테리오파지가 세균에 달라붙어 있는 모습을 보여 주고 있다. 4문단에서 박테리오파지는 꼬리 섬유로 복제를 위해 이용할 수 있는 세균인지의 여부를 확인한다고 하였다. 따라서 [A]의 과정에서 유전 물질의 침투 여부가 결정된다.

❷ [B]는 박테리오파지의 유전 물질이 세균의 내부로 유입되고 있는 모습이다. 3문단에서 꼬리가 머릿속의 유전 물질이 세균으로 이동하는 통로 역할을 한다고 하였으므로 적절한 내용이다.

❸ [C]는 박테리오파지가 세균 속으로 침투하여 세균의 DNA를 분해한 모습이다. 4문단에서 세균 내부의 DNA를 분해한 후 박테리오파지가 세균의 내부 물질과 여러 효소 등을 이용하여 새로운 박테리오파지를 형성할 유전 물질과 단백질을 만든다고 하였으므로 적절한 내용이다.

❺ [E]는 복제된 박테리오파지가 세균의 세포벽을 터뜨리고 나오는 모습이다. 5문단에서 이러한 유형을 '독성 파지'라고 하였으므로 적절한 내용이다.

18일차 01 과학 주제어 _화학

1단계 문맥으로 어휘 확인하기 | 본문 148쪽 |

(1) 분리 　(2) 균일 　(3) 촉매 　(4) 관찰 　(5) 산화
(6) 연소 　(7) 반응 　(8) 확산 　(9) 환원

2단계 문제로 어휘 익히기 | 본문 149쪽 |

1 (1) ㉡ (2) ㉠ (3) ㉢ 　**2** (1) 균일 (2) 관찰 　**3** (1) 분리
(2) 확산 (3) 산화, 환원 　**4** ①

4 나무에 불을 붙이면 열을 내면서 탄 후 나무의 상태가 변화된다. 물질이 산소와 결합할 때 많은 빛과 열을 내는 현상을 연소라고 하였으므로, 빈칸에는 '연소'가 들어가는 것이 적절하다.

오답 풀이 ❷ '산화'는 '어느 물질이 산소와 화합하는 것'인데, 열과 빛을 발생시키는 것은 산화의 결과로 나타나는 것이므로 알맞지 않다.

❸ '확산'는 '흩어져 널리 퍼짐'으로, 열과 빛을 내는 반응과는 어울리지 않는다.

❹ '촉매'는 '그 자신은 변하지 않으며 다른 물질의 화학 반응을 빠르게 하거나 늦추는 작용을 하는 물질'을 말하므로, 산소와 반응하여 열과 빛을 내는 현상과는 관련이 없다.

❺ '분리'는 '물질의 혼합물을 어떤 성분을 함유하는 부분과 함유하지 않는 부분으로 나누는 일'이므로, 열과 빛을 내는 상황과는 맞지 않다.

18일차 02 과학 주제어 _물리

1단계 문맥으로 어휘 확인하기 | 본문 150쪽 |

(1) 관성 　(2) 액화 　(3) 증발 　(4) 기화 　(5) 만유인력
(6) 승화 　(7) 탄성 　(8) 마찰

2단계 문제로 어휘 익히기 | 본문 151쪽 |

1 (1) ㉠ (2) ㉢ (3) ㉡ 　**2** (1) 탄성 (2) 마찰 (3) 관성
3 (1) 승화 (2) 기화, 액화 　**4** ⑤

4 물체와 물체 사이에서 서로 끌어당기는 힘은 '만유인력'에 대한 설명이다.

오답 풀이 ❶ '마찰'은 물리적 용어로 쓰일 때 '접촉하고 있는 두 물체가 상대 운동을 하려고 하거나 상대 운동을 하고 있을 때, 그 운동을 저지하는 방향으로 힘이 작용하는 현상'이라는 뜻이다. 물체들이 서로 끌어당기는 힘과는 관련이 없다.

❷ '탄성'은 '물체에 외부의 힘을 가하면 부피의 모양이 바뀌었다가, 그 힘이 제거되면 본디 모양으로 되돌아가려고 하는 성질'이므로 서로 끌어당기는 힘과는 관련이 없다.

❸ '관성'은 '물체가 밖의 힘을 받지 않을 때 처음의 운동 상태를 계속 유지하려는 성질'이므로 서로 끌어당기는 힘과는 관련이 없다.

❹ '증발'은 '어떤 물질이 액체 상태에서 기체 상태로 변하는 현상'이므로 물체 사이의 힘과는 관련이 없다.

3단계 독해로 어휘 다지기 | 본문 152~153쪽 |

1 ② 　　**2** ③ 　　**3** ①

[액체의 끓는점이 다른 이유]

■해제 이 글은 액체별로 끓는점이 다른 이유를 증기압이라는 개념을 통해 설명하고 있다. 증발 속도와 응축 속도가 같은 때를 평형 상태라고 하는데, 평형 상태에서 증기가 나타내는 압력을 액체의 증기압이라고 한다. 이러한 증기압에 영향을 주는 요인으로는 용액의 농도, 용액의 온도, 용매의 종류가 있으며, 용액의 농도가 진할수록 용액의 증기압이 낮아지고, 온도가 높아질수록 용액의 증기압이 높아진다. 이후 증기압과 끓는점이 어떤 관계가 있는지를 밝히고 있다. 액체가 끓기 위해서는 액체의 증기압이 대기압과 같아져야 하는데, 비휘발성 용질이 녹아 있는 용액은 순수한 용매보다 증기압이 낮기 때문에 더 높은 온도가 되어야 대기압과 같아진다. 즉, 액체의 끓는점이 다른 이유는 용액의 증기압의 변화 때문이다.

■주제 끓는점을 결정하는 액체의 증기압

■특징 • 일상생활 속 사례를 활용하여 독자의 이해를 도움
　　　• 핵심 화제를 질문으로 제시하여 독자의 주의를 환기함

독해 체크

1 끓는점   2 **1** 끓는점 **2** 평형 상태 **3** 용매 **4** 변화
3 증기압

1 액체가 기체로 변하는 현상을 '기화'라고 하고, 기체 상태의 물질이 냉각·압축되어 액체 상태로 변하는 현상을 '액화'라고 한다.

2 4문단에서 비휘발성 용질을 녹인 용액은 순수한 용매보다 증기압이 낮기 때문에 더 높은 온도가 되어야 용액의 증기압과 대기압이 같아진다고 하였다. 따라서 용액이 순수한 용매보다 끓는점이 더 높다.

오답 풀이 ❶ 4문단에서 끓는점은 액체의 증기압이 대기압과 같아지는 온도라고 하였다.

❷ 4문단에서 '끓는다'는 것이 액체의 증기압이 대기압과 같아져서 액체 내부에서 기체 상태로 변한 분자들, 즉 기포가 액체의 표면에 나오는 것이라는 설명을 통해 알 수 있다.

❹ 4문단에서 높은 산에 올라가면 대기압이 낮아지기 때문에 평지보다 액체의 증기압이 낮은 상태에서도 끓게 된다고 하였다.

❺ 4문단에서 비휘발성 용질을 녹인 용액은 순수한 용매보다 증기압이 낮기 때문에 더 높은 온도가 되어야 용액의 증기압과 대기압이 같아진다고 하였다. 따라서 액체에 따라 끓는점이 다른 이유는 용액의 증기압 변화 때문임을 알 수 있다.

3 2문단에서 기체 상태의 분자들이 액체로 돌아오는 과정을 응축이라고 하며, 밀폐된 용기 속에서 증발된 기체 분자 수가 많아질수록 응축 속도가 빨라져 결국 증발 속도와 같아진다고 하였다. 따라서 증발이 계속되면 응축 속도가 느려지는 것이 아니라, 빨라지는 것이다.

오답 풀이 ❷ 2문단에서 밀폐된 용기 속에 물을 담아 두면 물 분자들이 표면에서 일정한 속도로 증발한다고 하였다.

❸ 2문단에서 증발 속도와 응축 속도가 같은 때를 평형 상태라고 한다고 하였다.

❹ 2문단에서 증발은 액체 상태의 물이 기체 상태로 변하는 것이고, 응축은 기체 상태의 분자들이 물로 돌아오는 것이라고 하였다. 이를 통해 증발 속도가 응축 속도보다 빠르면 용액의 양이 줄어든다는 것을 알 수 있다.

❺ 3문단에서 용액의 농도가 진할수록 증발하는 분자 수가 적어진다고 하였다.

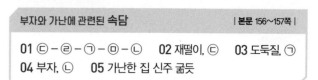

부자와 가난에 관련된 속담 |**본문 156~157쪽**|

01 ㉢ - ㉣ - ㉠ - ㉤ - ㉡   **02** 재떨이, ㉢   **03** 도둑질, ㉠
04 부자, ㉡   **05** 가난한 집 신주 굶듯

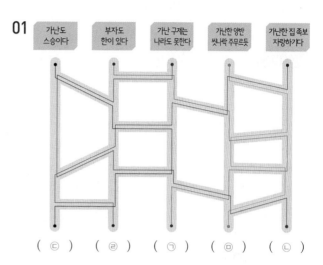

01

| 가난도 스승이다 | 부자도 한이 있다 | 가난 구제는 나라도 못한다 | 가난한 양반 씨나락 주무르듯 | 가난한 집 족보 자랑하기다 |

(㉢)   (㉣)   (㉠)   (㉤)   (㉡)

05 제시된 문자 메시지는 할아버지와 손녀의 대화이다. 할아버지의 안부를 묻는 손녀에게 할아버지는 밥을 먹었는지를 묻고 있다. 손녀는 할아버지가 매번 밥을 먹었는지 묻는 것이 이상해서 그 이유를 여쭈어보자, 할아버지는 예전에 가난하여 끼니를 제대로 챙겨 먹지 못했던 시절이 있었기 때문에 습관적으로 끼니를 챙기는 것이 안부 인사가 된 것임을 말해 준다. 따라서 할아버지는 줄곧 굶기만 한다는 의미의 '가난한 집 신주 굶듯'이라는 속담을 활용하여 대답할 수 있다.

19일차

01 기술 주제어 _전기/전자

1단계 문맥으로 어휘 확인하기 | 본문 158쪽 |

(1) 방전　(2) 전압　(3) 정전기　(4) 대전　(5) 전하, 전류
(6) 도체, 절연체　(7) 자기장

2단계 문제로 어휘 익히기 | 본문 159쪽 |

1 (1) ㉡　(2) ㉢　(3) ㉠　　　　2 (1) ✕　(2) ✕　(3) ○
3 (1) 대전　(2) 방전　　　　4 ③

4 자석 주위에 철가루를 뿌리면 자석에 의한 자기장의 영향으로 철가루가 일정한 모양으로 배열된다. 또한 자기장 속에 나침반을 놓았을 때 나침반 자침의 N극이 가리키는 방향이 곧 자기장의 방향이다. 이처럼 자석의 힘인 자기의 작용이 미치는 공간을 '자기장'이라고 한다.

02 기술 주제어 _화학 기술

1단계 문맥으로 어휘 확인하기 | 본문 160쪽 |

(1) 신소재　(2) 화합물　(3) 선도　(4) 실용화　(5) 원소
(6) 활성화　(7) 충돌　(8) 분해, 결합　(9) 연금술

2단계 문제로 어휘 익히기 | 본문 161쪽 |

1 (1) ○　(2) ✕　(3) ✕　　2 (1) 원소　(2) 활성화　(3) 화합물
3 (1) ㉢　(2) ㉡　(3) ㉠　　4 ⑤

4 연예인이 다양한 옷을 입어서 패션을 선도한다는 것은 남보다 앞장서서 패션을 이끈다는 의미이므로, ㉡의 '선도(先導)'가 적절하다.

오답 풀이 ❶ 선발대가 뒤따라 오는 사람들보다 먼저 베이스캠프에 도착한 것이므로, 남보다 먼저 도착함을 뜻하는 '선도(先到)'의 의미에 맞게 쓰였다.
❷ 방송 매체들이 앞장서서 건전한 사회를 만들어야 한다는 의미이므로, '선도(先導)'의 의미에 맞게 쓰였다.
❸ 그가 참가자들을 이끌고 교육장으로 안내한다는 의미이므로, '선도(先導)'의 의미에 맞게 쓰였다.
❹ 청소년을 처벌하기보다 순화하는 것이 올바르고 좋은 길로 이끄는 것이라는 의미이므로, '선도(善導)'의 의미에 맞게 쓰였다.

30 정답과 해설

3단계 독해로 어휘 다지기 | 본문 162~163쪽 |

1 ④　　　2 ①　　　3 ③

[전기레인지의 가열 방식]

■ **해제** 이 글은 전기레인지를 가열 방식에 따라 하이라이트 레인지와 인덕션 레인지로 구분하고, 각 레인지의 가열 방식과 장단점을 비교하여 설명하고 있다. 직접 가열 방식으로 열을 발생시키는 하이라이트 레인지는 비교적 다양한 소재의 용기를 사용할 수 있다는 장점이 있지만, 에너지 효율이 낮아 조리 속도가 느리고 상판의 잔열로 화상의 우려가 있다. 반면 유도 가열 방식으로 열을 발생시키는 인덕션 레인지는 에너지 효율이 높아 직접 가열 방식보다 상대적으로 음식을 빠르게 조리할 수 있고, 발화에 의한 화재의 가능성이 매우 낮으며, 화상의 피해로부터 비교적 안전하다. 하지만 강자성체인 용기를 사용해야 한다는 소재의 제약이 있으며, 고주파 전류를 사용하기 때문에 조리 시 전자파에 대한 우려가 있다.

■ **주제** 하이라이트 레인지와 인덕션 레인지의 가열 방식에 따른 차이점

■ **특징** • 대상을 일정한 기준에 따라 구분하여 설명함
　　　• 두 대상의 원리상의 차이점 및 장단점을 비교하여 설명함으로써 독자의 이해를 도움

■ **구성**

1문단	가열 방식에 따른 전기레인지의 종류
2문단	하이라이트 레인지의 가열 원리 및 장단점
3문단	인덕션 레인지의 가열 원리 ①: 줄열 효과로 냄비에 열 발생
4문단	인덕션 레인지의 가열 원리 ②: 자기 이력 현상으로 냄비에 추가로 열 발생
5문단	인덕션 레인지의 장단점

독해 체크

1 전기　　2 ❶ 전기레인지　❷ 하이라이트　❸ 줄열 효과
❹ 자기 이력 현상　❺ 인덕션　　3 가열 방식

1 ㉢ '도체'는 열 또는 전기의 전도율이 큰 물체를 의미한다. 열이나 전기를 잘 전달하지 않는 물체는 '절연체' 또는 '부도체'라고 한다.

2 상판 자체를 가열해서 열을 발생시키는 것은 하이라이트 레인지의 방식이다.

오답 풀이 ❷ 5문단을 살펴보면 인덕션 레인지는 상판이 직접 가열되지 않기 때문에 발화에 의한 화재의 가능성이 매우 낮다고 하였다.
❸ 5문단을 살펴보면 인덕션 레인지는 직접 가열 방식보다 에너지 효율이 높아 용기가 순식간에 가열되기 때문에 상대적으로 빠르게 음식을 조리할 수 있다고 하였다.

④ 5문단을 살펴보면 인덕션 레인지는 가열 방식 때문에 소재의 저항이 크면서 강자성체인 용기를 사용해야 한다고 하였다.

⑤ 1문단을 살펴보면 인덕션 레인지는 상판을 가열하지 않고 전자기 유도 현상을 통해 용기에 자체적으로 열을 발생시킨다고 하였다.

3 3문단에 따르면 전기레인지는 교류 자기장(ⓑ)에 의해 냄비(ⓒ)의 바닥에 생겨난 맴돌이 전류(ⓓ)가 냄비(ⓒ) 소재의 저항에 부딪혀 열이 발생하는 것이다. 냄비(ⓒ) 소재의 저항이 맴돌이 전류의 세기에 영향을 준다고 추측할 수는 있으나 교류 자기장(ⓑ)의 세기와의 관계는 알 수 없다.

오답 풀이 ❶ 3문단에 따르면 전원이 켜질 때 코일(ⓐ)에 고주파 교류 전류가 흐르면서 교류 자기장(ⓑ)이 만들어진다고 하였다.

❷ 3문단에 따르면 교류 자기장(ⓑ)의 영향을 받은 냄비(ⓒ)의 바닥에 수많은 폐회로가 생겨나며 그 회로 속에 소용돌이 형태의 유도 전류인 맴돌이 전류(ⓓ)가 발생한다고 하였다.

❹ 3문단에 따르면 맴돌이 전류(ⓓ)의 세기는 나선형 코일(ⓐ)에 흐르는 전류의 세기에 비례한다고 하였다.

❺ 3문단에 따르면 맴돌이 전류(ⓓ)가 흐르면 냄비(ⓒ) 소재의 저항에 부딪혀 줄열 효과가 나타나게 되고, 이에 의해 냄비(ⓒ)에 열이 발생하게 된다고 하였다.

20일차 **01 예술 주제어 _음악**

1단계 문맥으로 어휘 확인하기 | 본문 164쪽 |

(1) 악장 　(2) 청아하게 　(3) 발성 　(4) 변주 　(5) 음정
(6) 웅장하게 　(7) 독주, 선율 　(8) 화성 　(9) 기보

2단계 문제로 어휘 익히기 | 본문 165쪽 |

1 (1) ⓒ 　(2) ㉠ 　(3) ⓛ 　　**2** (1) 기보 　(2) 독주 　(3) 악장
3 (1) 웅장한 　(2) 청아하게 　(3) 변주 　　**4** ②

4 격한 안무를 추며 노래를 부르면 숨이 차서 음정이 불안정하기 마련인데, 이것을 완벽하게 소화하여 심사위원들에게 높은 평가를 받았다고 하였다. 따라서 문맥상 빈칸에는 '높이가 다른 두 음 사이의 간격'을 의미하는 '음정'이 들어가는 것이 가장 적절하다.

오답 풀이 ❶ '발음'은 '음성을 냄. 또는 그 음성'으로 문맥상 어울리지 않는다.

❸ '발성'은 '목소리를 냄. 또는 그 목소리'로 문맥상 어울리지 않는다.

❹ '하모니'는 '일정한 법칙에 따른 화음의 연결'로 문맥상 어울리지 않는다.

❺ '멜로디'는 '선율'과 유사한 단어로 '소리의 높낮이가 길이나 리듬과 어울려 나타나는 음의 흐름'이라는 뜻이므로 문맥상 어울리지 않는다.

20일차 **02 예술 주제어 _미술**

1단계 문맥으로 어휘 확인하기 | 본문 166쪽 |

(1) 발현 　(2) 피사체 　(3) 포착 　(4) 기교 　(5) 역동적
(6) 영감 　(7) 구도 　(8) 화폭 　(9) 몰입 　(10) 고조

2단계 문제로 어휘 익히기 | 본문 167쪽 |

1 (1) ⓛ 　(2) ⓒ 　(3) ㉠ 　　**2** (1) 발현 　(2) 포착 　(3) 고조
3 (1) 구도 　(2) 영감 　(3) 역동적 　　**4** ③

4 제시된 글에서는 배우의 열연에 관객들이 작품에 빠져드는 모습을 설명하고 있다. 따라서 '깊이 파고들거나 빠짐'을 의미하는 '몰입'이 빈칸에 들어갈 단어로 가장 적절하다.

오답 풀이 ❶ '영감'은 '창조적인 일의 계기가 되는 기발한 착상이나 자극'을 뜻하는데 관객들이 창조적인 일을 하는지는 알 수 없다.

❷ '고조'는 '사상이나 감정, 세력 따위가 한창 무르익거나 높아짐'을 뜻하는데, 배우의 완벽한 연기로 관객들의 감정이 고조될 수는 있지만 관객의 감정에 대한 표현이 아니라 작품에 대한 관객의 반응이 빈칸에 들어가야 하므로 문맥상 적절하지 않다.

❹ '발현'은 '속에 있거나 숨은 것이 밖으로 나타나거나 그렇게 나타나게 함'을 뜻하는데, 문맥상 빈칸에 들어가기에는 적절하지 않다.

❺ '포착'은 '꼭 붙잡음'을 뜻하는 것으로, 문맥상 빈칸에 들어가기에는 적절하지 않다.

3단계 독해로 어휘 다지기 | 본문 168~169쪽 |

1 ③ 　　**2** ② 　　**3** ②

[미래주의 회화 운동]

■ **해제** 이 글은 20세기 초 이탈리아에서 시작된 미래주의 운동을 설명한 글로, 산업화에 대한 열망과 민족적 자존감을 고양시킬 수 있는 새로운 예술 운동으로 미래주의 회화가 등장하였음을 소개하고 있다. 미래주의 회화에서는 연속 사진의 촬영 기법에 영향을 받은 분할주의 기법을 통해 대상의 역동성을 지향하고자 했다. 즉, 이미지의 겹침, 역선, 상호 침투의 방법을 활용해 움직이는 대상의 속도와 운동을 효과적으로 나타냈다. 이러한 미래주의 회화는 비례, 통일, 조화 등의 아름다움을 추구한 전통적인 서양 회화와 달리 대상의 속도와 운동이라는 미적 가치에 주목해서 새로운 미의식을 제시했다는 데서 의의를 찾을 수 있다.

■ **주제** 미래주의 회화의 특징과 의의

■ **특징** • 인용과 분류를 통해 대상의 개념을 효과적으로 설명함
　　　　• 비교를 통해 대상의 의의를 부각함

1문단 │ 속도와 운동에 주목한 미래주의의 개념 및 등장 배경

2문단 │ 대상의 역동성을 지향한 미래주의 회화의 표현 대상 및 표현 방법

3문단 │ 분할주의 기법의 세 가지 표현 방법: 이미지의 겹침, 역선, 상호 침투

4문단 │ 미래주의 회화의 의의 및 영향

독해 체크

1 분할주의   2 **1** 속도 **2** 역동성 **3** 역선 **4** 회화
3 미래주의

1 ㉠의 앞에 제시된 내용을 살펴보면, 미래주의 화가들은 질주하는 자동차, 사람들로 북적이는 기차역, 광란의 댄스홀, 노동자들이 일하는 공장과 같이 활기찬 움직임을 보여 주는 모습을 주요 소재로 삼아 산업화의 모습을 표현하였다고 하였다. 따라서 빈칸에는 '힘차고 활발하게 움직이는 것'을 의미하는 '역동적'이 들어가는 것이 가장 적절하다.

오답 풀이 ❶ '감성적'은 '감성을 위주로 하거나 감성에 관한 것'을 의미하는데, 힘차게 움직이는 대상들의 모습을 나타내는 말로는 적절하지 않다.
❷ '낭만적'은 '감미롭고 감상적인 것'을 의미하는데, 힘차게 움직이는 대상들의 모습을 나타내는 말로는 적절하지 않다.
❹ '예술적'은 '예술의 특성을 지닌 것'을 의미하지만, 미래주의 화가가 표현하고자 한 대상의 모습에 적용하기에는 적절하지 않다.
❺ '행동적'은 '몸을 움직여 동작을 하거나 어떤 일을 하는 것'을 의미하는데, 미래주의 화가가 표현하고자 한 대상의 모습에 적용하기에는 적절하지 않다.

2 1문단~2문단을 살펴보면 미래주의 회화는 움직이는 대상의 속도와 운동을 그림으로 표현한 것이다. 4문단에서 키네틱 아트는 모빌과 같이 입체적 조형물을 만들어 그 운동을 보여 준다고 하였으므로, 입체적인 조형물의 움직임을 통해 대상의 속도와 운동을 생생하게 느낄 수 있는 예술을 추구하였을 것이라고 추측할 수 있다. 미래주의 회화가 움직이는 대상을 생동감 있게 형상화하려 했어도 화폭에 담은 이상 결국 정지되어 있는 예술이 된다. 따라서 키네틱 아트가 미래주의 회화의 모습에서 영감을 받아 등장하게 된 것이라면 그 영감의 구체적 내용은 속도와 운동이라는 기존의 미적 가치를 3차원에서 실제 움직이는 조형물로 나타내고자 한 생각이라고 보는 것이 적절하다.

오답 풀이 ❶ 움직이는 대상이 주는 아름다움을 최초로 작품화한 것이 키네틱 아트인지는 알 수 없다.
❸ 4문단을 보면 키네틱 아트는 사진 촬영 기법이 아닌 조형물의 운동을 보여 주는 방법을 사용하였다.
❹ 키네틱 아트는 산업화를 긍정적으로 인식한 미래주의 회화에 영감을 받아 조형물의 운동을 보여 주는 것이다. 따라서 키네틱 아트가 산업 사회의 모습에서 벗어나려 했다는 것은 적절하지 않다.

❺ 4문단을 보면 키네틱 아트는 입체적인 조형물의 운동을 보여 주는 것이므로 추상적인 것으로 확대했다고 볼 수 없다.

3 3문단을 살펴보면 분할주의 기법에는 이미지의 겹침, 역선, 상호 침투 세 가지가 있는데, 대상과 대상을 겹쳐 보이게 하는 표현 방법은 '상호 침투'에 해당한다. '역선'은 대상의 움직임의 궤적을 여러 개의 선으로 구현하는 방법이다.

오답 풀이 ❶ 1문단을 살펴보면 미래주의는 산업화에 대한 열망과 민족적 자존감을 고양시키기 위해 생겨난 예술 운동이라고 하였다.
❸, ❹ 2문단과 4문단을 살펴보면 미래주의 화가들은 시간의 흐름에 따른 대상의 움직임을 하나의 화면에 표현하는 분할주의 기법을 사용하였다. 즉 움직이는 대상을 표현하고자 한 미래주의 회화는 속도와 운동이라는 미적 가치에 주목하였음을 알 수 있다.
❺ 4문단을 살펴보면 전통적인 서양 회화에서는 대상의 고정적인 모습에 주목하여 비례, 통일, 조화 등을 아름다움의 요소로 보았다고 하였다.

수능독해 특강 체크 주제별로 알아보는 관용 표현

먹거리와 관련된 관용 표현					본문 172~173쪽
01 ㉣	02 ㉥	03 ㉤	04 ㉠	05 ㉢	06 떡, ㉠
07 떡국, ㉥	08 밥맛, ㉣	09 밥, ㉢	10 파김치		
11 미역국	12 깨	13 호박씨	14 떡이 생긴다		

14 문자 메시지 대화에서 예지는 정국이에게 조별 과제를 가장 먼저 제출한 조에 상품이 있다는 소식을 전하고 있고, 정국이는 이런 소식을 전한 예지에게 고마움을 표현하고 있다. 이러한 대화의 맥락을 고려했을 때, 빈칸에는 뜻밖의 이익이 생긴다는 의미를 지닌 '떡이 생긴다'라는 관용 표현이 들어가는 것이 적절하다.